Tempête de Feu

Richard Castle

Traduit de l'anglais (États-Unis)
par Françoise Fauchet

City
Thrillers

À toi pour « toujours ».
C'est magique de sauver le monde avec toi.

Originally published in the United States and Canada as *Wild Storm* by Richard Castle. This translated edition published by arrangement with Kingswell, an imprint of Disney Book Group, LLC.
Publié en France par City Editions.
Couverture : © ABC
ISBN : 978-2-8246-0458-9
Code Hachette : 87 6669 1
Rayon : Thrillers
Collection dirigée par Christian English & Frédéric Thibaud
Catalogue et manuscrits : www.city-editions.com

Dépôt légal : juin 2014
Imprimé en France par France Quercy, 46090 Mercuès - n° 40765/

1

6 000 mètres au-dessus de York, Pennsylvanie

À l'instant où le vol 937 fut pris pour cible, alors que les trois cents et quelques personnes qu'il comptait à son bord allaient être confrontées à un péril dont elles ne soupçonnaient pas l'ampleur, l'homme assis à la place 2B envisageait de piquer un somme. Carré dans son siège légèrement incliné, ce grand brun musclé d'allure chic et virile respirait profondément. Au-delà de ces indéniables atouts physiques, il disposait d'un tel charme – ineffable charisme ou simple magnétisme naturel – que les hôtesses lui accordaient toujours plus d'attention que nécessaire.

Sous son épaisse crinière, qu'il avait choisi de coiffer avec la raie sur le côté, selon la tendance actuelle, son visage était bronzé, ou plutôt brûlé par le vent, car il rentrait d'un séjour d'alpinisme de plusieurs semaines en Suisse. Pour clore ce périple, il avait effectué l'ascension en solo de la face nord de l'Eiger en un peu moins de quatre heures, ce qui n'avait rien d'un exploit, mais demeurait tout de même une belle performance pour un amateur. Au départ de Zurich, il avait gardé ses chaussures de marche aux pieds et rangé son vieux sac à dos dans le coffre à bagages au-dessus de sa tête tandis que le reste de son matériel voyageait en soute. Après sa paisible traversée du ciel, le Boeing 767-300 entamait sa longue et lente descente vers l'aéroport international de Dulles, et l'occupant de la place 2B se réjouissait à l'avance de passer la soirée en compagnie de son père, qu'il avait prévu d'emmener à un match des Orioles. Cela faisait deux mois qu'ils ne s'étaient pas vus et ils avaient des tas de choses à se raconter.

Le 767 vira légèrement vers la droite, puis se redressa. Il s'agissait d'un solide appareil, et le vol s'était déroulé sans heurts puisque l'avion n'avait subi qu'une très légère turbulence au franchissement de la couche nuageuse quelques instants auparavant. Le passager de la place 2B avait les yeux fermés, mais il ne dormait pas tout à fait. Il se trouvait dans cette phase intermédiaire pendant laquelle la partie consciente du cerveau cède peu à peu les commandes au subconscient. Il se produisit alors un fort grincement métallique.

Aussitôt, le passager ouvrit les yeux. Ce n'était certainement pas le genre de bruit qu'on souhaitait entendre à bord d'un avion. Des plaintes et des voix affolées s'élevèrent alors derrière lui, sur la gauche de l'appareil. Au-dessus de sa tête, un signal sonore retentit pour indiquer qu'il fallait attacher sa ceinture. L'avion ne volait plus droit du tout.

Pris de secousses, il plongeait vers la gauche, selon un angle d'inclinaison d'environ dix degrés. En physiologie, il a été établi que le danger suscite chez l'homme deux réactions possibles : la résistance ou la fuite. En réalité, il s'agit de simples réflexes hérités de nos ancêtres les singes.

Se croyant membre d'une espèce plus évoluée, l'*Homo sapiens* a appris à surmonter ces bas instincts grossiers. Il est poli, civilisé, surtout en présence de ses congénères. Il se soucie des convenances, parfois même au prix de sa survie.

En situation d'urgence, la réaction de la plupart des gens est donc de ne rien faire. Toutefois, l'occupant du siège 2B n'était pas comme le commun des mortels.

Tandis que les autres passagers de première classe échangeaient des regards nerveux, il détacha sa ceinture et remonta le couloir vers le milieu de la cabine. Totalement en alerte, il avait le pouls accéléré, les pupilles dilatées et les muscles gorgés de globules rouges qui caractérisent la montée d'adrénaline et que, grâce à l'entraînement, il savait depuis longtemps canaliser de manière productive. Il était donc prêt à passer à l'action.

Une fois sorti de la classe affaires, il gagna les rangées de la classe économique situées près de la sortie de secours. Sans s'adresser aux passagers, qui tendaient tous le cou vers les hublots pour regarder dehors, il se baissa et jeta à son tour un coup d'œil. Il lui fallut à peine une seconde et demie pour saisir la situation et peut-être deux de plus pour décider quoi faire. Il repartit en première classe, où il alla trouver une hôtesse, une jolie blonde prénommée Peggy, comme l'indiquait son badge. Elle se retenait au fuselage de l'appareil.

— Il faut que je voie le pilote, annonça-t-il sans élever la voix.

— Monsieur, veuillez retourner à votre place et boucler votre ceinture.

— Il faut que je parle au pilote immédiatement.

— Désolée, monsieur, ce n'est...

Sans se départir de son calme, il l'interrompit de nouveau.

— Avec tout le respect que je vous dois, Peggy, ce n'est vraiment pas le moment de discuter. Que vous soyez prête ou non à l'admettre, nous sommes en train de décrocher. L'avion va partir en vrille, et le pilote ne pourra rien faire pour empêcher le pire. Si vous ne me laissez pas lui venir en aide, voilà ce qui va se produire : on va être entraînés dans une spirale de la mort et on finira par s'écraser à pleine vitesse. Croyez-moi, personne n'y trouvera son compte, ceinture ou pas.

Enfin, il eut toute l'attention (et la coopération) de Peggy. L'hôtesse se dirigea en titubant vers un téléphone, dont elle décrocha le combiné.

— Allez-y, dit-elle en indiquant d'un hochement de tête la porte du cockpit. C'est ouvert.

Le pilote avait les cheveux gris et les pattes-d'oie d'un navigateur chevronné. Malgré ses milliers d'heures de vol, il n'avait jamais été confronté à pareille situation. Les muscles des bras bandés, il pesait de tout son poids sur le manche. L'avion répondait aux commandes, mais de manière totalement insuffisante.

L'homme du 2B ne s'embarrassa pas des présentations.

— Vous avez perdu l'un de vos ailerons gauches et un autre tient à peine, déclara-t-il.

— J'ai beau mettre les gaz à gauche et donner du palonnier à droite, je n'arrive pas à redresser, répondit le pilote.

— Et vous n'y parviendrez pas, confirma son interlocuteur. Je ne pense pas pouvoir faire fonctionner l'aileron, mais je dois pouvoir au moins le remettre en place.

— Et comment comptez-vous faire ça ? demanda le pilote.

L'homme du 2B ignora la question.

— Vous avez du scotch alu quelque part ?

— Oui, dans le compartiment derrière moi.

— Bien, dit l'homme, s'affairant déjà.

— On n'est pas les seuls, dit le pilote.

— Que voulez-vous dire ?

— Trois avions se sont déjà écrasés. Personne ne comprend ce qui se passe. Les contrôleurs du ciel parlent d'un nouveau 11 septembre. Les avions tombent comme des mouches, les uns après les autres.

L'homme du 2B réfléchit un instant à cette nouvelle, puis la chassa de son esprit. Cela n'apportait rien à la situation présente, laquelle requérait toute son attention.

— Quelle est notre altitude ? s'enquit-il.

— Cinq mille six cents mètres et ça continue de descendre.

— OK. J'ai besoin que vous réduisiez votre vitesse à cent quarante nœuds, que vous descendiez à quatre mille mètres et que vous dépressurisiez. Ça vous est possible ?

— Je crois que oui.

— Comment vous appelez-vous, commandant ?

— Estes. Ben Estes.

— Commandant Estes, je vais vous redonner un peu de contrôle sur cet appareil. Assez, j'espère, pour le poser en toute sécurité. Maintenez-le aussi stable que possible pendant cinq minutes. Pas de mouvement brusque.

— Bien reçu. Comment vous appelez-vous, fiston ?

L'inconnu avait déjà quitté le cockpit. Il s'arrêta brièvement à sa place pour ouvrir le coffre à bagages. De son sac à dos, il sortit un baudrier Petzl Hirundos, plusieurs mousquetons et soixante-dix mètres de corde d'escalade Mammut Supersafe. L'avion avait ralenti sa course. Il ne penchait plus maintenant que d'une quinzaine de degrés vers la gauche. Le passager de la place 2B sentit ses oreilles se déboucher.

Sa voisine assise à la place 1B le mitraillait de questions :

— Que se passe-t-il ? On va s'écraser ? Que faites-vous ?

— Je voudrais juste éviter la phlébite, finit-il par répondre. Ça ne prévient pas, vous savez.

Sur ce, il repartit en direction de la classe économique et des rangées de l'issue de secours. Dans cette partie de l'avion, les passagers cédaient à la panique. Ils avaient vu l'aile, senti l'avion s'incliner. Certains pleuraient. D'autres serraient leur proche dans leurs bras. Ou priaient.

— Il va falloir me libérer la place, messieurs dames, si vous ne voulez pas vous faire aspirer dehors, annonça-t-il aux personnes assises près de l'issue de secours.

Ces mots et l'image qu'ils évoquèrent produisirent un effet immédiat. Les quatre passagers concernés, deux dans chaque rangée, s'éloignèrent tandis que l'homme du 2B enfilait son baudrier, à l'avant duquel il fixa l'une des extrémités de sa corde. Puis il enroula l'autre plusieurs fois autour de son siège et termina par le nœud le plus solide qu'il connaissait. Il tira fort pour le serrer. L'homme du 2B était capable de soulever cent cinquante kilos au développé couché et au moins deux fois autant en position assise. Cependant, il savait que cela n'était rien en comparaison des forces qui allaient bientôt s'exercer sur la corde. Restait à espérer qu'elle tienne bon. Le rouleau d'adhésif entre les dents, il déverrouilla la porte de secours, l'empoigna à pleines mains et la jeta dans le vide. Sans tenir compte des cris de plusieurs passagers assis à proximité, il se concentra sur l'étape suivante.

Enfant, dans la Buick – toujours une Buick – de son père, l'homme du 2B aimait baisser la vitre pour faire résistance au vent avec sa main et mettre ainsi ses jeunes forces à l'épreuve. À cent kilomètres à l'heure, il avait du mal. Or l'avion allait plus de deux fois plus vite puisque cent quarante nœuds équivalent à deux cent soixante kilomètres à l'heure. Toutefois, il n'était plus un enfant. Il s'aplatit au sol et prit une profonde inspiration.

Un pied coincé à l'intérieur de la cabine par le trou béant de la porte, il entreprit de s'avancer sur l'aile.

C'est l'avant qu'il visait, le nez de l'avion. Le puissant souffle de l'air semblait s'évertuer à lui faire lâcher prise. Il lui fallait absolument rester plaqué sur la surface de métal s'il ne voulait pas se voir éjecté. Qui sait si la corde le retenant à l'avion supporterait son poids ? L'homme du 2B n'avait guère envie de le découvrir.

Son objectif était d'atteindre le bord d'attaque de l'aile. Il continua de ramper, lentement, en s'aidant de ses mains puissantes rendues calleuses par son séjour en montagne. Arrivé au but, il s'agrippa au bord pour s'y tenir, puis s'éloigna progressivement de la cabine en direction de l'extrémité de l'aile. Il glissa une main, puis l'autre, sans oser le moindre mouvement brusque, jusqu'à ce qu'il eût gagné la partie de l'aile où lui parvint enfin le bruit de l'aileron qui battait derrière lui. Restait à faire le plus difficile : se retourner.

Comme pour faire une traction, il se hissa vers le bord d'attaque qu'il enserra du bras droit, puis de la jambe droite. La force du vent le maintenait au moins en partie collé à l'avion. Tout en essayant de ne pas penser au reste de son corps qui se balançait à quatre mille mètres dans le vide, au-dessus du Sud rural de la Pennsylvanie, il allongea la main gauche derrière lui. Puis il tendit la droite afin de se retrouver face à l'arrière de l'avion. Alors, il se tortilla vers le bord de fuite. Il fallait encore attraper l'aileron. La pièce de métal ne cessait de bouger et elle était de toute façon inaccessible. L'homme ne pouvait l'atteindre sans perdre le peu d'adhérence dont il disposait. Il saisit donc plutôt l'étroite bande de métal qui empêchait l'aileron de se détacher de l'aile. Une fois qu'il la tint dans la main droite, il entreprit de la tirer vers lui : main droite, main gauche, main droite, gauche... jusqu'à ce qu'il eût récupéré l'aileron.

Par chance, il portait ses chaussures de montagne, dont la semelle était en caoutchouc, car de simples mocassins ne lui auraient sans doute pas permis de se maintenir sur l'aile, surtout qu'elle continuait inexorablement de pencher. La spirale de la mort était amorcée. Si le tangage s'accentuait encore, il lui serait impossible de mener à bien son travail.

L'aileron enfin en mains, il envisagea la troisième étape de sa difficile mission : remettre la pièce en place.

D'abord, il coinça l'aileron sous son corps, puis il déroula une longueur d'adhésif. Il ne s'agissait évidemment pas d'une simple bande collante toilée, mais d'un adhésif en aluminium tel que celui qu'utilisaient les soldats américains pendant la guerre au Vietnam pour réparer provisoirement sur le terrain les hélicoptères endommagés par des tirs d'armes légères. Dans le jargon de l'armée de l'air, cela s'appelait du « cent vingt mille à l'heure ». L'homme du 2B espérait que ce nom n'exagérait pas les mérites dudit adhésif tandis qu'il en appliquait une première bande sur l'aileron. Puis une autre. Et encore une autre. Certes, le matériau était épais, mais sa tâche n'était pas mince.

Lorsqu'il jugea en avoir appliqué une quantité suffisante, il replaça l'aileron dans sa position initiale. Du moins en gros, lui sembla-t-il. Il l'abaissa et le maintint sous ses poignets pendant qu'il déroulait encore une longueur de bande collante à l'aide de ses mains. Il en ajouta plusieurs morceaux jusqu'à ce qu'il fût à peu près satisfait de son bricolage.

Vint alors le moment critique, celui de retirer les mains de la pièce de métal. Si l'aileron ne tenait pas en place, il n'avait plus qu'à sauter de l'avion, car il n'aurait pas le temps de recommencer avant qu'ils ne soient entraînés dans la spirale de la mort. C'était le moment de vérité pour lui, mais aussi pour chacun des hommes, des femmes et des enfants à bord. Il lâcha prise. L'aileron tenait bon.

Tandis que l'appareil effectuait son approche finale de l'aéroport de Dulles, une armée de camions de pompiers et d'ambulances envahit la piste d'atterrissage. Grâce au peu de contrôle qu'il avait retrouvé, le vaillant commandant Estes avait réussi tant bien que mal à faire parcourir au Boeing les dernières centaines de kilomètres de trajet. Il fut par la suite souligné qu'il avait signé là un exploit digne de l'un des meilleurs pilotes d'Amérique. Il allait faire la une du *Time*, publier un livre et même faire une apparition dans une série policière très prisée sur la chaîne de télévision ABC.

L'homme qui avait rendu cela possible regagna le siège 2B comme si de rien n'était, comme s'il n'était qu'un passager parmi tant d'autres. Même lorsque ses compagnons de voyage voulurent le remercier, il secoua la tête et déclara en montrant d'un geste le cockpit :

— Ce n'est pas moi qui ai posé cet appareil.

L'avion atterrit sous de vives acclamations. À l'annonce de l'hôtesse, qui souhaita la bienvenue à l'aéroport de Dulles aux passagers, en songeant déjà à sa manière bien à elle de remercier le commandant Estes, un nouveau tonnerre d'applaudissements éclata dans la cabine. L'homme assis en 2B reçut des tapes dans le dos. Il n'éprouvait aucune euphorie particulière, aucun plaisir à être en vie, seulement de l'effroi. Les autres passagers ignoraient tout du drame qui les attendait de l'autre côté des portes de l'avion. Ils ne se doutaient pas que, s'ils avaient échappé à une mort certaine ce jour-là, des centaines d'autres voyageurs n'avaient pas eu cette chance.

Peggy annonça alors l'autorisation de rallumer les appareils électroniques portables, ce que la plupart des passagers avaient déjà fait. Ils bombardaient leur entourage de textos et d'e-mails frénétiques, rivalisant de *Tu ne devineras jamais ce qui m'est arrivé* et de *Oui, oui, tout va bien, on est tous sains et saufs*.

L'occupant de la place 2B ne partageait pas leur joie. Il avait déjà deviné ce qui l'attendait quand il ralluma son téléphone. *Au cagibi. Illico*, indiquait laconiquement le SMS envoyé d'un numéro masqué. S'il était convoqué au cagibi, cela ne voulait dire qu'une seule chose : une mission l'attendait.

Il n'assisterait pas au match de base-ball. Sans prendre la peine de récupérer son sac à dos, ce qui n'aurait fait que le retarder, ni attendre l'ouverture de la porte principale au milieu de la cabine, le passager de la place 2B sauta de l'avion avant l'arrivée de la passerelle et réquisitionna au passage un chariot à bagages. En deux temps trois mouvements, il quitta l'enceinte de l'aéroport et se mit en route pour sa destination.

Le commandant Estes recevait les accolades, les poignées de main et les larmes de reconnaissance de tous les passagers qui descendaient de l'appareil par la voie habituelle. Au cours des semaines et des mois qui allaient suivre, il entendrait nombre de leurs témoignages et comprendrait mieux toutes les vies qu'il avait ainsi contribué à sauver : une femme enceinte de jumeaux, un petit garçon de sept ans qui se rendait chez sa grand-mère, un chercheur en médecine travaillant à un traitement contre le cancer, une religieuse qui avait consacré sa vie aux pauvres, un père avec six enfants adoptés – que des gens remarquables. Néanmoins, en cet instant, le commandant Estes n'avait qu'une seule personne en tête, un homme qui s'était déjà éclipsé.

— Il ne m'a même pas laissé son nom, se plaignit-il à l'hôtesse lorsque tous les passagers furent descendus.

— Siège 2B, l'informa Peggy. Il suffit de consulter le manifeste de vol.

Le commandant retourna dans le cockpit et parcourut la liste des passagers.

L'homme du 2B s'appelait Derrick Storm.

2

À l'ouest de Louxor, Égypte

Le plat et monotone désert du Sahara qui déroulait plus de quatre mille kilomètres d'un territoire chaud et aride à l'ouest du Nil représentait la cachette idéale… pour un grain de sable, car tout le reste se démarquait.

Voilà pourquoi Katie Comely distinguait sans aucun problème le nuage de poussière qui s'élevait au loin, à plusieurs kilomètres de là.

En braquant ses jumelles Zeiss Conquest HD à l'avant du panache, elle vit scintiller des pare-brise de véhicule. Il y en avait au moins quatre. Leur formation en chevron asymétrique se rapprochait à une vitesse de soixante-dix à quatre-vingts kilomètres à l'heure.

Cela n'avait rien d'une approche discrète. Mais les hommes dont s'inquiétait Katie n'étaient pas du genre à faire dans la subtilité.

Des bandits. Encore. Depuis toujours, ils posaient un problème dans le désert, mais c'était d'autant plus vrai depuis la révolution de 2011 et le mouvement du 6 avril. C'était à ce prix que les autorités parvenaient à maintenir l'ordre dans les villes et les villages. Dans les zones périphériques régnait une anarchie semblable à celle de l'époque qui avait suivi la chute de l'Empire romain. Depuis deux mois que Katie travaillait sur les fouilles, l'expédition avait subi trois attaques de hors-la-loi qui avaient emporté tout ce qu'ils pouvaient transporter. Un ou deux objets avaient été retrouvés par la suite par les autorités égyptiennes. Le reste, disparu au marché noir, avait été vendu pour une fraction de sa valeur.

Des gardes avaient donc été engagés pour protéger l'expédition (deux autochtones, des anciens à vrai dire, dotés d'armes plus vieilles qu'eux et dont ils n'avaient pas le cœur de se servir), mais, les trois fois, ils avaient été surpassés en nombre et en puissance de feu. Depuis, leur effectif avait été doublé. Elle espérait que cela suffirait.

Katie régla les jumelles pour essayer de se faire une meilleure idée de ce qui les attendait. Elle avait vingt-neuf ans et, en poche, un doctorat qui avait encore l'odeur du neuf : quelques mois à peine s'étaient écoulés depuis sa soutenance de thèse. Néanmoins, si l'Université du Kansas lui avait appris à forcer les secrets de l'Antiquité, elle ne lui avait pas enseigné à affronter les voleurs armés.

Elle rajusta le hijab sur sa tête. Ce voile présentait au moins deux avantages : il lui permettait à la fois de protéger son teint clair du soleil et de se fondre davantage dans la population locale. Dans son Kansas natal, ses cheveux blonds et ses yeux bleus en faisaient une pom-pom girl de province comme une autre. Dans ces régions, en revanche, elle détonnait franchement.

Si seulement elle avait pu trouver le moyen de dissimuler son appartenance à la gent féminine… Certes, l'Égypte était beaucoup plus progressiste que bien d'autres pays musulmans en ce qui concernait la condition de la femme. Toutefois, Katie sentait toujours peser sur elle le regard des hommes partout où elle allait.

Elle baissa les jumelles.

— Vous voulez jeter un œil ? demanda-t-elle, le front plissé, à l'homme à côté d'elle.

Le Pr Stanford Raynes, « Stan » pour ses copains du club des anciens élèves de Princeton, était grand et mince. Il avait le menton pointu et quelques années en trop pour la toquade qu'il éprouvait pour Katie.

— Je suis sûr que ce n'est rien, dit-il.

Katie tolérait son béguin, elle l'encourageait même, en partie parce que ce n'était pas bien méchant (jamais il ne se permettait le moindre geste déplacé ni la moindre attitude inconvenante avec elle) et en partie parce qu'il pouvait faire ou défaire sa carrière. Égyptologue de renommée mondiale, il était docteur en archéologie et en géologie. Il avait révolutionné le domaine en utilisant des sismogrammes pour localiser bien des sites jusque-là demeurés cachés, et retrouvé ainsi des pyramides disparues au sujet desquelles des générations d'Indiana Jones en puissance n'avaient entendu que des rumeurs. C'était également lui qui finançait ce chantier, ses premières fouilles en tant que professionnelle dans l'un des milieux les plus compétitifs du monde universitaire.

— Je m'inquiète, dit-elle. Pas vous ?

— Ce ne sont sans doute que des jeunes qui font la course avec leurs voitures dans le désert. Sinon, c'est justement pour cela que nous avons ces messieurs, dit-il en montrant d'un geste les quatre hommes armés.

Les véhicules continuaient de se rapprocher ; ils n'étaient plus maintenant qu'à un peu plus d'un kilomètre et fonçaient droit sur le site des fouilles avec une détermination qui, aux yeux de Katie, ne laissait pas entendre qu'ils étaient animés des meilleures intentions.

— Ce ne sont probablement que des marchands qui veulent nous vendre quelque chose, suggéra le professeur. Des fruits, des légumes ou des babioles. Quoi qu'il en soit, je vais à la tente chercher de l'eau et je vous suggère d'en faire autant. Comme je ne cesse de le répéter, on se déshydrate très vite ici.

— Ça va pour moi, dit-elle. C'est juste que... je ne veux pas perdre Kheops.

Le professeur disparut. Katie, elle, continua d'avancer dans la direction du nuage de poussière, vers les tentes sous lesquelles étaient rassemblées toutes les pièces de valeur mises au jour dans le sable. Soigneusement enveloppées, elles étaient prêtes pour le transport. Il y avait des caisses de toutes les tailles, renfermant aussi bien de minuscules figurines que d'immenses plaques de granit sculptées pouvant peser jusqu'à plusieurs tonnes.

Parmi les objets qu'elle avait personnellement découverts se trouvait un buste grandeur nature de Kheops, l'un des premiers pharaons de la IVe dynastie.

Ce divin souverain de l'Égypte qui régna il y a quatre mille cinq cents ans était généralement reconnu comme le commanditaire de la construction de la grande pyramide de Gizeh. Hormis cela, on savait peu de choses à son sujet. Si elle était authentifiée, la statue en granit rose constituerait le second portrait connu de ce souverain de l'Antiquité.

C'était aussi le genre de découverte qui pouvait propulser le Dr Comely au premier rang. Peut-être cela permettrait-il même à la jeune archéologue d'être sollicitée pour assurer la direction d'un grand laboratoire de recherche au sein d'une université de renom. Encore fallait-il qu'elle parvienne à ramener le précieux objet à bon port.

Le nuage de poussière semblait maintenant haut de plusieurs étages, et les véhicules, des pick-up avec des hommes installés sur le plateau arrière, ne se trouvaient plus qu'à quelques centaines de mètres.

Assez près pour que Katie puisse distinguer leurs armes sans l'aide des jumelles.

— Professeur ! cria-t-elle. Ce sont les mêmes qui reviennent.

Raynes surgit de sa tente.

— Vous en êtes sûre ? demanda-t-il.

— Regardez !

Il s'empara des jumelles qu'elle lui tendait, les régla, puis lâcha un juron.

— Bon, bon. Pas de..., pas d'affolement, balbutia-t-il.

Puis, d'une voix où pointait une évidente inquiétude, il

se mit à crier nerveusement à l'adresse des gardes endormis. Katie ne maîtrisait que quelques mots d'arabe, juste de quoi demander poliment dans la rue où se trouvaient les toilettes. Elle avait toujours eu l'intention d'approfondir ses connaissances en la matière, car elle était perdue dès qu'on entamait la conversation avec elle.

Au moment où le professeur donnait ses ordres aux gardes, l'un des jeunes assaillants pointa son AK 47 vers le ciel et appuya joyeusement sur la détente. Une rafale envoya une pluie de balles dans les airs.

Katie dénombra au moins six autres hommes armés dans le groupe. À son grand dépit, les quatre gardes ne répondirent pas aux coups de feu. Après un coup d'œil, ils en vinrent, avec un parfait ensemble, à la conclusion qu'ils n'étaient pas assez payés pour agir de quelque manière que ce soit. D'un même pas, ils tournèrent les talons et déguerpirent.

Katie laissa échapper un cri. Le professeur se mit à vociférer contre eux en arabe, mais ses réprimandes restèrent lettre morte.

Les bandits étaient maintenant là. La plupart semblaient à peine sortis de l'adolescence ; en témoignaient leurs rares poils au menton. Leur chef (ou l'homme qui semblait à leur tête) était plus âgé. Entre la trentaine et la quarantaine peut-être. Sa barbe sombre se parsemait déjà de poils blancs.

Ils s'arrêtèrent près des tentes et descendirent de leurs véhicules avec l'intention manifeste de se servir. Le professeur se précipita vers eux avec courage malgré les fusils braqués sur lui. Katie lui emboîta aussitôt le pas en lui criant de s'arrêter. Bêtement, il poursuivit sans l'écouter.

Le chef accabla alors Stanford Raynes d'un flot de paroles dans lequel Katie, en dépit de tous ses efforts pour comprendre, ne perçut, en raison de son oreille non initiée, qu'un vague « badaladaladagabaha ».

Tout en répondant, le professeur essaya de soustraire une caisse à deux bandits, une tentative d'autant plus pathétique qu'il n'avait absolument pas la force de la leur arracher des mains. La mascarade prit fin lorsque le chef s'avança derrière lui et lui asséna un coup de crosse sur la tête.

Le professeur s'effondra par terre. Katie se rua vers lui en hurlant. Les jeunes éclatèrent de rire.

— Lâches ! Vous n'êtes tous qu'une bande de lâches ! cria-t-elle.

Comme s'ils comprenaient ce qu'elle disait, les voleurs s'esclaffèrent de plus belle.

Le chef se retourna pour faire face à la jeune archéologue et braqua son arme sur elle.

— Dégagez-le ! lança-t-il d'un ton hargneux.

Son anglais était mâtiné d'un fort accent.

— Mettez-lui de la glace sur la tête. J'ai besoin de lui en forme pour qu'il me déniche d'autres trésors.

Puis il traduisit pour ses hommes, qui l'acclamèrent à grand bruit. Le défiant du regard, Katie évalua les options peu nombreuses, dut-elle admettre, qui se présentaient à elle.

— Emmenez-le, reprit le chef en anglais. Ou peut-être devrais-je prendre sa jolie copine en otage, hein ? On pourrait s'amuser un peu ?

Le chef répéta ses propos en arabe. La réaction se fit cette fois plus gaillarde. Katie se sentit déshabillée par les regards lascifs autour d'elle.

Vaincue et effrayée, elle souleva par les aisselles le professeur à moitié inconscient et entreprit de le traîner jusqu'à sa tente.

— Désolé, Katie, murmura-t-il. J'aurai essayé. J'aurai essayé.

3

Langley, Virginie

Aussi curieux que cela puisse paraître, sauf à un espion, Derrick Storm ne savait pas exactement où il allait. Ce qui ne l'empêchait pas de s'y hâter.

Dès l'instant où il eut récupéré sa Ford Taurus, dans un garage privé à deux pas de l'aéroport de Dulles, il ne releva pas le pied de l'accélérateur, ne freinant qu'en dernier recours afin d'éviter la collision. Certaines de ses connaissances se moquaient de temps à autre de son choix de véhicule lorsqu'il venait à Washington, car ce modèle semblait trop sage à leurs yeux pour un homme d'un tel panache. Il se contentait de sourire et acceptait leurs quolibets. À l'instar de Storm, la voiture préférait ne pas faire étalage de son véritable potentiel. Dotée d'une motorisation bi-turbo de trois virgule cinq litres de cylindrée capable de délivrer une puissance de trois cent soixante-cinq chevaux et d'un système de suspension renforcé comme ceux équipant les véhicules de police, elle se montrait capable de répondre aux sollicitations extrêmes auxquelles Storm pouvait la soumettre.

La radio était éteinte. Les informations rapportées dans les premières heures d'une immense tragédie étaient en général erronées. Dans leur impatience d'annoncer les premiers la nouvelle, les journalistes semblaient parfois préférer se livrer à des devinettes au lieu de se documenter. Storm ne voulait pas s'embrouiller l'esprit avec des conjectures. Il se concentrait donc plutôt sur la tâche présente, à savoir maintenir la Taurus sur la chaussée. Ce n'était pas toujours gagné (le conducteur d'une Nissan Sentra en savait quelque chose).

Pourtant, malgré son empressement, sa destination finale demeurait pour lui un mystère.

Avec Google Earth, n'importe quel demeuré peut contempler le siège de la CIA et son campus ombragé aménagé sur un paisible méandre du Potomac, juste en face de Washington. Un observateur un peu plus évolué saura aisément déceler les bâtiments abritant le service des opérations clandestines (NCS), l'une des branches les plus secrètes de la CIA. En revanche, personne – pas même le meilleur des hackers, quoi qu'il puisse croire – ne posera jamais les yeux sur le « cagibi », le quartier général d'une unité d'élite créée par un certain Jedediah Jones.

Même Storm, auteur de son sobriquet taquin, ne connaissait pas l'emplacement exact du cagibi. Ne connaissant qu'un seul chemin pour s'y rendre, il l'emprunta dès qu'il eut garé sa Taurus aux pneus encore fumants dans le parking visiteurs de la CIA. Tout d'abord, il lui fallait se présenter à l'entrée principale, où il fut accueilli par un agent aussi enthousiaste que l'assistant chargé de recevoir les patients chez le dentiste. Normalement, à ce stade, il devait patienter jusqu'à ce qu'un agent du cagibi ait été appelé pour venir le chercher. Storm fut cependant à peine surpris de distinguer déjà la silhouette de Javier Rodriguez, un homme très musclé, au teint foncé, qui arrivait à sa rencontre dans le couloir.

Il n'était guère étonné, en effet, car cet agent était l'un des hommes de confiance de Jones et, à ce titre, sa présence était généralement requise lorsque Derrick était convoqué chez le grand manitou. Rodriguez s'avançait vers lui en souriant. Compte tenu de la gravité des circonstances, Storm n'était pas d'humeur à plaisanter. Pourtant, même au beau milieu d'une crise – ou peut-être surtout dans de telles circonstances – certains rituels se devaient d'être perpétués. L'humour noir aidait les hommes comme Storm et Rodriguez à tenir le coup face à ce qu'ils enduraient au cours de leurs missions. Dans ce métier, une dose de bravade était toujours de mise.

— Dis-moi, Rodriguez, c'est à croire que tu surveillais ma voiture pour savoir exactement à quel moment j'allais arriver, dit Storm.

— Tu aurais pu t'excuser auprès de cet automobiliste, vieux !

— File-moi son adresse, je lui enverrai un mot.

En guise de réponse, Rodriguez leva une cagoule noire entre le pouce et l'index et la secoua brièvement.

— Je suppose que tu refuserais si je te demandais de me faire simplement promettre de fermer les yeux, cette fois ? reprit Storm.

— Non, mais il faudrait d'abord accepter une petite piqûre de penthotal.

— Va pour la cagoule, alors, rétorqua Storm en baissant la tête.

Du haut de son mètre quatre-vingt-cinq, il dépassait Rodriguez d'une tête.

— En route pour le cagibi, répondit l'agent Rodriguez, qui lui enfila le capuchon.

L'unité qui nommait son poste de commande le « cagibi » n'existait pas, du moins au dire des personnes liées à son activité, à qui on n'aurait d'ailleurs jamais réussi à faire avouer le contraire, même sous la pire des tortures. Il s'agissait d'un détachement de la NCS sans aucune dénomination, qui n'apparaissait sur aucun organigramme et auquel n'était pas attribué de personnel ni aucun budget. La CIA achetait pour huit cent cinquante-deux dollars de lunettes de toilette et six mille trois cent dix-huit dollars de marteaux afin de masquer ses dépenses.

Son dirigeant, Jedediah Jones, était un vieux loup de la maison, dont la maîtrise de la bureaucratie et l'entregent avaient permis de concevoir et de mettre sur pied cette poupée russe version CIA : une agence au sein de l'agence au sein de l'agence. Ses missions, leurs résultats ainsi que tout ce qui s'y rapportait demeuraient top secret. On la remerciait parfois de contribuer à sauver le monde, mais il lui arrivait tout autant de se voir accusée d'essayer de le détruire. Dans les deux cas, pour sa part, c'était toujours en toute discrétion.

Il y avait bien longtemps que Storm n'essayait plus de deviner où le conduisait son escorte lorsqu'il était attendu au cagibi. À son avis, il devait se trouver quelque part sous terre ou peut-être, qui sait, sous l'eau, voire dans les nuages.

Sur le parcours, il lui semblait toujours subir l'application aléatoire de forces d'accélération venant de toutes parts : d'en haut, d'en bas, de gauche et de droite.

Techniquement, Storm ne travaillait pas pour Jones, ni pour la CIA. C'était un ancien détective privé devenu prestataire indépendant. Si ses aventures l'avaient mené aux quatre coins du monde, on faisait souvent appel à lui pour enquêter sur des affaires de dimension nationale, ce qui était, là encore d'un point de vue technique, illégal, car le domaine de compétence de la CIA se limitait strictement à l'international. En conséquence, les missions de Storm n'existaient pas, de la même façon que le cagibi n'existait pas.

Il aurait aussi bien pu être écrit DERRICK STORM, DÉNI PLAUSIBLE sur sa carte de visite, car c'est ce qu'il fournissait aux puissants qui recouraient à ses talents exceptionnels. Il était grassement rétribué pour ses services, mais aussi pour le fait d'accepter l'idée qu'on puisse le sacrifier en cas de besoin.

Au cliquetis des claviers, il sut qu'il était arrivé à destination. Lorsqu'on lui retira enfin sa cagoule, il découvrit un environnement familier : toute une armée d'hommes et de femmes assis côte à côte, devant un alignement d'ordinateurs, et dans les yeux desquels se reflétait le contenu des murs d'écrans LCD accrochés en face d'eux. Jones les appelait les « techniciens ». Pour Storm, c'étaient les « petits génies », un terme qu'il employait avec beaucoup de respect et d'affection parce que leurs prouesses en informatique lui avaient plus d'une fois sauvé la mise en lui apportant une aide précieuse. Sur plusieurs moniteurs s'affichaient des images satellitaires de lieux d'accidents correspondant aux sites sur lesquels s'étaient écrasés des avions dont il ne restait plus que des débris éparpillés dans quelque champ ou bois des États-Unis. L'un des petits génies était en train de zoomer sur un fragment qui semblait avoir appartenu à un moteur. Un autre comparait un train d'atterrissage déchiqueté à la photo du même matériel sortant d'usine.

Storm, n'ayant encore vu aucune des images qui passaient en boucle à la télévision et pétrifiaient le reste de l'Amérique, s'arrêta et les regarda bouche bée. Même s'il n'avait pas douté de ses propos lorsque le commandant Estes avait parlé d'un nouveau 11 septembre, la vue des épaves en gros plan sur les écrans rendait la catastrophe plus réelle.

— C'est donc si grave, dit-il.

— Non, vieux, dit Rodriguez. C'est pire.

La salle de réunion se trouvait un peu plus loin dans le couloir principal. D'un côté, le mur était entièrement couvert par un écran plat tandis qu'au centre s'étendait une vaste table de conférence vernie, entourée de fauteuils en cuir à haut dossier. L'un des fauteuils était occupé par un homme de petite taille : l'agent Kevin Bryan, dont l'allure était en tous points conforme à son nom irlandais.

Cet autre lieutenant de Jones faisait souvent équipe avec Rodriguez. Pour prendre la métaphore du classique goûter américain, si Jones était le pain, Bryan et Rodriguez étaient le beurre de cacahuètes et la confiture.

— Très bien, racontez-moi tout depuis le début, dit Storm. Parce que, pour l'instant, je ne sais rien d'autre, si ce n'est que je dois la vie à un bout de scotch.

— Qu'est-ce que je te disais ? Tu vois que c'était vrai ! lança Rodriguez à Bryan. Pour la peine d'avoir douté, tu me dois vingt dollars, mon gars.

Bryan sortit de son portefeuille un billet qu'il tendit à Rodriguez tout en entamant son récit.

— Alors, voilà : on a quatre avions, tous à destination de l'aéroport de Dulles, qui ont éprouvé des difficultés à environ six mille mètres d'altitude. Le Conseil national de la sécurité des transports n'ayant pas encore retrouvé les boîtes noires, on n'a pas encore de détails concernant ces problèmes. Néanmoins, on a pu, euh, disons, récupérer certaines données auprès de la FAA[1].

— Je t'écoute, dit Storm.

— Inutile que je te parle du vol 937 puisque tu étais aux premières loges. Je commencerai donc par le premier avion qui s'est écrasé : le vol 312, en provenance d'Amsterdam Schiphol.

L'image d'un Airbus A300 se mit à flotter en hologramme au-dessus de la table.

— Il suivait la même trajectoire d'approche que le 937. En fait, les quatre avions arrivaient à Dulles par le nord-est et visaient la piste 13-30, expliqua Bryan. Aucun récent problème de maintenance n'avait été signalé pour cet Airbus A300. Le parfait vol de routine. Mais à treize heures cinquante-cinq, le pilote a signalé la perte de son moteur gauche. Comme les pilotes passent des heures à s'entraîner à ce genre de choses en simulateur, il a enclenché la procédure d'urgence à suivre en cas de panne moteur, sauf que ça n'a pas marché. L'avion a rapidement perdu de l'altitude et, selon les déclarations du pilote, il réagissait comme s'il avait perdu non pas juste le moteur, mais toute l'aile gauche. Ce fut la dernière communication avec l'appareil avant qu'il ne s'écrase dans une zone boisée près de l'Interstate 83.

Bryan appuya sur un bouton, et l'hologramme changea, faisant apparaître l'image d'un McDonnell Douglas MD-11, puis l'agent reprit :

— Ensuite, on a le vol 76, en provenance de Stockholm Arlanda : un avion-cargo affrété par la société de transports Karlsson Logistics. Là encore, il s'agissait d'un vol de routine.

1.- Federal Aviation Administration, autorité de l'aviation civile. (NDT)

Et d'un avion en parfait état d'entretien. Trois minutes après l'appel de détresse du 312, à treize heures cinquante-huit, la tour de contrôle enregistrait ses dernières communications. Puis plus rien, comme si le vol 76 s'était tout bonnement évaporé. On l'a retrouvé dans un champ près de Glen Rock, en Pennsylvanie, à quelques kilomètres des autres. On pense que le pilote avait perdu le contrôle quand l'avion s'est écrasé, car il a heurté le sol à grande vitesse. Le choc a été d'une telle violence que, d'après leurs témoignages, les riverains ont cru à l'explosion d'une bombe ou un tremblement de terre.

Storm se contenta de hocher la tête. Quelle qu'elle ait pu être, la cause de la catastrophe n'avait de toute évidence pas pu être éliminée à l'aide d'une simple bande adhésive. Heureusement, le vol 76 ne transportait pas de passagers, songeait-il, mais ce serait un bien maigre réconfort pour les familles de l'équipage.

L'agent Bryan avait fait apparaître un Boeing 747 au-dessus de la table.

— Pour finir, il y a le vol 494, en provenance de Paris Charles-de-Gaulle. Là non plus, rien ne laissait supposer que cet appareil allait avoir des ennuis. À quatorze heures sept, soit neuf minutes plus tard, il a signalé une perte de pression hydraulique au niveau du gouvernail. Comme je le disais, les pilotes sont formés pour faire face à ce genre de choses. Néanmoins, les contrôleurs aériens ont commencé à flipper. Sachant ce qui était arrivé aux deux premiers avions, ils voulaient à tout prix faire atterrir celui-là et ils croyaient vraiment y arriver. Et puis le pilote s'est manifesté de nouveau pour annoncer que la situation s'était encore aggravée. Même si un pilote ne peut pas voir ce qui se passe à l'arrière, il avait bien l'impression que toute la queue était partie.

— Partie ?

— Partie. Ce qui restait de l'appareil s'est écrasé dans un bois de Spring Valley Park. Ton avion a été le dernier à signaler un problème, environ cinq minutes plus tard, et le seul à en réchapper.

— Les faits ont été revendiqués ?

— Plusieurs groupes essayent de s'en approprier la paternité, mais, d'après nous, aucun n'aurait eu la capacité de réussir un coup pareil, répondit Bryan. Ceux qui sont vraiment derrière ça ne s'en vantent pas pour l'instant. On ignore ce qu'ils veulent et pourquoi ils ont fait ça.

Storm se concentra un instant sur le bureau devant lui avant de parler.

— On a donc quatre appareils différents qui semblent avoir subitement perdu certains éléments vitaux aux environs de quatorze heures.

— Tout à fait, confirma Bryan.

— Et on est à peu près sûrs qu'il ne s'agissait pas de détournements dans le style du 11 septembre, reprit Storm. Il n'y avait aucun pirate de l'air à bord de mon vol ni des trois autres, apparemment. À notre connaissance, les pilotes étaient toujours aux commandes quand les avions se sont écrasés.

— Absolument, conclut Bryan.

Storm fixa de nouveau le bureau.

— Tu ne crois pas que ça pourrait être un sabotage ? suggéra Rodriguez.

— Va au bout de ta pensée.

— Quelqu'un au sol a pu placer de petites charges d'explosif en différents points sur chaque appareil : l'aile, la queue, etc., expliqua Rodriguez. Les passagers de ton vol ont déclaré avoir entendu un bruit quand l'aileron s'est détaché. Peut-être les détonateurs étaient-ils tous réglés pour sauter à quelques minutes d'intervalle.

Storm hocha la tête.

— Je n'aime pas ça. Ces avions arrivaient de quatre aéroports différents de quatre pays différents – quatre pays évolués qui prennent la menace terroriste très au sérieux et qui ont une longue pratique de la sécurité aérienne. On imagine difficilement une organisation capable de passer au travers des contrôles dans ces quatre aéroports à la fois. Et quand bien même elle y parviendrait, pourquoi se donner tant de mal pour se limiter ensuite à un seul avion ? Et pourquoi quatre appareils à destination non seulement du même aéroport, mais arrivant par la même voie ? Ça fait beaucoup pour une coïncidence.

Rodriguez opina du chef tandis que Storm continuait :

— Il faut se pencher sur la question du lieu. C'est la situation géographique qui doit être le point commun, ici. Bryan, peux-tu comparer les quatre plans de vol et identifier les endroits où ils se recoupent à deux ou trois kilomètres près ?

Les doigts de Bryan volèrent sur le clavier. Sur l'écran à l'autre bout de la pièce, Storm put suivre tandis que l'agent superposait les quatre plans de vol à la recherche de points de croisement. À proximité de Dulles, ils étaient nombreux, car les quatre avions effectuaient la même approche tandis que, plus on s'éloignait de l'aéroport, plus ils s'espaçaient.

Le premier point de convergence se situait légèrement au sud de York, en Pennsylvanie.

— Qu'y a-t-il là ? demanda Storm en pointant du doigt.

Bryan zooma à l'endroit indiqué. Lorsque l'image fut suffisamment agrandie, ils distinguèrent un espace vert : le parc Richard M. Nixon.

— Peut-être s'agissait-il d'ennemis du trente-septième président ? suggéra Rodriguez.

— Ça ne réduirait guère les possibilités, dit Storm. Non, la clé, c'est ça, cet endroit-là. Tout le monde ne parle que de ce qui s'est produit dans les airs, alors que c'est au sol qu'il faut chercher la cause de tout cela, je parie.

— Qu'est-ce qui pourrait s'attaquer comme ça à un avion depuis le sol ? Un missile antiaérien ? s'interrogea Rodriguez.

— Quelque chose dans ce goût-là. Si c'est le cas, quelqu'un l'a forcément vu. Ce n'est pas très discret, ce genre d'engin. Ça fait du bruit et ça laisse une traînée blanche. Ne pourrait-on pas envoyer quelqu'un enquêter discrètement sur place ?

— Je m'en occupe, dit Bryan.

— OK, voilà qui nous permettra de mieux comprendre ce qui s'est passé, conclut Storm. Où en est-on sur le pourquoi ?

Bryan adressa un signe de tête à son collègue, qui se rapprocha du grand écran plat. Au contact des doigts de Rodriguez, le jeu de plans de vol disparut.

— Tant qu'on n'aura pas reçu de revendication crédible pour ces attaques, on tâtonnera dans le noir, dit Rodriguez. Actuellement, on opte pour un acte de violence gratuite commis par un ou plusieurs fêlés. Personne n'a idée de ce qu'ils cherchent.

— C'est loin d'être satisfaisant comme théorie, fit remarquer Storm. Êtes-vous sûr qu'il n'y a aucun lien entre les victimes ? Ces attentats étaient peut-être beaucoup plus ciblés qu'on ne l'imagine.

— On n'a rien trouvé de commun entre eux pour l'instant, indiqua Rodriguez, mais c'est sûr qu'il y avait quelques personnalités à bord de chacun des avions.

— Qui, par exemple ?

— On a mis les petits génies sur le coup ; ils procèdent à tous les recoupements possibles parmi eux. Ça n'a encore rien donné. Je crains de ne rien avoir à te mettre sous la dent pour l'instant.

— Allez, soyez sympas. Donnez-moi le nom le plus en vue pour chaque vol.

Rodriguez haussa les épaules.

— OK, voyons voir. À bord du vol 312, il y avait Pi.

La photo d'un jeune homme débraillé, mal rasé et mal coiffé apparut à l'écran. Il ressemblait vaguement à une Muppet.

Rodriguez continua :

— Pi dirige l'Ordre international des fruitariens, une sorte de secte qui voudrait convaincre le monde que les fruits constituent le régime alimentaire d'origine de l'homme, celui voulu par Dieu en personne. C'est une secte. Elle attire dans ses filets des jeunes gens, surtout des étudiantes crédules qui sont poussées à aller vendre des fleurs à l'aéroport ou autres trucs du genre après un bon lavage de cerveau.

— Peut-être le père de l'une de ces gamines a-t-il voulu se venger après avoir perdu sa fille à cause de ces âneries ; il aura tiré un missile sur l'avion à bord duquel voyageait ce type, suggéra Storm. Un père serait prêt à tout pour protéger sa fille d'un monstre pareil.

Rodriguez ne releva pas.

— Le vol 76, c'était le cargo. Hormis l'équipage, le seul passager se trouvait être une responsable de la société Karlsson, une certaine Brigitte Bildt, qui avait décidé de monter à bord pour venir régler quelques affaires ici. Elle n'était pas PDG de la boîte, mais apparemment elle dirigeait les opérations au quotidien et participait à nombre de prises de décision stratégiques.

Apparut alors la photo d'une brune frisée aux yeux bleus, d'âge mûr. Il s'agissait manifestement d'un portrait officiel, car la prise de vue était très sobre, sans aucune fioriture. Elle regardait l'objectif avec une certaine gravité, comme si elle avait conscience du sérieux du contexte dans lequel cette photo servirait un jour.

— Est-il possible que Karlsson Logistics se soit fait des ennemis dans les affaires ? demanda Storm. Peut-être la société était-elle impliquée dans une prise de contrôle dont Bildt avait la charge ?

— On n'exclut aucune possibilité, affirma Rodriguez. Ensuite, sur le vol 494, on a plusieurs gros bonnets, un athlète professionnel et des hommes d'affaires, mais surtout le député Erik Vaughn.

Un nouveau cliché s'afficha. Il s'agissait du portrait du membre du Congrès au visage bouffi et aux yeux de fouine, dont la chevelure formait un casque qui semblait inamovible.

— Euh..., j'ai le droit de dire que je déteste ce gars ? demanda Storm.

— Tu n'es pas le seul. Il présidait la Commission des finances et c'était un fervent partisan du gouvernement resserré. Il se servait de sa position pour faire pression et refusait de soumettre à la commission la moindre question fiscale sans obtenir une réduction de dépenses en contrepartie quelque part. Je crois que personne n'a réussi à échapper à ses coupes budgétaires. Les jeunes, les vieux, les autoroutes, l'aide étrangère... La liste est longue. Avec lui, ça ne s'arrêtait jamais.

— On devait se bousculer au portillon pour le voir mourir dans un accident d'avion, commenta Storm.

— Il y en avait quelques-uns encore. Certains plus célèbres que d'autres. Et j'imagine que tout dépend de la définition de chacun. À bord du premier avion, par exemple, se trouvait Rachel McCord.

— La star du porno ? s'écria Storm.

Rodriguez haussa un sourcil.

— Ça alors, Storm, comment se fait-il que tu la connaisses ?

— Je..., euh..., j'ai lu un article à son sujet dans une revue. Quoi qu'il en soit, quel est mon rôle dans tout ça ? Pourquoi Jones m'a-t-il fait venir ?

Comme si la pièce était sur écoute, ce qui devait être effectivement le cas, un homme svelte d'une soixantaine d'années au regard bleu acier et aux cheveux gris coupés ras franchit la porte.

Officiellement, Jedediah Jones était « Exécuteur des opérations de nettoyage ». L'intitulé abrégé de ce titre n'était pas un hasard, au contraire, car il correspondait à merveille à son mode opératoire de prédilection.

Derrick Storm devait beaucoup à son patron. S'il avait été découvert par Clara Strike alors qu'il végétait comme détective privé et envisageait même de changer de nom pour Derrick Aarons afin de figurer en meilleure position dans les Pages jaunes, c'était Jones qui avait façonné le diamant brut qu'il était et fait de lui sa formidable botte secrète.

Leur longue collaboration avait été bénéfique pour l'un comme pour l'autre, et ce, à bien des égards. Elle avait fait de

Storm un homme riche, doté d'un carnet d'adresses encore plus précieux que tout l'argent qu'il avait pu amasser. Les missions qu'il avait accomplies, souvent malgré des conditions impossibles, avaient par ailleurs donné un sacré coup de pouce à la carrière de Jones.

Pourtant, les relations demeuraient tendues entre les deux hommes. Jones savait qu'il ne serait jamais totalement maître de Storm, qui faisait passer bien des choses (son code moral, son sens du patriotisme, le bien-être de ses amis et de sa famille) avant les ordres.

De son côté, Storm n'ignorait pas les priorités de Jones. Et leurs fragiles relations n'en faisaient certainement pas partie. Malgré tout ce que Storm l'avait aidé à accomplir, en dépit de toutes les fois où il n'avait pas lésiné sur les moyens à déployer pour le sauver, Jones ne faisait preuve d'aucun sentimentalisme à l'égard du barbouze. Après une mission ratée à Tanger, au Maroc, Jones l'avait fait passer pour mort pendant quatre longues années sans se soucier de l'impact que cela pouvait avoir sur son entourage. En outre, Storm savait parfaitement que, si les circonstances le nécessitaient, Jones n'hésiterait pas à rendre sa mort bien réelle. Il était capable de le laisser se vider de son sang au milieu d'un banc de piranhas si cela devait permettre à la CIA d'atteindre son but ou de mener à bien les idées parfois tordues qu'il se faisait sur ce qu'il y avait de mieux pour le pays.

— Il est au parfum ? s'enquit Jones sans prendre la peine de s'adresser directement à Storm.

— Il en sait autant que nous à ce stade, monsieur, dit Bryan.

— Parfait, dit Jones avant de se tourner enfin vers son protégé. Tu disposes d'un véhicule ici ?

— Oui.

— Très bien. Tu peux l'oublier pour l'instant. Là où tu vas, tu ne seras pas Derrick Storm et je ne voudrais pas t'y voir au volant d'un bolide gonflé à bloc, même caché sous des dehors ordinaires.

— Très bien. Qui suis-je et où vais-je ?

— Pas loin. À Glen Rock, en Pennsylvanie.

— C'est là que le vol 76 s'est écrasé ?

— Exactement. Et c'est également là où le Conseil national de la sécurité des transports démarre son enquête sur ce qui a causé la chute de cet avion. Le Conseil va prendre tout son temps pour élucider l'affaire ; il va suivre à la lettre toutes les procédures et les règlements, et finira par nous pondre un rapport dans un ou deux mois qui ne donnera qu'un avis sur ce qui s'est produit. On n'a pas ce temps-là devant nous. Je veux savoir ce qu'ils savent avant même qu'ils le sachent.

— Pourquoi le vol 76 ?

— Primo, parce que c'est un endroit comme un autre pour tenter de comprendre ce qui s'est passé là-haut, répondit Jones. Puisque ces pieds plats du FBI ont laissé se produire ça sur leur territoire, on va leur faire la nique en faisant le ménage à leur place. Secundo, parce que la femme à qui appartient l'avion, Ingrid Karlsson, est une amie à moi. En maintes occasions, elle nous a apporté son aide, à moi et à cette maison. Elle m'a demandé cette faveur et je n'ai pas l'intention de la décevoir.

Storm resta à l'affût du moindre signe révélateur de tromperie, même si Jones n'était pas homme à laisser échapper ce genre d'information. Quoi qu'il en soit, Storm savait que Jones ne rendait jamais service sans la promesse d'une contrepartie de poids. Et il se demandait ce que cela pouvait être cette fois… ou s'il le découvrirait jamais.

Le mystère ne se laissait jamais si facilement élucider avec l'Exécuteur des opérations de nettoyage.

— OK, dit Storm. J'imagine que vous avez un plan pour moi, à part m'envoyer sur un périmètre sécurisé par le Conseil national de la sécurité des transports et demander à ces braves gens de baisser leur pantalon devant moi ?

— Bien sûr, affirma Jones. Suis-moi.

4

Au large de la Côte d'Azur

Le tapis ottoman du seizième siècle, en parfait état et d'une valeur inestimable, avait retrouvé toute sa gloire d'antan, de cette période de l'Empire où le foulait Soliman le Magnifique en personne. Dessus se dressait un bureau en acajou fait d'une essence rare d'origine cubaine, prélevée au cœur de la forêt vierge et sculptée à la main par un maître artisan qui avait passé une année entière à donner corps à ses savantes volutes. Sur sa table sonnait un téléphone relié à tout un réseau de satellites garantissant à ses utilisateurs une couverture mondiale, des sommets de l'Antarctique aux étendues glacées du pôle Nord.

La femme d'une cinquantaine d'années, âge que seul son certificat de naissance connaissait avec certitude, qui décrocha le combiné était Ingrid Karlsson, sans doute la femme la plus riche du monde (spéculation qu'elle n'accepterait, à l'instar de son âge, ni de confirmer ni d'infirmer).

— Oui ? dit-elle, puis elle écouta plusieurs minutes les bafouillis excités à l'autre bout du fil.

Lorsque la voix de son interlocuteur s'interrompit, Ingrid reprit :

— Elle est morte ? Vous... en êtes sûr ? Il n'y a pas d'erreur ?

Elle attendit la réponse, puis se contenta d'un « Merci » avant de raccrocher.

Un instant, elle resta immobile, comme interdite, le regard gris bleu perdu dans le vague devant elle. Sa chevelure d'un noir chatoyant, raide avec une longue frange sur le front, lui tombait sur les épaules. Suédoise de naissance, mais résidente de Monaco pour des raisons fiscales, elle avait écrit un livre – mi-mémoires, mi-polémique – intitulé *Citoyen du monde*. Pourtant, à l'annonce de nouvelles tragiques, son visage demeurait impassible, à l'image qu'on se fait de ses compatriotes.

Elle enfonça un bouton sur le bureau.

— Tilda, venez un instant, s'il vous plaît, dit-elle en suédois.

Une sculpturale rousse, en short court et haut moulant, se présenta à la porte.

— Oui, madame.

— Un de nos avions s'est écrasé aux États-Unis, déclara-t-elle. Brigitte est morte.

— Désolée, madame.

— Il faut tourner une vidéo. Nous la diffuserons à la presse et sur Internet.

Tilda pencha la tête de côté, car elle hésitait. Cette demande d'ordinaire si banale prenait un tour inhabituel. Néanmoins, elle se reprit :

— Bien, madame. Tout de suite, madame.

Tilda disparut. Ingrid Karlsson baissa la tête et repensa à Brigitte, à tout ce qu'elles avaient accompli ensemble. Fille unique, Ingrid avait hérité de son père lorsqu'elle avait une vingtaine d'années. En trente ans, elle avait fait de la modeste entreprise suédoise qu'il lui avait léguée la plus grande société privée de transports au monde, un empire bâti sur une succession d'ambitieux rachats et disposant d'une gigantesque flotte de navires porte-conteneurs, d'avions-cargos, de camions et de trains de marchandises. En tout, Karlsson Logistics était présente dans soixante-deux pays et sur quatre continents.

La presse l'avait surnommée « Xena la guerrière », en raison de son agressivité en affaires, de sa stature d'amazone et parce qu'elle ressemblait à l'héroïne de la série-culte du même nom, icône de la télévision des années 1990. Au début, elle détestait ce surnom, puis elle avait compris qu'il s'agissait d'une marque de respect, d'un symbole de sa force et de sa réussite, et elle s'y était faite. Sa réussite était totale. Sa richesse estimée à quelques millions au départ atteignait désormais des milliards.

Elle partageait généreusement ses bénéfices avec ses employés, tant avec ceux de son entourage proche, auxquels elle vouait une loyauté sans faille, qu'avec le reste du personnel, dont les salaires et les avantages dépassaient largement ce qu'aurait pu leur proposer toute autre société cotée en Bourse.

Depuis dix ans et demi, Brigitte était sa plus fidèle collaboratrice. Même si elle demeurait seule propriétaire de l'entreprise, Ingrid voyait en elle plus que son bras droit, la traitait comme une associée. On avait même évoqué, étant donné que ni l'une ni l'autre n'était mariée, la possibilité qu'elles puissent être plus que de simples collègues. Mais il ne s'agissait que de spéculation.

En revanche, il était certain que Brigitte Bildt était peu à peu devenue le visage de Karlsson Logistics, celle qui tenait les conférences de presse et exprimait son avis dans les médias sur les questions importantes pour la société.

C'était un rôle que lui cédait volontiers sa patronne. Plus jeune, Ingrid avait largement profité de sa notoriété. La vie nocturne à Monaco n'avait plus aucun secret pour elle, elle avait fait de la voltige dans les salons aéronautiques, joué au polo, sport où elle s'était d'ailleurs révélée meilleure que bien des hommes lors de matchs de charité… Tout cela pour le plus grand plaisir des paparazzis, toujours en quête d'un nouveau cliché de la princesse guerrière à vendre à la presse populaire.

La célébrité représentait néanmoins aussi une tribune pour exhorter au libre échange, à la coopération internationale et à la pensée globale. Aux législateurs comme aux universitaires, Ingrid Karlsson adressait le même message : les gouvernements qui intervenaient sur les marchés ou tentaient d'imposer des frontières nationales, que ce soit par la force ou par le biais de droits de douane accablants, ne faisaient que barrer la route à l'histoire.

Dans sa vision, la carte du monde ne présentait pas la moindre frontière. Un jour, elle avait financé un colloque de géographes sur le thème de la mort de l'État-nation en tant que concept. « Un jour, leur avait-elle exposé lors de son allocution inaugurale, nous serons tous citoyens du monde. »

Pourtant, au fil des années, elle s'était lassée des feux de la rampe, des journalistes qui préféraient colporter des ragots sur sa vie sexuelle qu'aborder les questions importantes, d'être la cible des critiques qui vont de pair avec ce genre de visibilité. Sa vie sociale était devenue plus privée, plus axée sur des réunions en petits comités avec ses amis proches ou les personnes de confiance de son entourage. Elle avait perdu son appétit de gloire.

Avant son retrait de la vie publique, son dernier geste avait été de se faire construire un yacht d'une valeur, selon les rumeurs, d'un milliard de dollars. Elle l'avait baptisé *Princesse guerrière* et avait contraint le chantier à signer des accords de confidentialité très stricts.

Son faste faisait les gorges chaudes. Même les oligarques russes, disait-on, jalousaient ses prétendues caractéristiques techniques : l'association de moteurs diesel et d'une turbine à gaz censés délivrer au total une puissance de plus de cent mille chevaux, une triple coque à l'épreuve à la fois des balles et des bombes, des aménagements de luxes tels qu'un cinéma grandeur nature, une bibliothèque, des jardins privés, une piscine, une discothèque et une suite de cinq cents mètres carrés, sans oublier une superstructure capable de résister aux déferlantes provoquées par un cyclone de catégorie 5. Les vues aériennes dont on disposait de ce bateau de cent soixante-douze mètres avaient été prises de loin. Personne n'en avait jamais photographié l'intérieur. Or, Ingrid Karlsson allait justement en offrir au monde un aperçu fugitif. Tilda était revenue munie d'une caméra vidéo haute définition fixée à un trépied.

— Vous êtes prête, madame ? demanda-t-elle après l'avoir installée devant le bureau.

Ingrid acquiesça de la tête. Tilda fit un gros plan sur sa patronne, puis appuya sur le bouton. Le petit voyant lumineux rouge à l'avant de l'appareil s'alluma.

— Aujourd'hui, j'ai perdu un être cher, commença la chef d'entreprise, mais j'ai conscience de ne pas être la seule, en ce terrible jour qui restera l'un des plus sombres de l'histoire du monde. Mon cœur est profondément endeuillé par la disparition de Brigitte Bildt, ma chère collègue, qui était aussi ma meilleure amie et ma boussole dans la vie. Mais mon cœur souffre aussi pour les milliers de personnes qui partagent ma douleur.

Elle baissa la tête un instant, puis reprit :

— Pour l'instant, nous ne pouvons que spéculer sur l'identité du ou des auteurs de cet acte insensé. Nous ne pouvons qu'émettre des hypothèses quant à l'idéologie ou la religion qui a pu les pousser à assassiner des centaines d'innocents et quels buts ils espéraient atteindre par ce massacre. Peut-être disposerons-nous bientôt de plus amples détails, mais déjà, dans nos cœurs brisés, je suis sûre que nous comprenons tous les causes profondes de cette tragédie. Car nous en sommes les responsables. C'est à cause de ces guerres mesquines de petites tribus que nous ne cessons de nous livrer au lieu de vivre en citoyens du monde. De notre tendance à nous focaliser sur les minuscules ruisseaux que constituent nos différences au lieu de nous concentrer sur les vastes océans que produisent nos ressemblances. À cause de notre croyance destructrice en la supériorité d'un pays, d'un Dieu ou d'une foi sur une autre. De ceux qui nous gouvernent, trop occupés à mener à bien leurs petits programmes au lieu de chercher à instaurer la paix et la prospérité pour tous.

Elle commençait à élever la voix.

— Nous ne pouvons pas continuer dans cette voie, c'est de l'inconscience. Je nourris le fervent espoir qu'un jour, la pensée erronée qui caractérise notre vingt et unième siècle rendra perplexes les écoliers, de la même manière que nous sommes aujourd'hui consternés par le fait que les astronomes aient pu croire autrefois que le monde était plat.

Elle marqua une pause, baissa le regard vers le bureau devant elle, puis regarda de nouveau la caméra.

— Mais je ne m'adresse pas à vous aujourd'hui pour vous offrir simplement quelques mots d'apaisement. Le loup nous a arraché nos enfants, nos maris, nos mères. Il est temps de trouver le loup et de l'éradiquer. À cette fin, j'aimerais proposer une prime de cinquante millions de dollars à quiconque, individu ou groupe, capturera le ou les auteurs de ces attentats. Aux responsables de cette horreur, je déclare : on vous retrouvera, vous serez traduits en justice. Il n'existe pas un trou dans lequel vous puissiez vous cacher, pas un arbre assez haut dans lequel vous puissiez vous percher, pas un refuge où ma fortune ne pourra pénétrer. Je ne m'épargnerai personnellement aucune dépense pour m'assurer qu'on vous retrouve. Et je financerai toute entreprise, autorité, groupe ou individu qui sollicitera mes ressources ou mon aide pour atteindre ce but. Je fais cela pour Brigitte. Et pour tous les cœurs déchirés dans le monde.

Elle adressa un dernier regard d'acier à la caméra.

Puis elle s'effondra. L'amazone, la princesse guerrière – la femme qui avait bâti un empire à force d'endurance et de détermination – baissa la tête et fondit en larmes.

5

Hercules, Californie

Le matin même, le mouchoir que serrait Alida McRae dans sa main gauche était sec, propre et parfaitement repassé, mais, depuis, il s'était transformé en une boule de chiffon trempée de sueur.

Assise dans la salle d'attente dans les locaux de la police d'Hercules, qu'elle connaissait désormais par cœur, elle étira le morceau de tissu pour le tendre lentement du plat de sa paume.

Puis elle le remit en boule dans sa main droite et l'étira. Elle répétait ce geste nerveux depuis plusieurs minutes tandis qu'elle attendait son quatrième – non, cinquième – rendez-vous avec le chef de la police.

Malgré ses cheveux blancs, Alida, soixante-sept ans, était toujours parfaitement coiffée et soigneusement vêtue. C'était ce qu'on aime appeler une « belle femme », un qualificatif qu'elle détestait en son for intérieur. Un homme pouvait être qualifié de « bel homme ». Un chien passait encore.

Mais une femme était jolie ou pas et, si elle avait atteint un âge où on ne pouvait plus utiliser ce mot, elle pouvait l'accepter. C'est juste qu'elle ne supportait pas la condescendance en ce qui concernait son physique, ni en quelque autre matière d'ailleurs.

Or ce mot correspondait exactement à la manière avec laquelle on la rabrouait chaque fois qu'elle venait voir la police d'Hercules.

Cela faisait maintenant vingt jours. Vingt jours que sa vie avait été bouleversée. Vingt jours qu'elle s'inquiétait et se demandait ce qui avait bien pu se passer. Vingt jours d'effroi.

Vingt jours plus tôt, son mari, William « Bill » McRae, un retraité de soixante-huit ans, père de trois grands fils et grand-père de sept petits-enfants, était parti faire son jogging quotidien. Homme d'habitudes – à un point presque comique –, chaque matin, il quittait la maison peu avant ou peu après sept heures. Chaque jour, il effectuait le même parcours, une longue boucle de huit kilomètres de long qui démarrait et se terminait chez eux, et lui prenait en général quarante-cinq à quarante-sept minutes, selon sa forme. En dehors des dimanches et de certains jours fériés, sa routine n'avait pas changé depuis des années.

Jusqu'à vingt jours plus tôt. Ce jour-là, il était parti comme à son habitude à sept heures deux. À huit heures, Alida avait remarqué son absence. À huit heures quinze, elle avait décidé de passer à l'action. De temps à autre, lorsqu'il ne s'était pas bien hydraté ou qu'il avait mangé trop salé la veille au soir, il prenait des crampes dans les mollets.

Une fois, elle l'avait trouvé en train de se traîner à huit cents mètres de la maison parce qu'il était hors de question pour lui d'accepter la proposition d'un automobiliste de le déposer chez lui. En refaisant son trajet en voiture, elle s'attendait à le trouver dans une situation similaire.

Peut-être boitait-il à cause d'une cheville tordue ou de quelque raison sans doute encore plus butée et stupide. Mais elle n'avait vu aucun signe de lui.

Elle était rentrée chez elle. Il n'y était toujours pas non plus. Alors, elle avait appelé une ou deux personnes de sa connaissance qui habitaient dans certaines des rues qu'il empruntait. Il s'agissait d'amis qui constataient souvent pour plaisanter que le « train Bill » avait une minute d'avance ou deux minutes de retard tel ou tel jour. Mais, non, aucun ne l'avait vu passer.

À neuf heures, en proie à une très grande anxiété, elle avait appelé la police d'Hercules. Quelque chose d'horrible était arrivé à son mari. S'il ne s'agissait pas d'une cause naturelle – une crise cardiaque ou une attaque qui l'avait fait s'effondrer quelque part dans un fossé –, il s'était produit quelque chose d'anormal. Il s'était fait tabasser par de jeunes voyous. Il avait été victime d'une agression. Il lui était arrivé quelque chose. Elle en avait le pressentiment.

— Depuis combien de temps a-t-il disparu, madame ? lui avait-on demandé au téléphone.

— Il aurait dû rentrer il y a une heure, s'était-elle entendue répondre.

Son jeune interlocuteur avait eu la politesse de ne pas lui rire au nez, mais il s'en était fallu de peu.

— Vous n'avez pas de raison de vous inquiéter, madame. Je suis sûr qu'il ne va pas tarder.

On l'avait traitée comme une vieille femme passive, marchant à trois pas derrière son mari. Encore maintenant, alors que cela faisait près de trois semaines qu'il avait disparu, elle avait l'impression que leur attitude n'avait guère changé.

Certes, ils avaient fait des efforts pour le chercher. Peut-être même beaucoup d'efforts. Mais, au fond, elle avait toujours l'impression qu'ils la considéraient comme une vieille dame un peu cinglée.

— Madame McRae, bonjour ! lança le chef de la police en surgissant dans son champ de vision, au moment où elle roulait de nouveau le mouchoir en boule dans sa main gauche.

— Bonjour, répondit-elle.

— Si vous veniez avec moi ? Nous serons mieux dans mon bureau pour parler.

Alida se leva et suivit le policier. Elle était déterminée à ne pas céder et à obtenir des résultats, cette fois. Elle s'était renseignée sur lui. Cela faisait quatre ans qu'il se trouvait à un an de la retraite, mais sa femme n'arrêtait pas de dire qu'ils n'en avaient pas les moyens. Il avait emménagé à Hercules en raison de la proximité de la route des vins, qu'il aimait emprunter durant ses loisirs. C'était, tout le monde ne cessait de le lui répéter, un « bon flic ». Elle aurait juste aimé en voir la preuve.

Une fois dans son bureau, elle prit place sur la même chaise que les trois fois précédentes. Il ferma la porte.

— Vous avez du nouveau ? demanda-t-elle sans attendre qu'il se soit assis.

Son ton désespéré l'exaspérait, mais c'était plus fort qu'elle.

Sans un mot, le chef de la police traversa la pièce, contourna son bureau et se laissa lourdement tomber dans son fauteuil. Il posa les coudes sur le bureau, croisa les mains et la fixa d'un regard sincère.

— Madame McRae, dit-il. J'espère que vous savez maintenant que, si j'avais du nouveau au sujet de votre mari, je vous appellerais immédiatement.

— C'est ce que vous avez dit, mais je...

— Madame McRae, coupa-t-il.

Et voilà, de nouveau ce ton condescendant. Il continua :

— Je sais que vous pensez que nous ne faisons rien et que vous êtes persuadée que nous nous en fichons, mais le fait est que nous avons consacré de formidables ressources à cette affaire. Nous avons fait tout ce que nous savons faire en l'espèce. Nous avons contacté les fédéraux et procédé à un signalement auprès du service des personnes portées disparues. Nous n'avons rien omis, tout y est passé : l'enquête de voisinage, les chiens, les médias.

Elle acquiesça de la tête.

« L'enquête de voisinage » avait démarré l'après-midi de la disparition, après la première incursion d'Alida au commissariat, lorsqu'elle avait réussi à convaincre ses interlocuteurs de l'étrangeté des faits. Le chef de la police avait envoyé quatre agents refaire l'intégralité du parcours qu'effectuait Bill en jogging pour frapper aux portes, montrer sa photo et demander si quelqu'un l'avait vu. On l'avait vu, en effet. Un millier de fois. Mais pas ce matin-là.

Les chiens étaient passés le lendemain. La police locale disposait de sa propre unité cynophile, et une autre était venue en renfort de la ville voisine de Richmond. On avait fait renifler aux quatre bergers allemands des tenues de jogging de Bill avant de les envoyer, menés par leur truffe hypersensible, courir sur son trajet de prédilection.

Ils avaient détalé en aboyant et, pleins d'énergie, avaient parcouru l'intégralité du circuit pour revenir une heure et demie plus tard, la langue pendante. Il avait effectué le trajet tant de fois que jamais ils n'avaient perdu sa trace.

Mais jamais ils n'avaient décelé non plus la moindre déviation. Pour leur part, les chiens avaient fait un excellent boulot en suivant la trace de cet homme sur huit kilomètres de trottoirs et de chaussée. Leurs équipiers humains, en revanche, en restaient perplexes.

Les médias, en dernier lieu. Le policier avait tenu une conférence de presse, brandi une photo d'un Bill McRae souriant que toutes les chaînes locales devaient diffuser. Un sympathique grand-père qui s'était tout bonnement volatilisé un jour : cette histoire faisait un bon sujet.

Le *Hercules Express* lui avait consacré deux articles. On avait demandé à des millions d'habitants de la région de la baie de San Francisco d'alerter les autorités s'ils l'apercevaient. Personne ne s'était manifesté.

— Je sais que nous avons déjà fait beaucoup, dit Alida. C'est juste que j'ai l'impression que..., qu'il reste forcément quelque chose à faire. J'ai entendu parler d'un cas d'enlèvement dans l'Oregon où ils ont émis une alerte Amber. On pourrait peut-être...

— Madame McRae, l'alerte Amber, c'est pour les enfants. Votre mari était un adulte.

« Était ». Lors de ses deux ou trois dernières visites, le policier avait par inadvertance employé le passé en parlant de son mari.

— Vous ne comprenez pas, Bill est...

— Je sais, je sais. Il n'est pas du tout du genre à disparaître, coupa le policier, en écho aux propos manifestement trop souvent tenus par Alida.

Le policier demeura un instant tête baissée et tripota quelque chose sur son bureau.

— Madame McRae, il m'est difficile de vous dire cela, mais, avec tout ce qui se passe sur la côte est aujourd'hui à cause de ces avions, on va être en alerte terroriste au moins quelques jours et je n'ai pas les moyens de...

Il laissa sa phrase en suspens, secoua la tête et releva finalement les yeux.

— Nous avons tout vérifié dix fois le long de son parcours sans jamais trouver le moindre indice suspect. Je ne compte plus le nombre de gens que nous avons interrogés. Nous n'avons pas eu vent de la moindre demande de rançon. Nous n'avons pas trouvé la moindre trace de sang ou quoi que ce soit laissant penser que nous avons affaire à un acte criminel. Nous avons examiné tous ses relevés de cartes de crédit et de comptes bancaires. Il n'y a aucune trace d'activité. Je pense qu'il va falloir sérieusement envisager la possibilité que votre mari a simplement fiché le camp pour une raison ou une autre et qu'on ne le retrouvera pas avant qu'il n'en décide autrement.

Alida serra fort son mouchoir. Cela faisait plusieurs fois que le policier tournait autour du pot. Cette fois, il se montrait plutôt direct.

— Je sais, je sais, vous pensez que c'est impossible, reprit-il. Et cela ne me plaît guère d'avoir à le suggérer. Pourtant, il est arrivé la même chose à un homme, à Van Nuys, il y a quelques années. Damon Hack, il s'appelait. Un gentil père de famille qui aimait jouer à des jeux de football en ligne avec ses copains. Il ne faisait pas de vagues, on ne lui connaissait pas d'ennemis, il n'avait aucune dette, et rien n'avait jamais laissé entendre qu'il était mécontent de sa vie – exactement comme votre mari. Or il s'est avéré que, pendant des années, il avait mis des sous de côté, vingt, quarante dollars à la fois, jusqu'à ce qu'il ait eu de quoi financer sa fugue. On l'a retrouvé quelques mois plus tard à Las Vegas. Il vivait dans la rue parce qu'il avait dilapidé toutes ses économies ; pourtant, il n'avait aucune intention de rentrer. Et personne n'y pouvait rien. C'était un adulte qui avait pris la décision de changer de vie ; c'était son choix.

— Non, dit-elle, vous ne comprenez pas. Bill était l'homme le plus fiable que je connaisse. Il était réglé comme du papier à musique. C'était un scientifique. Avec lui, la vie suivait l'ordre et la logique. Ce n'était vraiment…

Elle s'interrompit. Elle se rendit compte qu'elle se répétait. Voilà qu'elle aussi utilisait le passé, maintenant.

Elle attendait trop de ce policier. Un policier qui avait manifestement baissé les bras. Et cela ne le dérangeait pas.

Elle ne renoncerait pas. Pas tant que son cher Bill était là quelque part en danger.

6

Glen Rock, Pennsylvanie

Derrick Storm avait déjà donné dans la fausse identité. Tour à tour gondolier à Venise, reporter pour une revue professionnelle consacrée au commerce du soja, médecin, avocat, barman, il avait également été professeur de mathématiques, pilote automobile, scénariste à Hollywood, terrassier et tant d'autres choses encore que toutes ces identités se fondaient dans son esprit.

Chaque fois qu'il en endossait une nouvelle, il se documentait autant que faire se peut afin de rendre sa couverture la plus crédible possible. Parfois, il étudiait son « rôle » pendant plus d'une semaine, jusqu'à avoir l'impression de comprendre la personne qu'il essayait de devenir presque aussi bien que quelqu'un qui aurait vécu cette vie pour de vrai.

Cette fois, il n'aurait pas ce luxe. Il consacra donc les quatre-vingt-dix minutes de route de Langley à la petite ville de Pennsylvanie près de laquelle le vol 76 avait connu sa fin tragique à un cours intensif sur la FAA assuré par le « Professeur » Kevin Bryan.

Mais, à dire vrai, tout ce dont Storm disposait pour convaincre sur place qu'il était George Faytok, du Bureau d'enquêtes et de prévention des accidents de la FAA, était un vague badge blanc et son culot.

Selon les ordres de Jones, il devait comprendre ce qui avait provoqué la chute de l'avion et vite. Il conduisait une Chevrolet blanche arborant le logo de la FAA, un faux que les petits génies avaient concocté en piratant l'ordinateur d'un responsable des relations publiques au sein de l'agence en question. Après avoir téléchargé le logo, ils en avaient tiré une décalcomanie qu'un autre agent de Jones avait collée à la hâte sur la portière.

À l'arrière, un autocollant indiquait aux autres automobilistes un numéro d'appel gratuit pour signaler tout comportement dangereux de la part du conducteur au volant.

Comme si cela était possible, étant donné la faible motorisation du véhicule comparé à ce à quoi Storm était habitué. Il détestait les Chevrolet. Ce n'était pas pour rien qu'il conduisait des Ford.

Il allait bientôt faire nuit lorsque Storm atteignit la quatrième sortie sur l'Interstate 83. Après avoir quitté l'autoroute, il s'engagea dans Forrest Avenue, un axe qui, contrairement à ce que laissait supposer son nom, n'était pas du tout boisé. Il traversa une petite ville, puis quelques lotissements typiques de l'ère moderne et bifurqua dans Kratz Road. Comme souvent dans cette partie de la Pennsylvanie, la banlieue céda rapidement la place à la campagne. Storm suivit la route qui serpentait à travers bois et champs jusqu'à un barrage de police dressé, il le savait, pour tenir à l'écart les badauds – les journalistes surtout.

Pourtant, l'avion-cargo ne suscitait pas tant l'intérêt des médias. Les autres endroits où s'étaient écrasés les « Trois de Pennsylvanie », comme on les avait collectivement baptisés, attiraient déjà les familles en deuil, d'où la présence des caméras. À Glen Rock, en revanche, on était loin d'une telle hystérie. C'était le plus calme des Trois de Pennsylvanie.

Storm baissa sa vitre et présenta le badge au nom de George Faytok. L'agent de la police locale en faction ignorait que la FAA n'avait en réalité rien à faire sur les lieux d'un accident dont l'enquête avait été confiée au Conseil national de la sécurité des transports, car il s'agissait de deux agences fédérales totalement distinctes. Le Conseil ne faisait même pas partie du ministère des Transports.

Heureusement pour Storm, ce genre de distinctions administratives passait au-dessus de la tête du jeune policier qui essayait juste de passer le temps en attendant la relève. Le flic fit signe à Storm d'avancer et l'invita à se garer sur le bord de la route.

Storm obtempéra, puis se dirigea vers les lieux de l'accident, situés au sommet d'une petite colline au bout de la Kratz Road. Il apercevait déjà les projecteurs installés pour éclairer le champ et ainsi permettre aux enquêteurs de poursuivre leurs recherches malgré la nuit. Leurs lampes halogènes brillaient dans le crépuscule.

Dans la lumière, une petite armée d'hommes et de femmes s'activait en tous sens, sans logique apparente. Storm distinguait déjà les plus grosses pièces de l'avion, éparpillées le long d'une ligne reliant le point d'impact initial à leur destination finale. Le fuselage s'était déchiré en plusieurs endroits. Il repéra un moteur par-ci, un morceau d'aile par-là, un bout de la queue ailleurs encore. Quantité d'autres parties de l'appareil étaient moins identifiables. Ajoutant à la confusion, la cargaison s'était répandue sur une vaste étendue.

À l'avantage de Storm, il y avait tant de monde dans la mêlée, avec tant de rôles différents à jouer, que la plupart ignoraient ce que les autres étaient censés faire. Cela lui assurerait une certaine dose d'anonymat. Il n'avait qu'à faire comme s'il avait sa place parmi tout ce beau monde et une tâche à accomplir.

Il évita de passer devant la grande tente dont il devinait qu'elle abritait le poste de commandement provisoire, car la plupart des gens qui savaient que la FAA n'intervenait pas directement dans les premières phases d'une enquête – et l'auraient prié de décamper – devaient s'y trouver.

Storm se dirigea droit vers le champ. Aussitôt, il s'avança de débris en débris sans savoir exactement quoi chercher et tout en évitant de passer à côté de quoi que ce soit. Son regard croisa brièvement celui de divers employés du Conseil de la sécurité des transports, dont aucun ne sembla se rendre compte qu'il ne faisait pas partie de leurs effectifs.

Il s'arrêta pour écouter les conversations. L'air de rien, il surprit ainsi quelques bribes d'échanges dans ce fameux jargon que l'agent Bryan avait essayé de lui enseigner à la hâte. Mais il n'en ressortait rien de capital.

Il s'agissait en grande partie de menus propos au sujet d'autres collègues, de problèmes d'hébergement, de voyage ou d'autres choses sans intérêt pour Storm.

Après avoir commencé par le fond du terrain, il revenait vers l'avant, pour la simple raison que la plupart des autres œuvraient en sens opposé. De cette manière, il ne croiserait pas deux fois la même personne. Au final, Storm savait qu'il lui faudrait sans doute risquer d'entrer en contact avec l'un ou l'autre des hommes et des femmes qui s'agitaient autour de lui. Pour l'instant, il préférait jouer les petites souris.

Il venait juste de tomber sur un fragment métallique particulièrement intéressant et allait se pencher pour l'examiner lorsque quelqu'un décida de jouer les chats.

— Excusez-moi ? Vous êtes qui ? lui demanda-t-on.

— George Faytok, répondit Storm sans la moindre hésitation. De la FAA.

Dans la foulée, il se redressa. Puis, comme il y avait belle lurette qu'il avait appris que la meilleure défense est l'attaque, il ajouta :

— Et vous, qui êtes-vous ?

— Tim Farrell. Je fais partie du groupe de travail Structures.

Storm acquiesça de la tête d'un air entendu. L'équipe des experts du Conseil national de la sécurité des transports se composait de huit groupes de travail, chargés d'enquêter chacun sur divers aspects de l'accident. Bryan lui avait tout expliqué, du groupe de travail Systèmes (responsable des parties hydrauliques, pneumatiques et électroniques de l'appareil) au groupe de travail Facteurs humains (qui se penchait sur les éventuels problèmes médicaux, de drogue et d'alcool de l'équipage).

— C'est dingue, non ? fit Storm.

Farrell ne se laissa pas distraire.

— Désolé, monsieur Faytok, mais que vient faire la FAA ici ?

— Oh ! certains changements sont intervenus dans la 8020.11C, expliqua Storm. Ça m'étonne que vous n'en ayez pas entendu parler.

— Pardon ?

— Désolé, la 8020.11C. C'est le numéro de notice de la réglementation concernant la notification, l'investigation et le rapport d'accident et d'incident d'appareil. Il y a eu quelques changements au chapitre un, section neuf, article... Oh ! zut, C ou D ? Je ne me souviens plus. Ne me demandez pas le paragraphe et l'alinéa. C'est celui qui régit nos relations avec le Conseil national de la sécurité des transports. Pour faire court, il y est indiqué que je suis là pour garder un œil sur ce que vous faites, à vrai dire.

Farrell posa les poings sur ses hanches.

— Je n'étais pas au courant de ça.

— Le site est néanmoins tout à vous, le rassura Storm en levant les mains en signe de reddition. Ça, au moins, ça n'a pas changé. C'est encore un de ces trucs dont ils ont le chic pour couvrir leurs arrières. J'imagine qu'un coucou s'est écrasé quelque part en Ohio ou un truc du genre et qu'il y a eu un malentendu entre vous et nous. La hiérarchie a dû éprouver le besoin de justifier son salaire et décider de renforcer la supervision. D'où les changements dans la procédure.

Farrell tripota le téléphone portable agrafé à sa ceinture.

— Je pense que je vais devoir appeler l'ED.

Bryan en avait également touché deux mots à Storm. L'ED, autrement dit l'enquêteur désigné, était la personne responsable de la coordination de l'ensemble des groupes de travail, celle qui occupait la position la plus élevée sur le site. Si l'ED s'en mêlait, il ne restait plus à Storm qu'à se passer lui-même les menottes. Se prétendre agent fédéral afin d'accéder au site sécurisé d'un accident faisant l'objet d'une enquête représentait au moins quatre infractions, aurait-il dit de tête. Cela lui vaudrait certainement un séjour dans l'une des cellules de la geôle locale. Jones ne se priverait sans doute pas de l'y laisser moisir un moment en guise de punition pour s'être fait prendre.

— Je lui ai déjà parlé, affirma-t-il sur un ton jovial. Mais allez-y, faites-lui perdre son temps si ça vous chante. Je suis sûr qu'il n'a rien de mieux à faire.

Storm se pencha alors de nouveau sur la pièce de métal qu'il examinait l'instant auparavant. Farrell dégrafa son téléphone portable. Storm se prépara à prendre la tangente.

Farrell appuya sur le bouton de la fonction talkie-walkie de son téléphone.

— Salut, j'arrive dans une seconde. Je vérifie juste un truc avec le gars de la FAA.

— La FAA ? s'étonna son interlocuteur.

— Ouais, je crois qu'il y a eu un petit changement de procédure.

— Très bien. À tout de suite.

Storm sentit ses muscles se détendre. Il concentra son attention – pour de bon cette fois – sur le fragment métallique qui avait attiré son regard précédemment.

— Bizarre, hein ? fit Farrell.

— Je ne vous le fais pas dire, répliqua Storm.

— À votre avis, c'est un morceau de cloison étanche avant, non ?

— Ça m'en a tout l'air, assura Storm, comme s'il avait personnellement étudié des centaines, sinon des milliers de cloisons étanches avant.

— Qu'est-ce qui a provoqué ça, d'après vous ? demanda Farrell en montrant du doigt une ligne découpée dans le métal.

Alors que le champ était jonché d'éléments déformés et déchirés sous l'effet de l'impact, cette ligne était parfaitement droite. Même à l'œil inexpérimenté de Storm, l'angle paraissait bizarre. Pourtant, la découpe était d'une incroyable précision.

— Aucune idée, affirma Storm.

C'était faux. Il en avait une. Entre autres choses, Storm portait un très vif intérêt à l'artillerie et aux gadgets high-tech, qu'il appelait ses « joujoux » pour plaisanter. Il ne cessait d'insister auprès de Jones pour être toujours sur le coup dès la sortie d'un nouveau joujou, de tout ce qui était classé top secret et que personne d'autre n'avait le droit de voir. Récemment encore, Jones lui avait donc organisé une visite chez un sous-traitant de l'armée pour la démonstration d'un tout nouveau rayon laser à haute densité d'énergie. « On peut descendre un avion avec ce truc », avait dit l'ingénieur.

Ces propos lui revenaient maintenant. L'arme que Storm avait vue en était encore à la version bêta. Il fallait la réduire à des dimensions utilisables, puis la rendre assez solide pour le terrain. En revanche, elle n'avait nul besoin de puissance supplémentaire. Elle affichait déjà cent kilowatts, soit l'équivalent de mille ampoules de cent watt concentrées en un minuscule faisceau de quelques centaines de nanomètres seulement de large.

La chaleur ainsi produite était d'une formidable intensité. Lors de la démonstration à laquelle Storm avait assisté, le laser avait sans difficulté tranché une épaisse plaque de métal.

L'incision ressemblait exactement à celle qu'il avait sous les yeux.

7

Panama

L'élément le plus frappant dans l'appartement-terrasse d'Eusebio Rivera, une merveille perchée au soixante-dix-septième étage qui forçait l'admiration de tous les visiteurs, était un gigantesque aquarium d'eau de mer.

Il occupait tout un pan de mur et séparait le bureau de la vaste suite parentale, si bien que l'heureux propriétaire des lieux pouvait en profiter tant lorsqu'il travaillait que durant son temps libre. Il était rempli de poissons de toutes les couleurs : des poissons-clowns, des poissons-anges, des poissons-éperviers et des rascasses, des hamlets et des gorettes, pour le plus grand bonheur desquels avait été aménagé un récif en plastique des plus réalistes.

Ce qui ne se voyait pas, à moins d'y regarder de très près, c'était l'élément préféré de Rivera, la raison principale pour laquelle il avait fait installer cet aquarium chez lui. Camouflé parmi les anfractuosités des faux coraux, juste sous tous ces poissons qui ne se doutaient de rien, se trouvait le monstrueux visage fermé et menaçant d'une murène à l'affût qui attendait pour frapper d'avoir décidé ce qu'elle allait choisir pour son déjeuner parmi ce buffet digne d'un smörgåsbord.

Certains amateurs de murènes se donnaient beaucoup de mal pour éviter de peupler leur aquarium de variétés de poissons appréciés par cette créature. Pas Rivera. Il maintenait souvent la murène dans un petit coin, à l'écart des autres poissons, afin qu'elle soit d'autant plus affamée lorsqu'il la libérait. Il adorait la regarder chasser.

Rivera se voyait tout à fait comme cette murène. Il n'était pas beau comme les autres habitants de l'aquarium. En vérité, il avait de l'embonpoint et un physique quelque peu ingrat. En tout cas, il n'était certainement pas chéri comme, disons, le poisson-clown. Et sa chair était sans doute toxique, tout comme celle de la murène.

En revanche, jamais il ne se laissait affamer. La murène pouvait rester des heures, voire des jours tapie, à attendre sans bouger, jusqu'à se fondre dans le décor avant d'attraper ce qu'elle voulait.

Patience. Tout n'était qu'une question de patience.

Prenez, par exemple, la bouteille d'Ardbeg qu'il avait sortie et posée sur le bar aménagé de l'autre côté de son bureau, en face de l'aquarium. Ce whisky écossais (quoi d'autre ?) avait déjà plus de vingt ans d'âge lorsqu'il l'avait acheté. Croyant à tort que le whisky continuait de vieillir une fois mis en bouteille, Rivera avait patienté encore dix ans avant de l'ouvrir. Il avait attendu son heure.

Il n'y avait pas eu beaucoup de grandes occasions dernièrement. Jusqu'à ce soir-là, en tout cas.

Il enfonça un bouton sur son bureau pour communiquer avec sa secrétaire personnelle, installée à l'extérieur, dans une petite zone d'accueil qu'elle partageait avec Hector et César, les gardes du corps de Rivera armés jusqu'aux dents et bien payés, qui gardaient à l'œil une rangée de caméras de surveillance.

— Il est arrivé ? s'enquit-il d'une voix rauque en espagnol.

— Non, monsieur. Mais la sécurité vient d'appeler pour annoncer que sa Cadillac s'est garée au parking. Il ne devrait donc pas tarder.

— Parfait, conclut Rivera.

Une petite célébration ne lui ferait pas de mal compte tenu des événements de l'année écoulée. Rivera était le fondateur et unique propriétaire de la Grupa de 2000, société d'ingénierie et de construction spécialisée dans le dragage, les ouvrages maritimes et la plongée professionnelle. Il était encore un jeune homme lorsqu'il l'avait créée en 1977, année où les États-Unis avaient accepté de rendre la souveraineté de la zone du canal de Panama à son pays à l'horizon 2000.

À l'époque, dans les années 1970, Rivera se plaisait à moquer son pays en disant qu'il ne possédait que trois brouettes et deux pelles. C'était à peine exagéré.

En 1977, le Panama n'était absolument pas prêt à endosser la responsabilité de la gestion et de l'entretien du plus important canal au monde tant sur les plans économique que stratégique. Sa capitale était une honte, pas même classable parmi les villes de troisième ordre.

Les choses avaient beaucoup changé au Panama depuis cette époque, et ce, grâce à des hommes comme Rivera. Il faisait partie de cette nouvelle race d'entrepreneurs qui avait appris auprès des Américains jusqu'à ce qu'elle ait acquis le savoir-faire technologique nécessaire pour être autonome. La réussite de ces entreprises dirigées par des Panaméens avait apporté fierté et prospérité dans l'isthme.

Elle avait déclenché une fièvre de construction qui avait transformé Panama en une métropole de premier plan, dotée de gratte-ciel dignes de rivaliser avec ceux de Miami ou de Boston. Une fois l'autorité sur le canal officiellement rendue au Panama, la croissance n'avait fait que s'accélérer.

Ce 31 décembre 1999 avait été à marquer d'une pierre blanche pour le pays, un moment certes euphorique, mais aussi doux-amer, car, après s'être longuement battu pour reprendre la main sur sa plus importante ressource, le Panama avait découvert, lorsqu'il y était enfin parvenu, que le canal tombait en désuétude. Les gros porte-conteneurs, dont le gabarit ne leur permettait pas de franchir ses étroites écluses, évitaient le Panama en passant par la pointe de l'Amérique du

Sud. Ces bateaux étaient classés « post-Panamax » et « super post-Panamax », des noms qui en disaient long sur l'urgence de la situation. Les revenus des liaisons commerciales les plus lucratives du monde, notamment entre la Chine et la côte est des États-Unis, se dérobaient peu à peu à lui.

L'annonce, quelques années plus tard, du projet d'expansion du canal, un ambitieux élargissement des écluses devant permettre aux gros bateaux (et à un plus grand nombre) de refaire route par le Panama, semblait en mesure de résoudre tous ces problèmes. Tant que l'expansion était à l'ordre du jour, l'essor se poursuivrait.

Puis les travaux furent reportés. Le monde connut un ralentissement brutal du crédit. Et le projet fut soumis à un formidable dépassement de budget.

L'Autoridad del Canal de Panama, l'agence panaméenne responsable de l'exploitation et de la gestion du canal, persista à maintenir publiquement que tout allait bien.

Ce qui ne l'empêcha pas par ailleurs de lancer une série d'appels désespérés : d'abord au gouvernement panaméen, auprès duquel elle alla crier misère, puis des États-Unis, qui opposaient jusque-là une fin de non-recevoir systématique à toutes ses sollicitations.

Le chantier était virtuellement à l'arrêt. Le Panama continuait de prétendre que tout allait bien. Mais Rivera, qui s'était endetté en pensant que le projet d'expansion se poursuivrait de plus belle, ne s'en laissait pas conter.

L'Autoridad del Canal avait payé à sa société deux jours de travail sur les trente derniers. Il avait à sa charge plus de mille ouvriers qui gagnaient leur vie grâce à lui, des retards de loyers en pagaille et des emprunts en passe de rester en souffrance. Au bord de la crise, il risquait de perdre tout ce pour quoi il avait œuvré ces quarante dernières années.

Sur le bureau de Rivera, le téléphone sonna à deux reprises.

— Monsieur, monsieur Villante est là, annonça la secrétaire.

Rivera se dirigea vers l'aquarium et releva la séparation entre la murène et les autres poissons. La créature fonça à l'autre bout de la cuve. Les autres poissons lui dégagèrent la voie, mais elle ne présentait aucun danger pour eux. Pas pour l'instant. La murène préférait toujours l'embuscade. Rivera repaîtrait ses yeux du spectacle plus tard.

— Faites-le entrer, dit Rivera.

Carlos Villante était l'administrateur adjoint de l'Autoridad del Canal de Panama, un homme gâté par la nature, plein d'élégance et de style. Comme il se trouvait à la tête du projet d'expansion et que ses choix pesaient lourdement dans l'attribution des contrats, il représentait le plus important contact de Rivera au sein de l'autorité – la vache à lait de la murène, en quelque sorte.

L'entrepreneur ouvrit la porte de son bureau avant que son visiteur n'ait eu le temps de frapper.

— Entrez, Carlos, je vous en prie, dit-il.

— C'est un plaisir de vous voir, Eusebio.

Tandis que les deux hommes échangeaient une poignée de main, Rivera désigna fièrement son précieux scotch d'un large geste du bras.

— Voici la bouteille dont je vous parlais, celle que je garde pour les grands événements, commenta-t-il. Je serai ravi de partager ce plaisir avec vous. Venez, venez.

Carlos Villante se laissa guider jusqu'au vaste canapé d'angle surplombant le canal et les gratte-ciel, dont la construction avait été le plus souvent financée, directement ou indirectement, avec l'argent généré par la voie d'eau. En tant qu'administrateur adjoint de l'instance chargée de l'exploitation du canal, Villante était considéré comme un homme influent. Rivera savait qu'il n'était pas le seul à le courtiser.

Néanmoins, Rivera s'y prenait avec précaution. Dans une contrée où les pots-de-vin étaient monnaie courante, Villante veillait à faire savoir, à Rivera comme aux autres, qu'il n'était pas du genre à se laisser corrompre.

Toutefois, s'il conduisait une Cadillac, c'est qu'il acceptait forcément de l'argent de quelque part. Malgré tous les efforts déployés de toutes parts, personne n'était encore parvenu à découvrir le pot aux roses. Pourtant, il mangeait forcément dans la main de quelqu'un.

Dès que l'entrepreneur aurait trouvé qui, il disposerait d'un moyen de pression sur l'administrateur adjoint. En attendant, Rivera employait des mesures d'incitation plus anodines telles que cet excellent scotch patiemment vieilli.

— Et que fêtons-nous ? demanda Villante en se glissant dans un fauteuil de style capitaine tapissé de daim.

Rivera lui tendit un verre de liqueur ambrée.

— Vous avez entendu parler des avions qui se sont écrasés aux États-Unis, n'est-ce pas ?

Villante lui lança un regard dur, puis posa le verre.

— Il n'y a pas de quoi se réjouir, mais plutôt de quoi pleurer.

— D'ordinaire, je serais d'accord avec vous. Et dimanche à l'église, j'allumerai un cierge à la mémoire de tous ceux qui ont péri. Ensuite, je me rendrai en confession pour me laver du péché d'avoir éprouvé une telle joie. Mais, pour l'instant, trinquons, car Erik Vaughn compte parmi les disparus.

— Vaughn ? s'étonna Villante. Je l'ignorais. J'ai pourtant écouté les informations en venant et ils ont dit qu'aucun des noms des passagers n'avait encore été communiqué. En êtes-vous certain ?

— Sans l'ombre d'un doute, déclara Rivera sans s'étendre davantage. Le seul inconvénient pour l'instant, c'est que les Américains ont interrompu tout trafic aérien jusqu'à nouvel ordre, ce qui signifie qu'il va me falloir encore patienter avant de pouvoir aller cracher sur sa tombe.

Villante n'avait nul besoin que Rivera lui explique son ressentiment à l'égard du membre du Congrès américain. L'Autoridad del Canal de Panama avait envoyé son administrateur, Nico Serrano, aux États-Unis faire pression pour obtenir les trois milliards de dollars nécessaires à la remise en route du projet d'expansion. C'était une misère pour un gouvernement dont le budget avoisinait cinq mille milliards. Pourtant, Erik Vaughn avait personnellement veillé à ce qu'aucune aide ne lui soit accordée. Ce genre d'affaire pouvait parfaitement être torpillé en commission, et le membre du Congrès ne s'était pas privé de l'étouffer dans l'œuf.

— Maintenant que Vaughn est écarté, nous allons obtenir l'argent, continua Rivera. J'ai déjà passé des coups de fil à mes amis à Washington. Le nouveau président de la commission sera un dénommé Jared Stack. À ma connaissance, il n'a aucune animosité contre nous. Il faut insister auprès de lui sur l'urgence de notre situation. Vous devez demander à monsieur Serrano de retourner aux États-Unis dès que les avions recommenceront à voler. Mon matériel est au repos depuis bien trop longtemps.

— Vous semblez confiant quant au résultat.

— Il ne fait aucun doute, assura Rivera.

Villante inclina la tête de biais.

— Si je ne vous connaissais pas mieux, je pourrais croire que vous avez vous-même saboté l'avion.

— Voyons, voyons, rétorqua Rivera, le sourire aux lèvres. Qui pourrait bien vous donner une idée pareille ?

Il leva son verre.

— Buvons à la mort d'Erik Vaughn et au naturel raisonnable et bienveillant de Jared Stack.

Au moment où ils vidaient leurs verres, la murène jaillit de sa crevasse et referma sa redoutable mâchoire sur un poisson peu méfiant avant de retourner se cacher dans son antre.

8

Fairfax, Virginie

L'image de cette plaque de métal incisée au laser hanta Storm tout le long du trajet de retour en Virginie. Ou plutôt de deux plaques de métal. Il y avait celle qu'il avait vue par terre en Pennsylvanie. Et il y avait celle qu'il avait vue sur l'aile de l'avion alors qu'il était suspendu au milieu des airs. Évidemment, il était trop occupé sur le moment pour le remarquer, mais, dans son souvenir, il revoyait l'aileron, qui lui aussi portait la marque d'une légère brûlure en ligne droite. Ce n'était pas la première fois que Derrick Storm devait la vie sauve à un tir raté. Dans le cas du vol 76, le laser avait touché la partie inférieure du cockpit, avec des conséquences catastrophiques. Sur le vol 312, il avait détaché l'aile. Sur le vol 494, c'était la queue. Or la moindre perte de l'un de ces éléments empêchait un avion de voler. Storm l'avait vraiment échappé belle.

L'idée qu'une arme de cette puissance puisse se trouver entre les mains de quelqu'un qui n'avait pas peur d'avoir recours à l'utilisation ultime de ses capacités meurtrières incitait Storm à pousser la Chevrolet bien au-delà de la limite de vitesse autorisée. S'il prenait une amende, ce serait à George Faytok de se débrouiller avec les points en moins sur son permis.

Il n'avait pas fait part de ses conclusions au Conseil national de la sécurité des transports, car il n'avait aucune envie de perdre son énergie ou, plus important encore, son temps. Le Conseil finirait sans doute par découvrir lui-même ce qui était arrivé au vol 76. Ou pas.

Enquêter une fois l'accident arrivé relevait d'un exercice qui n'intéressait pas le barbouze. Tant que les avions demeuraient cloués au sol, le laser ne risquait plus de blesser personne. C'était tout ce qui comptait pour le moment.

De même, il n'avait rien dit à Jones, pour des raisons toutefois différentes. Avec Jones, on se demandait toujours ce qu'il adviendrait des informations recueillies.

Storm n'était pas sûr de vouloir mettre les services secrets au courant du laser. Du moins préférait-il prendre le temps de bien peser les conséquences qu'impliquerait le fait de les en informer. C'est pourquoi il se rendait justement au seul endroit où il pouvait réfléchir en toute tranquillité.

Ce n'était peut-être pas le lieu où on aurait imaginé un globe-trotter comme lui aller chercher du réconfort. Storm parlait huit langues. Il possédait une retraite secrète aux Seychelles. Il avait participé une fois à des rituels qui le lieraient toute sa vie à une tribu aborigène d'Australie. Un orphelinat portait son nom à Bacău, en Roumanie. À Tanger, un Marocain le considérait comme son frère et était prêt à l'accueillir au pied levé dans son riad. Le greffier de la Cour internationale de justice à La Haye lui devait un millier de services. En Finlande, dans un village isolé situé par-delà le cercle polaire, il était encore un héros conquérant dans toutes les mémoires. Il existait en outre des dizaines d'autres endroits à travers le monde où Derrick Storm aurait pu se rendre et se sentir accueilli, accepté et traité en membre de la famille.

Pourtant, sa préférence allait toujours à un vieux pavillon démodé du comté de Fairfax, en Virginie. C'est justement la porte de celui-ci qu'il poussa peu après vingt-deux heures.

— Salut, papa, c'est moi ! lança-t-il.

— Par ici, lui répondit Carl Storm du salon.

En entrant, Derrick vit son père s'extraire de son cher fauteuil inclinable. Alors qu'il arborait une épaisse couronne de cheveux blancs, Carl avait conservé les sourcils résolument noirs. Les profondes rides qui lui barraient le front lui apportaient plus un charme voyou qu'elles ne le faisaient paraître âgé. On lui disait souvent qu'il ressemblait à l'acteur James Brolin…

Inutile de chercher plus loin d'où Derrick tenait son physique avantageux. Il faisait sombre dans la pièce, car la seule lumière émanait de la télévision. Le match de base-ball – celui auquel les Storm devaient assister – se déroulait sous les drapeaux en berne suite à la décision de la Ligue majeure de base-ball de ne pas se laisser intimider par les terroristes. À treize à un, les Orioles mettaient la dernière touche à la raclée qu'ils étaient en train d'administrer aux Yankees.

— Désolé pour la virée au stade, déclara Derrick en indiquant le match d'un signe de tête.

Carl Storm était maintenant debout. Depuis le décès de la mère de Derrick, alors que celui-ci était encore enfant, Carl ne s'était jamais remarié. Cela faisait longtemps qu'ils n'étaient plus que tous les deux. Carl avait élevé son fils seul, malgré un travail très astreignant au FBI, mais il avait toujours fait son possible pour être deux fois plus présent.

— Ce n'est vraiment pas grave, tu sais, après ce que tu as dû traverser aujourd'hui, rétorqua Carl. Viens par là.

Les deux hommes s'avancèrent l'un vers l'autre, et le père prit son fils dans ses bras. Même si, comme Derrick l'avait remarqué, Carl s'était ramolli ces dernières années, il n'avait pas encore perdu toute sa force. Ses accolades demeuraient toujours aussi puissantes.

— Peu importe, je réparerai ça, affirma Derrick. Je te revaudrai ça dès que je le pourrai.

— Ne t'inquiète pas pour ça. Je comprends. J'avoue tout de même que je suis un peu surpris de te voir ici. Que se passe-t-il ?

— Tu as le temps de discuter ?

— Tu sais bien que tu n'as jamais besoin de demander, dit Carl. Tu veux une mousse ?

— Avec grand plaisir.

Carl revint avec deux Pabst Blue Ribbon, la seule marque de bière qu'il achetait jamais. Il coupa le son de la télévision et ils s'installèrent, Carl dans son fauteuil de prédilection et Derrick sur le canapé à motif cachemire.

Comme le reste de la maison, le salon n'avait pas changé depuis la mort de la maîtresse des lieux. Derrick n'aurait su dire s'il s'agissait d'une sorte d'hommage en l'honneur de la défunte ou d'une simple réticence de célibataire à l'idée d'envisager de redécorer la maison.

Tout en sirotant sa bière, Derrick raconta ses aventures à bord du vol 937, ce qu'il avait vu sur les lieux de l'accident et sa certitude concernant la cause des dommages. Carl était certes retraité maintenant. Néanmoins, il n'avait rien perdu des compétences qui avaient fait de lui l'un des meilleurs du FBI. Il écouta attentivement son fils sans l'interrompre et hocha la tête lorsqu'il eut terminé.

— Parfois, je me demande si on tirera un jour les leçons de nos expériences, dit-il.

— Que veux-tu dire ?

Il soupira.

— Je ne t'ai jamais parlé de Tan Son Nhat ?

Derrick fit non de la tête.

— Tan Son Nhat, c'était une base de l'armée de l'air juste à l'extérieur de Saigon, commença Carl. C'est là où la plupart des troufions arrivaient quand ils débarquaient au Vietnam. Étant donné qu'il y avait en permanence un demi-million de gars sur place, c'était plutôt animé dans le coin. Quand on arrivait, il y avait toujours un groupe qui t'attendait avec impatience à l'atterrissage parce que c'était ton avion qui devait les ramener chez eux. La chair fraîche qui débarquait, c'était « la relève, la relève ! » comme ils criaient.

Carl hocha la tête à ce souvenir. Il avait été affecté plusieurs fois à ce conflit. Aussi proche fût-il de son fils, il évoquait rarement cette période de sa vie. Soi-disant parce qu'il ne lui était jamais rien arrivé de très intéressant au Vietnam. Il s'y était beaucoup ennuyé, d'après ses dires. « Rien de tout cela ne t'amuserait beaucoup », assurait Carl. Derrick se demandait toujours si c'était bien la seule raison, mais il respectait les limites fixées par son père en la matière.

— Quoi qu'il en soit, lors de ma troisième affectation, je commençais à bien connaître Tan Son Nhat, continua Carl. J'attendais donc qu'un hélico vienne me chercher pour me déposer au diable vauvert, mais il avait été retardé pour quelques jours à cause d'un problème mécanique ou autre. Alors que je me baladais au sein de la base, voilà que je tombe sur l'infirmerie. Ils avaient…

Carl s'interrompit une seconde pour détourner les yeux. La lueur de la télévision, toujours muette et branchée sur l'émission d'après-match des Orioles, se refléta sur son visage.

— … ils venaient de réceptionner un hélicoptère médical rempli de civils blessés. Comme d'habitude, un village avait abrité des combattants du Viêt-Cong, et l'armée de l'air l'avait arrosé au napalm. C'était juste...

Une nouvelle fois, Carl dut se reprendre :

— … le truc, avec le napalm, c'est que ça colle partout. C'est étudié pour. Ça colle aux maisons, aux arbres, aux corps. Même les plus petits. Et ça brûle très fort. Une fois que c'est parti, ça peut atteindre une température huit fois supérieure à celle de l'eau bouillante. Sur la chair humaine, c'est... Bref, j'avais déjà vu des gens brûlés au napalm avant, mais ça avait toujours été des combattants. Et je n'avais pas éprouvé beaucoup de... Enfin, je compatissais, j'imagine, mais pas plus que ça. Au final, si on y réfléchissait, c'était eux ou nous, tu vois ? Mais ces civils, c'était autre chose. Et on savait que la plupart d'entre eux n'allaient pas s'en sortir. Les victimes de brûlures pareilles survivent quelques jours, mais leurs poumons se remplissent de liquide. En fait, en tentant de se défendre, l'organisme se noie. Quelques-uns parviennent à se remettre de ces terribles blessures, mais la plupart...

Carl secouait la tête. Derrick eut le sentiment que son père avait les yeux grands ouverts sur ces scènes de son lointain passé.

— Il y avait notamment une fillette. D'après ce que j'ai compris, elle avait perdu sa mère pendant l'attaque. Et Dieu sait où était passé son père. Il était probablement terré dans un tunnel quelque part, à attendre de tuer un GI lui-même. Quoi qu'il en soit, elle ne devait pas avoir plus de sept ou huit ans. Elle était trop mignonne. Un côté de son visage était resté parfait avec ses yeux en amandes, ses pommettes hautes. On voyait déjà qu'elle ferait une belle jeune femme un jour. Sauf que l'autre côté..., il était complètement bousillé. Le napalm avait touché tout son côté gauche, et son bras avait été entièrement brûlé. Les côtes aussi. La jambe. Il y en avait partout. Elle souffrait terriblement. Je lui ai rendu visite à plusieurs reprises. Pour la réconforter, je lui apportais des barres de chocolat, des petites poupées, des trucs comme ça. Chaque fois qu'elle me voyait, elle essayait de sourire, même s'il lui manquait la moitié du visage. Heureusement, on lui injectait de la morphine, ça la soulageait un peu, mais on voyait bien qu'il y avait des moments où la morphine ne faisait plus effet et qu'elle ne savait pas réclamer. La douleur devait être..., enfin, on n'imagine même pas.

Il porta la bière à ses lèvres, mais découvrit que la bouteille était vide. Derrick tenta d'imaginer son père à l'époque : les cheveux bruns, la peau sans ride. Il devait être plus jeune que lui maintenant. Jeune et fort. Mais aussi impuissant en cet instant.

— Bref, le dernier soir où j'étais là, je suis allé la revoir. Elle n'arrêtait pas de pleurer, la pauvre petite. Il était évident qu'elle souffrait le martyre. Alors, j'ai couru chercher un infirmier pour augmenter la morphine, mais on m'a dit qu'elle recevait déjà la dose maximale. J'ai voulu, j'ai essayé..., j'ai essayé de la bercer. En fait, c'est à peine si on pouvait la toucher tellement elle était fragile. Mais je voulais qu'elle sache, bon sang, que quelqu'un se souciait encore d'elle. Même s'il venait du pays qui lui avait fait ça. Je l'ai donc prise dans mes bras et elle a pleuré. Je l'ai tenue comme ça encore un peu et puis elle a fini par tomber dans le coma. Une chance pour elle. J'ai continué de la tenir jusqu'à ce qu'elle...

Il n'acheva pas sa pensée, et sa voix s'estompa dans la pénombre du salon.

— Enfin, quand ce fut terminé, je suis allé droit au mess me saouler autant que je pouvais. J'ai fini par m'asseoir à côté d'un jeune lieutenant de l'armée de l'air, un certain Marlowe, à qui j'ai entrepris de raconter ce que je venais de vivre. Or il s'avérait que c'était lui qui avait évacué les civils ; il avait donc vu tout ça, lui aussi. On s'est mis à parler des choses horribles qu'on peut se faire les uns aux autres, de la guerre et de la terrible ironie qui veut que l'homme ait l'intelligence de concevoir ce genre d'armes, mais aussi la stupidité de s'en servir contre lui-même. Il faut quand même se souvenir qu'on était en pleine guerre froide et que la menace nucléaire était encore bien réelle. Et il a dit quelque chose comme : « Il y a des armes qu'on ne devrait pas nous mettre entre les mains. Il devrait y avoir des limites. » On s'est promis qu'un jour, si l'un de nous occupait un poste haut placé au sein de l'armée, on en profiterait pour imposer ces limites.

Derrick acquiesça de la tête, pensivement.

— Fiston, je suis un vieil homme maintenant et, à mon avis, je ne parviendrai plus à tenir cette promesse, mais toi, tu peux, conclut Carl. Il faut que tu te débrouilles pour reprendre cette arme à celui qui la détient. Mais il faut aussi veiller à ce qu'elle ne tombe pas entre celles de quelqu'un d'autre. Pas même celles des États-Unis. On ne peut pas plus nous faire confiance.

— OK, dit Derrick. Mettons-nous au travail.

Dix minutes plus tard, Carl avait préparé un café. Ils étaient dans la cuisine, sans doute la seule de cette bonne vieille ville de Fairfax à ne pas avoir été refaite depuis plus de trente ans. Elle semblait tout droit sortie d'un autre temps avec son lino par terre et ses plans de travail en formica. La lampe, qui semblait provenir d'une pizzeria des années 1970, dispensait une vive lumière au-dessus de leurs têtes.

Derrick avait posé sa tablette devant lui sur la table. Carl disposait d'un ordinateur portable, mais aussi d'un bloc neuf et, posé à côté, d'un crayon parfaitement taillé.

— À ce stade, on est bien obligés de penser au terrorisme, n'est-ce pas ? suggéra Derrick.

— Oui.

— À quel genre de terroristes crois-tu qu'on ait affaire ? Un groupe de violents « vrais croyants » ? Un loup solitaire ?

— Les deux. Tous les critères sont à retenir, car il faut bien garder à l'esprit qu'il n'y a pas de règles. Certains terroristes ressemblent à Oussama ben Laden, c'est vrai. Mais Unabomber ressemblait à n'importe quel prof d'informatique de ce pays, et c'était pourtant un terroriste. Timothy McVeigh, lui, ressemblait à un livreur de pizza, mais ça ne l'a pas empêché de commettre l'attentat d'Oklahoma City. Parfois, ils se présentent sous des formes totalement inattendues.

— C'est juste. Dans notre cas, on ignore encore ce qui les motive ou ce qu'ils cherchent. Tout ce qu'on sait, finalement, c'est quel genre d'arme ils ont employé.

— Ce superlaser, dit Carl.

— Exactement. Un laser à haute densité d'énergie. On n'a donc affaire ni à un Ted Kaczynski ni à un Timothy McVeigh. Ces types se sont servis d'armes relativement simples, du genre qu'on peut facilement fabriquer en quelques heures, à partir de matériel acheté dans le premier magasin de bricolage venu, si on dispose d'une connexion à Internet et d'un demi-cerveau. Un laser à haute densité d'énergie, c'est un peu plus délicat. On ne trouve pas les composants nécessaires dans le commerce et, même si c'était le cas, il faut avoir un peu de cervelle pour savoir quoi en faire. Donc, la question à se poser, c'est plutôt : comment ces terroristes ont-ils eu accès à l'expertise nécessaire ?

— Peut-être en retournant un scientifique ou un ingénieur, suggéra Carl.

— Possible. Mais, avec ce genre de capacités, on est reconnu dans la société. On est très bien rémunéré et respecté. En général, ces gens n'éprouvent pas le besoin de se retourner contre un système qui les traite avec autant d'égards.

— À moins que ce quelqu'un n'ait le sentiment que le système ne le traite pas avec suffisamment d'égards, fit remarquer Carl.

— C'est toujours une possibilité. Mais j'ai quand même l'impression qu'on devrait plutôt chercher du côté d'un expert forcé à aider les terroristes. Je pense qu'on a affaire à un enlèvement.

Carl but une gorgée de café, dont la température lui arracha une grimace.

— Je ne sais pas. Pour travailler sur un projet d'armes de pointe, on a généralement besoin d'un sacré niveau d'autorisation, question sécurité. Quand j'étais encore au FBI, l'antenne locale avait notamment pour tâche de garder ces gens-là à l'œil. À la moindre disparition d'une personne habilitée secret-défense, ça déclenchait un foin pas possible à l'échelon supérieur.

— Bon, peut-être qu'il ne s'agit pas d'un enlèvement, concéda Derrick. Peut-être s'agit-il d'une forme de chantage. Ou alors, c'est quelqu'un de la famille de l'expert qu'on a enlevé, en guise de moyen de pression.

— Je préfère cette hypothèse. Donc, comment retrouve-t-on notre expert dans le pétrin ?

Derrick fixait sa tasse, comme si la réponse se trouvait quelque part dans le café.

— C'est un domaine assez spécialisé. Il n'y a sans doute guère plus d'une poignée de personnes dans ce pays susceptibles de posséder ce genre de connaissances. Et encore, je parie que, dès qu'on va commencer à creuser, on va voir réapparaître les mêmes noms, encore et encore. Plongeons-nous dans la documentation, les publications universitaires et que sais-je encore ? On n'a qu'à établir la liste des possibilités ; ensuite, on vérifiera discrètement chacun des noms.

— Ça me paraît une bonne idée, dit Carl.

En silence et avec application, chacun se pencha sur son écran. Carl était entré au FBI avant sa montée en gamme, avant que le cinéma et la télévision ne le rendent à la mode. À l'époque, il se rendait au travail en costume bon marché et souliers à semelles épaisses.

Fidèle à son credo, il attaquait toujours une affaire à la base, sans couper court à quoi que ce soit, sans rien lâcher, des principes d'investigation qu'il avait naturellement inculqués à Derrick.

Au fil des heures, des bribes de dialogue s'échangèrent entre le père et le fils. « Tu veux bien vérifier... ? » « Ne t'embête pas avec... » « Tu es déjà tombé sur... ? » « Je t'envoie par mail un PDF du... »

Ils n'avaient même pas besoin d'achever leurs phrases. C'était presque comme si la réunion de leurs cerveaux avait non seulement doublé mais quadruplé les capacités des deux hommes.

Ils travaillèrent posément et sans relâche. Carl, qui tenait la liste, inscrivait soigneusement chaque nom en lettres capitales sur son bloc.

Il s'avéra que les scientifiques concernés étaient encore moins nombreux que ne le pensait Derrick. Une fois arrivés à vingt, ils commencèrent à retomber sur les mêmes.

Il était près de deux heures du matin lorsque Derrick déclara :

— OK. Je crois que c'est déjà un bon début, là. On n'a qu'à se partager ces noms pour commencer à creuser et voir si on dégotte quelque chose sur ces types.

Ils n'avaient pas accès au genre de bases de données que les techniciens de Jedediah Jones étaient capables de pirater. Néanmoins, en sa qualité d'ancien détective privé, Derrick savait chercher dans les archives publiques.

Et Carl n'était pas à la retraite depuis assez longtemps pour avoir perdu la main.

Une heure s'écoula encore. Carl prépara une nouvelle cafetière, puis sortit du congélateur quelques pains aux raisins qu'il fit réchauffer, menu de célibataire typique avec lequel son fils avait grandi.

Même s'il était plutôt devenu épicurien, Derrick éprouvait encore une certaine nostalgie pour les surgelés, les conserves et autres plats préparés de sa jeunesse. Curieusement, c'était l'idée qu'il se faisait de la bonne cuisine familiale.

À aucun moment ils n'évoquèrent la moindre envie d'aller se coucher ou le fait d'être fatigués. L'endurance des Storm – transmise de père en fils – était légendaire.

Il n'était pas loin de quatre heures lorsque Derrick annonça :

— Je crois que je tiens quelque chose. William McRae.

— Le type qui a publié dans *Applied Physics Letters* ? demanda Carl, comme s'il était abonné depuis des années à cette revue de physique appliquée.

— Absolument. Regarde ça.

Derrick fit pivoter sa tablette afin que son père puisse voir. La une d'un hebdomadaire du nord de la Californie, le *Hercules Express*, disait : *Disparition d'un scientifique local, sa femme cherche des réponses.*

— Il a disparu il y a trois semaines, expliqua Derrick. Il est sorti un jour faire son jogging et il n'est jamais revenu. Il suffit de lire entre les lignes pour comprendre que la police a bien tenté quelque chose, mais qu'ensuite, elle a jeté l'éponge. Voilà encore quelque chose.

Derrick tapa sur sa tablette et fit apparaître un autre article du *Hercules Express* : *L'aide du public est sollicitée pour retrouver le scientifique porté disparu.*

Tandis que Carl parcourait l'article des yeux, Derrick poursuivit :

— McRae correspond. Il a fait son premier cycle universitaire au MIT, puis il est allé à Berkeley pour son master et son doctorat en physique. Il a commencé à travailler sur les lasers à l'état solide dans les années 1970 au laboratoire national de Lawrence Livermore, qui pratique la recherche sous contrat pour toute une pléiade d'agences gouvernementales. McRae a fini par y diriger le programme laser et, bien que je sois sûr qu'une bonne partie de ses travaux ait été classée top secret, ses approches théoriques ont dû être publiées partout. Trois de ses fréquents coauteurs figurent aussi sur la liste. La différence, c'est qu'ils travaillent encore dans ce labo. McRae a lancé sa propre firme de consultant et continué à bricoler dans ce domaine, mais plutôt à titre de hobby, semble-t-il. Il y a trois ans, il a officiellement quitté Lawrence Livermore pour prendre sa retraite.

Carl claqua des doigts.

— Voilà pourquoi personne n'a remarqué sa disparition, dit-il. Une fois en retraite, il a perdu son habilitation. C'est fou comme on vous oublie quand on vous relâche dans la nature.

Derrick ne releva pas le commentaire.

— Alors, on est d'accord : si tu étais un terroriste qui voulait enlever quelqu'un s'y connaissant suffisamment pour t'aider à construire un bon gros rayon laser, de préférence quelqu'un qui n'attirerait pas les regards, c'est ce type que tu choisirais. Il semble que la police locale ait au moins fait preuve d'une certaine rigueur dans les efforts qu'elle a déployés pour retrouver ce type. Tu crois qu'elle a loupé quelque chose ?

— Je parie qu'il y a une femme angoissée qui serait ravie de t'en parler, là-bas, en Californie, dit Carl.

— C'est sûr, mais il y a juste un problème.

— Lequel ?

— Les avions sont cloués au sol.

— Tu ne peux pas prendre le train ? La voiture ?

— Pas le temps, dit Derrick. Il faut que j'appelle Jones. Je suis sûr que les vols de l'armée de l'air sont encore autorisés. Il pourra m'avoir un avion militaire.

— Tu sais ce que je pense de ce serpent…

— Je sais, dit Derrick. Mais là, tout de suite, je n'ai pas le choix.

Carl émit un grognement. Il avait déjà maintes fois fait part à son fils de sa désapprobation vis-à-vis de Jedediah Jones. Cependant, même le plus aimant, le plus protecteur des pères finit par se rendre compte qu'il lui faut laisser son enfant voler de ses propres ailes. Tout ce qu'il peut faire, c'est espérer lui avoir instillé les bonnes valeurs pour qu'il prenne les bonnes décisions.

Derrick s'était replongé dans ses notes.

— Le seul article que William McRae a publié depuis sa retraite vantait les vertus d'un rayon laser au prométhium. Il s'agissait d'une actualisation de travaux qu'il avait menés dans les années 1980 et sur lesquels il était revenu.

— Au prométhium ? On dirait un truc sorti d'une bande dessinée.

— Non, c'est un élément bien réel. J'ai vérifié. Il porte le numéro soixante et un sur le tableau périodique. Il doit son nom au Titan qui, selon la mythologie grecque, a volé le feu aux dieux pour le donner aux hommes.

— Dans ces moments-là, j'aimerais bien qu'on puisse le leur rendre, déclara Carl. Au lieutenant Marlowe, ajouta-t-il en levant sa tasse en l'air, où qu'il soit. On fait de notre mieux, vieux.

Il but son café, puis reposa son mug. Derrick comprit alors que l'esprit de son père vagabondait de nouveau vers la fillette brûlée au napalm et le souvenir de ses atroces souffrances avant qu'elle ne rende son dernier souffle.

9

À l'ouest de Louxor, Égypte

Le marbre n'était pas censé sonner creux. Contrairement au Pr Raynes, Katie Comely n'était pas diplômée en géologie, mais, ces dernières semaines, elle avait passé assez de temps en bas dans la crypte où elle travaillait pour savoir exactement quel bruit le sol faisait lorsqu'on laissait tomber quelque chose.

Un bruit mat. Un boum sourd. Comme s'il n'y avait rien d'autre qu'une trentaine de mètres d'épaisseur de sable dessous, puis la roche et ensuite la croûte terrestre – rien que des matériaux durs jusqu'au noyau fondu de la planète.

Or ce n'était pas le bruit que faisait son marteau lorsqu'elle l'échappait par terre. Cela ressemblait plus à un toc. Comme s'il y avait une poche d'air derrière ; une petite cavité, peut-être, ou un genre d'ouverture dans laquelle se répercutait l'écho.

La première fois qu'elle l'avait entendu, elle n'en revenait pas. Elle s'était dit que ses sens lui jouaient des tours parce qu'elle était sous terre depuis trop longtemps.

Alors, elle avait ramassé le marteau pour le lâcher de nouveau. Sans surprise : toc. Elle s'était déplacée pour recommencer ailleurs. Boum. Et de nouveau au premier endroit. Toc.

Pas de doute. Katie était en train de fermer une caisse d'objets ordinaires : des urnes qui ne susciteraient guère d'intérêt, des outils employés par les ouvriers du bâtiment de l'Antiquité, un fragment de mur orné de hiéroglyphes proclamant la grandeur d'un pharaon qui régna sur la Basse-Égypte avant son unification avec la Haute-Égypte il y a cinq mille ans. À l'extérieur de la crypte, en surface, certains des journaliers embauchés pour s'occuper des charges lourdes se débattaient avec une autre caisse sous la direction de quelques étudiants.

Elle avait la crypte pour elle seule. Elle repoussa de son visage une mèche de cheveux blonds échappée de sa queue de cheval. Peut-être devrait-elle aller chercher les autres avant de continuer, sauf que...

En fait, ce n'était peut-être rien ?

Ou peut-être s'agissait-il de la plus grande découverte depuis Toutankhamon.

Il n'y avait qu'un seul moyen de le découvrir. Elle se dirigea donc vers le coin où elle rangeait son pied-de-biche et le ramena près de la plaque de marbre en question. D'étroites fentes sur les côtés la séparaient des autres carreaux de marbre. Elle glissa délicatement le pied-de-biche dessous, en veillant à ne pas endommager la pierre. Et elle appuya.

Le pied-de-biche était assez long pour faire levier, mais la lourde plaque se souleva à peine. Elle jeta un regard plein d'espoir dessous.

Oui, il y avait bien une ouverture à l'endroit où le sol aurait dû se trouver. Aucun doute. Mais, à moins de retirer la pierre, il lui était impossible d'en évaluer la profondeur. Elle n'avait pas le bon angle.

Son cœur se mit à battre la chamade. Tous les archéologues connaissent l'histoire de Howard Carter, l'homme auquel on doit la découverte de Toutankhamon, l'homme qui refusait de croire que tous les tombeaux avaient déjà été découverts et pillés. Il avait passé des années à chercher avant d'emprunter cet escalier semblant descendre nulle part et de trouver, derrière une porte scellée, la dernière demeure d'un enfant roi méconnu que rien n'était venu troubler pendant des millénaires.

Se trouvait-elle dans une situation similaire ? Aurait-elle longuement l'occasion de raconter son histoire (comment le marteau qui lui avait échappé des mains lui avait permis de découvrir cette pierre qui sonnait creux et l'intuition qu'elle avait eue de pousser plus loin ses investigations) ? Ou Raynes s'en attribuerait-il tout le mérite en minimisant son rôle au point de ne la citer qu'en note de bas de page ? Au fait, c'était qui, la postdoc ?

Il serait encore plus dangereux pour elle de remonter demander de l'aide pour bouger la plaque de marbre. Raynes risquait d'insister pour être le premier à pénétrer dans la cavité – lui ou l'un de ses étudiants virils qui tenterait de s'imposer en faisant valoir sa force physique.

Tandis que, si elle parvenait à faire glisser la plaque sur le côté et découvrait seule ce qu'il y avait à l'intérieur, elle ne courrait pas ce danger.

Elle regarda autour d'elle et examina l'espace où elle était en train de travailler. Dans un coin au fond se trouvait un cric hydraulique dont se servaient les journaliers pour sortir les caisses. Elle s'en saisit, le fit rouler jusqu'à la plaque, puis souleva de nouveau le marbre d'une main à l'aide du pied-de-biche. Dès que l'interstice fut suffisant, elle inséra le cric de l'autre.

Puis elle pompa pour hisser lentement le marbre jusqu'à ce qu'elle pût se faufiler dessous. Sa respiration devint forte. Elle s'essuya le front et braqua sa lampe de poche dans le trou. Le faisceau lumineux disparut dans l'obscurité sans en atteindre le bout.

C'était bien un passage, aucun doute là-dessus. Mais où menait-il ?

Elle revint à son sac à dos pour y prendre sa lampe frontale, qu'elle s'installa sur le front et alluma. Ainsi, elle garderait les mains libres. Ensuite, elle s'allongea sur le ventre et se laissa glisser vers le trou, prête à s'y engouffrer en rampant. Elle lança alors un dernier regard au cric. S'il lâchait, si la plaque retombait ou s'il arrivait une autre calamité, elle resterait coincée dessous. En aucun cas, elle ne parviendrait à soulever une telle pierre toute seule et elle connaîtrait un long moment de solitude avant qu'on ne la retrouve.

Si on la retrouvait. Tout à coup, l'idée lui vint qu'elle devrait peut-être prévenir quelqu'un de ses intentions.

Mais on risquait de tenter de l'en dissuader ou de vouloir prendre sa place ou de...

Après une dernière inspiration profonde, elle se glissa la tête la première sous la plaque. L'ouverture était à peine plus large qu'elle. Pourtant, Katie était mince, mais cela lui permettait de se tenir plus facilement sur les côtés pour descendre. Au bout de trois mètres environ, elle sentit que le conduit tournait légèrement et se poursuivait peu à peu à l'horizontale. Il y avait juste assez de place pour pouvoir ramper sur le ventre.

Le passage, car il s'agissait bien d'un passage, avait été enduit de terre, et l'argile avait durci depuis si longtemps que le tunnel ne risquait pas de s'écrouler. Katie gardait les yeux rivés droit devant elle. Le faisceau de la lampe de poche n'éclairait pas très loin, et elle devait faire de gros efforts pour discerner son chemin.

Elle se concentrait si fort pour scruter l'obscurité qu'au début, elle ne se rendit pas compte que quelque chose venait dans sa direction. C'est un bruit qui alerta ses oreilles. Une sorte de claquement sec.

Le rayon de lumière se posa alors sur un scorpion empereur. Katie poussa un cri. Il avançait vers elle. Rapidement. Il mesurait au moins huit centimètres de long. Son dard était dressé derrière lui.

Raynes avait prévenu tous ses étudiants, les Américains en particulier, car ils n'avaient aucune expérience de ces arthropodes venimeux. Il était important de vérifier ses chaussures et son lit avant de glisser ses pieds ou son corps à l'intérieur, car les scorpions adorent les endroits sombres et clos, avait-il expliqué. En revanche, il n'avait donné aucune instruction en cas de face-à-face dans un tunnel.

Quelques semaines auparavant, l'un des journaliers s'était fait piquer à l'avant-bras. L'administration de l'antidote ne l'avait pas empêché de gonfler comme un ballon. Elle n'avait pas calmé la douleur non plus. Les gémissements du malheureux s'entendaient d'un bout à l'autre du camp. Aux dernières nouvelles, la plaie s'était infectée et le type risquait de perdre le bras.

Le scorpion poursuivait sa course précipitée. Elle cria de nouveau. Comme si cela allait arranger les choses. Les scorpions entendaient-ils, au moins ?

Elle tenta de battre en retraite, mais l'animal arrivait sur elle plus vite qu'elle ne pouvait reculer dans un espace aussi réduit. Sans doute l'archéologue avait-elle dérangé son nid, car il était clairement décidé à en découdre.

Eh bien, dans ce cas, elle aussi. Katie n'était pas venue jusque-là, dans ce pays, cette crypte, ce trou, pour se laisser intimider par une petite bête. Elle ferma le poing et laissa le scorpion approcher. Encore plus près. Et encore.

Alors, au moment où il allait frapper, la chercheuse l'écrasa de son poing. Elle sentit et entendit le craquement de l'exosquelette. Elle souleva le poing et frappa une seconde fois, puis une troisième sans attendre de voir si le corps bougeait encore. Hors de question de prendre le moindre risque.

Lorsqu'elle fut totalement assurée que sa main était trop humide pour que la bestiole ait encore une chance d'être en vie, elle s'autorisa à regarder. Sans surprise, le scorpion était totalement aplati. Une sorte de liquide verdâtre ou jaunâtre s'écoulait sur le côté de son corps. Son dard, toujours relevé, se tortilla quelques secondes avant de s'immobiliser enfin.

Elle frémit, puis poussa un profond soupir. Il lui fallut déployer une volonté considérable pour décider de se remettre en route, et la seule chose qui l'en convainquit fut la pensée que le scorpion venait forcément de quelque part.

Trois virages plus loin, Katie découvrit d'où. La lampe frontale éclaira une large ouverture. Elle distinguait le mur du fond, mais rien dessous. Jusqu'à ce qu'elle débouche du tunnel. Tout ce qu'elle pouvait dire, c'est que les parois de la cavité étaient enduites de terre, tout comme celles du tunnel, ce qui laissait supposer qu'il y avait longtemps qu'il avait été creusé, car les Égyptiens d'une époque plus récente pavaient de pierre l'intérieur de ce genre de fosses.

Bien qu'il y eut moins d'un mètre à sauter pour sortir du tunnel, elle ignorait parfaitement où elle allait atterrir. Qui sait si le sol n'était pas couvert de scorpions prêts à lui sauter dessus. Elle se laissa tomber à l'intérieur et bondit aussitôt sur ses pieds, prête à écraser sous sa semelle la première de ces horreurs qui se risquerait à l'approcher.

Néanmoins, il n'y avait rien par terre. Assurée d'être hors de danger pour le moment, elle promena sa lampe autour d'elle afin de repérer les lieux.

Elle retint un instant son souffle.

Il s'agissait d'une chambre funéraire. C'est ce qu'elle conclut d'après les hiéroglyphes aux murs. Le long du mur du fond, le balayage de sa lampe révéla la présence d'un sarcophage en pierre ouvert. Le couvercle, également en pierre, gisait par terre en plusieurs morceaux à côté, ce qui laissait supposer que des pilleurs de tombes étaient arrivés jusque-là un jour, peut-être dans l'Antiquité, avant que le tombeau ne se retrouve entièrement enseveli sous le sable.

Les yeux grands ouverts, marchant avec précaution afin de ne rien déranger, elle s'avança lentement vers l'antique cercueil et se pencha en avant pour regarder à l'intérieur.

De nouveau, elle faillit en perdre le souffle.

Il y avait une momie enveloppée dans une fragile étoffe jaune. Le masque funéraire, s'il y en avait eu un, avait disparu depuis longtemps, mais le corps était encore là. Intact. Parfait. Les bras croisés, le droit par-dessus le gauche.

Ce n'était pas une simple momie.

C'était un pharaon.

— Oh ! mon Dieu, murmura-t-elle, bien qu'elle fût parfaitement seule.

C'était une découverte qui allait changer le cours de sa carrière, un coup de chance incroyable, un événement capable d'approfondir ou de transformer les connaissances mondiales en ce qui concernait l'une des plus importantes civilisations de l'Antiquité.

Mais seulement si la momie ne subissait pas le même sort que la statue de Kheops. Il lui fallait absolument ramener ce trésor au labo, sinon tout cela n'aurait servi à rien.

La nuit était tombée sur le désert. Et, avec la nuit, le froid. Dans la journée, le sable se réchauffait vite sous les ardents rayons du soleil, mais il perdait sa chaleur tout aussi vite une fois le soleil couché. Il n'était pas rare de constater des écarts de température de plus de soixante degrés dans ces contrées.

Enveloppée dans une couverture, Katie avait le regard perdu dans le feu, dont les flammes dansaient en projetant des étincelles dans le ciel. Il était assez exceptionnel qu'ils allument un feu le soir, car le bois était rare, mais aussi parce que cela risquait d'attirer les bandits en maraude.

Néanmoins, le Pr Raynes avait décidé qu'ils se devaient de fêter ce qui se révélerait sans doute la plus importante découverte de toute l'expédition. Aussi avait-il organisé un grand feu de joie. De nombreux toasts avaient suivi : à Katie, à Raynes, à l'Égypte, aux sponsors des fouilles, à tout ce à quoi ils avaient pensé pouvoir lever leur verre.

Autour d'elle, tous les archéologues étaient ivres ou assoupis. Les étudiants, en particulier, avaient eu la main lourde.

Seule Katie, soi-disant la reine de la fête, s'était abstenue.

Et là, perdue dans ses pensées, elle fixait les flammes. Elle avait passé la majeure partie de sa vie à étudier, à absorber des informations découvertes et répandues par d'autres. Mais voilà qu'elle était en passe de connaître un virage important : elle allait se retrouver en mesure de créer l'information, de ne plus seulement profiter des connaissances humaines, mais d'apporter sa pierre à l'édifice. L'idée de se trouver ainsi en passe de contribuer à ce domaine qui la passionnait tant lui donnait presque le vertige. Pourtant, elle savait aussi que tout cela pouvait lui être enlevé, littéralement, d'une seconde à l'autre.

— Tout va bien ?

La voix la fit sursauter et lui donna une poussée d'adrénaline. La journée avait été rude pour ses nerfs.

— Vous m'avez fait peur, dit-elle en portant la main à sa poitrine.

Le Pr Raynes lui tapota l'épaule.

— Désolé. Toutes mes excuses, je croyais que vous m'aviez entendu arriver.

Elle fit non de la tête.

— C'est vous qui devriez être la plus ivre d'entre nous, dit-il. Comment se fait-il que vous soyez la plus sobre ?

— C'est parce que je m'inquiète.

— À cause de quoi ?

D'un signe de tête, elle indiqua les journaliers, tout juste hors de portée de voix.

— D'eux. Ils savent exactement ce qu'on a trouvé là, en bas. Et je suis sûre qu'ils sentent à notre excitation à quel point c'est précieux. Si l'un d'eux retourne en ville et raconte qu'on a fait une grande découverte, combien de temps s'écoulera-t-il avant qu'une nouvelle bande de voleurs ne surgisse dans un nuage de poussière ?

Raynes hocha la tête en signe d'acquiescement.

— J'y ai un peu réfléchi...

— Il faudrait faire plus que réfléchir !

— Allons, allons, calmez-vous, dit-il en levant les mains à l'instar d'un agent de la circulation essayant d'empêcher des écoliers de traverser la rue. J'ai déjà pris des mesures à ce sujet.

— Ne me dites pas que vous avez engagé d'autres gardes. Ils déguerpiront à la seconde où on aura besoin d'eux, dit-elle, consciente de son ton geignard. Je préfère encore essayer d'abattre ces salauds moi-même que de faire confiance à ces rigolos.

— Non, non. C'est fini avec eux. J'ai contacté la LIPA.

— Humm..., c'est-à-dire ? fit Katie, qui ne voyait manifestement pas de quoi il s'agissait.

— Désolé. La Ligue internationale de protection des arts. C'est une ONG spécialisée dans ce genre de choses. Elle a démarré à Berne, en Suisse, en se concentrant sur la lutte contre les vols dans les musées en Europe. Elle favorise la coopération entre les institutions policières internationales par-delà les frontières. Trop souvent, les pièces volées dans un pays refont surface sur le marché noir dans un autre, où personne n'est même parfois au courant du vol. Ils ont réussi de belles prises, ce qui leur a attiré d'importants donateurs, et, maintenant, il en existe des branches en Asie et en Afrique.

— Je n'ai pas l'intention d'attendre que la momie soit sur le marché noir pour essayer d'attraper ces types, je veux...

— C'est justement ce qui fait l'efficacité de la LIPA. Cela fait déjà quelque temps que ses membres se sont rendu compte qu'il vaut mieux prévenir que guérir. Ils envoient des équipes, composées de…, comment dire…, de mercenaires, je suppose. Des hommes très entraînés qui ne détaleront pas devant quelques rafales tirées en l'air par le premier venu à bord d'un pick-up.

— Et ils vont nous aider ?

— On verra, dit le professeur. On a fait la demande. En attendant, on ne peut qu'attendre en croisant les doigts. Cela va prendre quelques jours pour extraire la momie. Peut-être seront-ils arrivés d'ici là.

Katie posa de nouveau les yeux sur le feu.

— Je l'espère, soupira-t-elle. Je l'espère vraiment.

10

Hercules, Californie

S'il y avait un avantage à travailler pour Jedediah Jones, c'était que la moitié du monde libre lui était redevable.

Jones en avait donc profité pour obtenir à Derrick Storm une place à bord d'un avion-cargo militaire qui décollait à la première heure de la base aérienne d'Andrews.

L'ambiance à bord était tendue. D'après les spéculations dans les médias, les avions avaient été abattus par des terroristes. Personne n'avait cependant la moindre idée de la façon dont ils s'y étaient pris. Comme les vols commerciaux étaient suspendus, l'équipage était convaincu qu'il y avait au moins cinquante pour cent de chances que les terroristes prennent maintenant pour cibles les avions militaires.

— Ne vous inquiétez pas, on ne va pas du tout s'approcher de la Pennsylvanie, avait assuré le commandant à Storm.

Storm s'était contenté de hocher la tête, se refusant d'entrer dans les détails avec lui pour lui expliquer qu'il était fort probable que l'arme utilisée soit mobile et donc parfaitement transportable n'importe où. Le ciel ne serait pas un endroit sûr tant qu'il n'aurait pas découvert qui était derrière toute cette affaire et pourquoi. À son habitude, Jones était resté de marbre lorsque Storm lui avait fait part de ses réflexions au sujet du rayon laser et du scientifique porté disparu sans doute chargé de sa mise au point.

— On dirait qu'il va falloir trouver un moyen de t'envoyer en Californie, s'était-il contenté de répondre.

Compte tenu du peu de trafic dans les airs, l'avion traversa le pays en suivant la course du soleil sans aucune perte de temps. Il atterrit à l'heure où la circulation matinale commençait à se fluidifier dans la baie de San Francisco. À bord d'un véhicule banalisé emprunté à l'armée de l'air (une autre Chevrolet sous-motorisée, hélas), Storm prit la route d'Hercules, une petite ville située juste au nord de Berkeley.

La maison de William McRae était un grand pavillon en brique et aux volets bruns, sis de plain-pied sur un joli terrain près du sommet d'une colline. À l'arrière, Storm distinguait une terrasse en bois offrant une vue magnifique sur la vallée en contrebas. Par temps clair, on devait y apercevoir les plus hauts immeubles de San Francisco. Une vue à un million de dollars, comme disaient les agents immobiliers.

Storm, qui n'était pas un professionnel en la matière, n'aurait pas été surpris d'apprendre que le prix de la maison irait sans doute chercher dans ces eaux-là le jour où on la mettrait sur le marché. La pelouse était parfaitement entretenue. Le jardin de même. Il y régnait une notion d'ordre qui laissait penser qu'un esprit logique avait procédé à son aménagement.

Un drapeau américain était accroché à la porte d'entrée. Sur un chêne bordant l'allée privée, quelqu'un avait noué un ruban jaune. Storm se gara dans la rue et remonta l'allée à pied en espérant trouver des réponses à l'intérieur de la maison qui se dressait au bout.

Il gravit les cinq marches d'ardoise qui menaient à un petit patio devant ce qui semblait être l'entrée principale de la maison. Il appuya sur le bouton de la sonnette. L'arpège d'un carillon lui répondit, mais personne ne vint ouvrir la porte. Il sonna de nouveau. Toujours rien. Certes, il ne s'était pas annoncé. Mais il n'avait pas non plus le temps d'attendre qu'on lui accorde un rendez-vous. Il redescendit les marches et scruta les alentours.

Pas âme qui vive. Il retourna jusqu'au garage devant lequel il était passé à son arrivée et trouva une des portes ouvertes. Deux voitures étaient garées à l'intérieur.

Il poursuivit sa route, tourna au coin de la maison. Dans le jardin derrière, il découvrit une femme aux cheveux blancs, assise sur les talons, qui remuait la terre d'un parterre de fleurs bien paillé à l'aide d'une petite truelle. Elle portait des gants à motifs floraux et des sabots de jardinage assortis.

— Alida McRae ? s'enquit Storm.

— Oui.

Elle leva vers lui ses yeux bleus et soutint son regard sans flancher.

— Je m'appelle Derrick Storm. J'aimerais vous parler de votre mari. Seriez-vous d'accord pour répondre à quelques questions ?

— Vous êtes de la police ?

Storm portait un blazer et une chemise boutonnée sur un jean. Elle le prenait pour un policier en civil.

— Non, madame.

— Du FBI ?

— Non, madame.

Elle planta la truelle dans la terre.

— Alors, qui êtes-vous, exactement ?

— Je travaille sous contrat pour le gouvernement. Mieux vaut que je ne m'étende pas davantage.

— Et quel est votre intérêt, exactement ?

— Le même que le vôtre. Je veux retrouver votre mari et faire en sorte qu'il rentre chez lui sain et sauf.

Elle se releva, retira ses gants et les laissa tomber dans l'herbe. Puis elle sortit un téléphone portable de sa poche et entreprit de composer un numéro.

— Madame ? demanda Storm.

Sans répondre, elle s'écarta de quelques pas, mais parla assez fort pour que Storm puisse entendre.

— Oui, bonjour, c'est Alida McRae à l'appareil. Un drôle d'étranger prétendant travailler pour le gouvernement se présente chez moi pour me poser des questions sur mon mari. Pourriez-vous m'envoyer quelqu'un immédiatement, s'il vous plaît ?

Elle attendit la réponse.

— Oui, bien sûr, deux agents si vous voulez. Plus on est de fous, plus on rit. Merci.

Elle raccrocha et se tourna vers Storm. Il croisait les doigts sur le ventre, prêt à siffloter, car Jones avait des protocoles en place pour parer à ce genre d'éventualités : des numéros qu'on pouvait appeler, des couvertures prêtes à l'emploi, des gens pouvant se porter garants pour lui. Il ne restait qu'à espérer que cela ne lui fasse pas perdre trop de temps, en l'occurrence.

— La police arrive, déclara-t-elle. Je ne vous dirai pas un mot de plus avant qu'ils n'aient vérifié votre identité.

— OK.

Elle resta plantée là, les poings sur les hanches, à lui faire les gros yeux.

— Je suis sûre qu'ils vont vous demander vos papiers.

— OK, répéta Storm en se balançant sur les talons.

— Normalement, ils sont assez réactifs. Ils devraient être là d'ici trois minutes.

— Parfait, dit Storm.

— Parfait ?

— Oui, parfait. Plus vite on en aura terminé, plus vite on pourra se mettre à chercher votre mari.

Elle le fixa encore un instant.

— Et vous vous appelez Storm, vous dites ?

— Oui, madame.

— Alors, venez sur la terrasse. Je vais nous préparer un peu de thé glacé. On pourra discuter.

— Vous êtes sûre de ne pas vouloir attendre la police ?

Elle ramassa ses gants et sa truelle.

— Je n'ai pas vraiment appelé la police. Elle ne m'aurait

pas été d'une grande utilité de toute façon. Je voulais juste voir comment vous réagiriez. Je me disais que vous resteriez si vous étiez bien ce que vous prétendez et que vous partiriez si vous étiez un escroc.

Storm sourit. Alida McRae lui plaisait déjà.

— Je suis bien ce que je dis, confirma-t-il.

— Pour être franche, je me moque bien de qui vous êtes ou pour qui vous travaillez. Si vous essayez de me ramener mon Billy, vous pouvez compter sur mon entière coopération.

Storm passa vingt minutes sur la terrasse des McRae, un verre de thé glacé posé devant lui, la vallée de l'Alhambra étendue à ses pieds, à écouter Alida lui exposer sa version de la disparition de son mari.

Son récit fut sans surprise. Son mari avait disparu. Elle ignorait pourquoi. Il n'avait rien changé à sa routine au cours des jours ou des semaines qui avaient précédé.

Rien dans son comportement ne laissait penser qu'il comptait partir quelque part. Storm posa quelques questions, mais n'en retira pas le sentiment de faire jaillir de nouvelles lumières. La plupart des éléments dont elle lui fit part avaient déjà été relayés dans la presse.

Lorsqu'il fut assuré qu'elle n'avait rien de plus à lui apprendre sur la mystérieuse volatilisation de William McRae, Storm changea de sujet.

Il lui parla de ses soupçons, confirmés maintenant par deux fois, qu'un rayon laser à haute densité d'énergie ait été à l'origine des avions abattus en plein vol au-dessus de la Pennsylvanie et lui soumit l'idée que les responsables avaient peut-être contraint son mari à leur obéir.

À ses propos, la mine d'Alida s'allongea.

— Il a beaucoup travaillé sur les lasers à haute densité d'énergie, dit-elle doucement.

— Je sais. J'ai vu son nom partout dans la documentation. Saurait-il en fabriquer un ?

Elle acquiesça de la tête.

— Le seul article que Bill ait publié ces trois dernières années, reprit Storm, portait sur la faisabilité d'un rayon laser au prométhium. Vous êtes au courant ?

— Je suppose, en effet, puisque je l'ai aidé à l'écrire.

Storm dut avoir l'air perplexe, car Alida répondit à sa question sans qu'il la pose.

— Je l'ai aidé à écrire tous ses articles. Billy est un scientifique, jusqu'au bout des ongles. Malgré tous les articles qu'il a publiés, la rédaction n'a jamais été son fort. Tandis que moi, j'ai fait anglais comme matière principale. Je suis son nègre depuis la fac.

— Il n'y a aucune honte à écrire pour les autres, dit Storm. Certains des meilleurs livres publiés chaque année sont l'œuvre de talentueux auteurs dont le public ne connaîtra jamais l'identité.

— Ça me plaisait. La recherche est tout pour Bill. Si je ne m'y connaissais pas, pendant notre mariage, il y aurait eu des décennies entières durant lesquelles nous n'aurions pas eu grand-chose à nous raconter. Au labo, quand je vois ces femmes de chercheur qui lèvent les bras au ciel en disant qu'elles ne comprennent rien à ce que font leurs maris, j'ai l'impression qu'elles renoncent à un vaste pan de leur vie conjugale. Ce n'est vraiment pas si incompréhensible que ça quand on s'y intéresse de plus près.

— Vous serait-il possible de m'expliquer, madame McRae ?

— D'abord, appelez-moi Alida. J'ai l'impression d'être une vieille dame quand vous m'appelez « madame McRae ». Ensuite : bien sûr que je peux vous expliquer. Je n'ai pas écrit tous ces articles en dormant, vous savez.

— OK, Alida, dit Storm, le sourire aux lèvres. Pour commencer, pourquoi le prométhium ?

Pour la première fois depuis son arrivée, Alida sourit.

— Vous aimez la science-fiction, monsieur Storm ?

— Quel Américain nourri de Ray Bradbury et de Rod Serling qui se respecte n'aimerait pas ça ?

— Dans ce cas, je pense que vous et Billy seriez sur la même longueur d'onde. L'une de ses principales motivations en ce qui concerne le laser au prométhium, c'était tout simplement son nom. C'est vrai que c'est cool comme nom, non ?

— C'est vrai.

— Mais ça a aussi une utilité scientifique. Que savez-vous exactement des lasers à l'état solide ?

— J'aurais peut-être dû mentionner aussi Gene Roddenberry, le créateur de *Star Trek* ? Mais ça ne va guère plus loin.

Elle sourit de nouveau.

— Très bien, oublions la science-fiction. Voici quelques notions de base. Passons sur les détails ennuyeux. Ce qu'il faut surtout savoir sur les lasers, c'est qu'il existe une très grande différence entre le laser à trois niveaux et celui à quatre niveaux. C'est le plus important. Il n'existe que très peu d'éléments pour créer un rayon laser à quatre niveaux.

— Quelle est la différence ?

— Celui à quatre niveaux est cent fois plus puissant que celui à trois niveaux.

— Grosse différence, commenta Storm.

— Probablement quatre-vingt-dix pour cent des lasers à solide qui existent utilisent du néodyme ; or il se trouve que cet élément vient après le prométhium sur le tableau périodique. Ce sont tous les deux ce qu'on appelle des lanthanides, c'est-à-dire... Vous ne me suivez plus, c'est ça ?

— Difficilement. J'ai beaucoup dormi pendant le cours de chimie de monsieur Menousek, ce que je regrette. Tout ce que je sais en chimie, c'est comment fabriquer et désamorcer les bombes.

Elle ne releva pas.

— Les lanthanides sont plus connus sous le terme de « terres rares ». Ces métaux ont toutes sortes d'applications pratiques, surtout dans le domaine des gadgets high-tech. On les extrait dans les mines du monde entier, de la Suède à l'Afrique du Sud en passant par l'Australie et la Chine. Bref, où en étais-je ?

— Au néodyme.

— C'est ça. La plupart des lasers se composent de néodyme. Mais Bill a toujours lorgné du côté du prométhium. Il ne faut pas oublier, quand on veut faire un laser, que chaque élément présente une longueur d'onde différente. Vous connaissez le fameux mot « vibujor », un moyen mnémotechnique pour se souvenir des sept couleurs de l'arc-en-ciel dans l'ordre : violet, indigo, bleu, vert (le « v » étant représenté par « u » dans l'alphabet romain), jaune, orange, rouge. Les longueurs d'onde les plus courtes sont les rouges. Les plus longues sont les violettes. Vous me suivez ?

— Absolument.

— Très bien. Donc, le prométhium présente une longueur d'onde de neuf cent trente-trois nanomètres, rayonnement qui n'est pas visible à l'œil nu. Mais, si on place un filtre à césium, il passe à quatre cent cinquante-neuf nanomètres et donne un bleu très pur, le plus beau bleu qu'on puisse obtenir avec un élément à quatre niveaux.

— Êtes-vous sûre que ce n'était pas vous, l'auteur principal de cet article ? la taquina Storm. C'est impressionnant que vous vous souveniez de tous ces chiffres.

— Vous n'avez jamais publié d'article scientifique ? On écrit, on réécrit et on révise son texte tant de fois pour satisfaire un stupide comité qu'on finit par le connaître par cœur. Quoi qu'il en soit, une longueur d'onde de quatre cent cinquante-neuf nanomètres, c'est beaucoup ; ça permet même de percer l'atmosphère terrestre. Comme elle aussi est très bleue en plein jour, il n'y a pratiquement aucune perte de puissance.

— Donc, si vous voulez concevoir un rayon laser à haute densité d'énergie pour, disons, abattre des avions en plein vol, c'est ce que vous utiliseriez ?

— Bill a toujours dit qu'un laser au prométhium ferait une arme incroyable, confirma-t-elle.

Storm tapa du doigt sur la table. Parfois, il détestait avoir raison. Se saisissant d'un pichet en verre légèrement embué, elle lui reversa un peu de thé glacé. Tandis qu'elle remplissait sa tasse, Storm aborda la question suivante.

— Bien, maintenant, dites-moi : si le prométhium est aussi puissant, pourquoi ne s'en est-il pas davantage servi quand il était chez Lawrence Livermore ? Pourquoi n'a-t-il pas essayé de développer quelque chose pour l'armée ? Pourquoi attendre la retraite ?

— Oh ! vous savez, le prométhium, c'était..., c'est plutôt un hobby pour Bill, je crois. Déjà, c'est un peu radioactif ; donc, ce n'est pas très facile à manipuler. On peut s'en protéger. Je ne m'en faisais pas vraiment pour ça. On s'en est même parfois servi pour alimenter les piles des premiers stimulateurs cardiaques. Mais, avec l'arrivée des piles au lithium, beaucoup plus légères et plus petites, le prométhium est passé à la trappe. La principale raison, toutefois, c'est quand même que le prométhium a ses limites. Vous vous souvenez quand je vous disais qu'il fait partie des terres rares ?

— Oui.

— Eh bien, c'est probablement la plus rare du groupe. D'après Bill, il n'en existe pas plus de dix kilos éparpillés à la surface de la croûte terrestre. Personne n'en a jamais découvert d'importants gisements. Bill travaillait avec d'infimes quantités. J'ai eu l'occasion d'en voir une fois avant qu'il ne l'utilise sous sa forme cristalline. On lui livrait une simple poudre blanche dans un petit sachet en plastique transparent, un peu comme de la drogue. En moins fin, peut-être. C'était plus granuleux.

— Et ce prométhium provenait d'une mine ?

— Oh non ! D'un réacteur nucléaire. C'est là qu'il avait été fabriqué, car le prométhium ne se trouve pas à l'état naturel. Du moins, au dire de Bill. C'est pour ça que toutes vos histoires de rayon au prométhium me paraissent un peu tirées par les cheveux. Les rayons laser à haute densité d'énergie nécessitent de très gros cristaux, car, plus le cristal est gros, plus le laser est puissant. Comme c'était Billy qui s'occupait des calculs, je ne pourrais pas vous donner le chiffre exact, mais je sais en tout cas qu'il faudrait plusieurs centaines de kilos de prométhium pour obtenir un cristal assez gros et provoquer les dégâts que vous m'avez décrits.

Storm regarda son thé glacé et se mit à étudier un pépin de citron qui flottait dans le liquide ambré.

— Quelqu'un ayant accès à un réacteur nucléaire pourrait-il produire cette quantité de prométhium ? demanda-t-il.

— Je ne crois pas. Sa fabrication implique la fission d'atomes de plutonium, ce qui n'est pas si facile à obtenir. Et puis, c'est un processus assez lent. Le prométhium dont Bill se servait provenait du laboratoire Oak Ridge, au Tennessee. Au plus fort de leur production, quand ils fabriquaient du prométhium pour les fameuses piles, ils ne dépassaient pas les sept kilos par an. Le temps d'en produire quelques centaines, les premiers kilos se seraient déjà altérés. Même le prométhium le plus stable a une demi-vie de moins de trois ans.

— Alors, comment se procurer assez de prométhium pour arriver à ça ?

Alida secoua la tête.

— Je ne sais pas. La seule bonne nouvelle, c'est que, quel qu'en soit le stock, il ne durera pas. Lorsque le prométhium se dégrade, il se crée des impuretés dans le cristal. Celui que Bill a produit pour l'article qu'il a écrit a fini par ne plus marcher.

— Au bout de combien de temps ?

— Quelques mois.

— Donc, celui ou ceux qui sont en possession de son arme pourraient continuer à s'en servir impunément dans un avenir immédiat ?

— J'en ai bien peur.

— Elle devrait cesser de fonctionner dans quelques mois. Mais, d'ici là, s'ils remettent la main sur du prométhium, ils pourront en fabriquer une nouvelle.

— C'est exact.

Storm but une gorgée de thé.

— D'une manière perverse, c'est une bonne nouvelle pour vous.

— Comment ça ?

— Parce que cela signifie que ceux qui ont enlevé votre mari vont devoir le garder en vie. Et, s'il est en vie, je le retrouverai.

— Vous le... Vous ? Parce que vous... travaillez pour le gouvernement ?

— Non. Parce que je suis humain.

Alida ne répondit rien. Elle avait posé la main sur sa bouche. Storm remarqua les larmes qui s'accumulaient au coin de ses yeux.

Un peu plus bas dans la rue, dans une maison vide signalée par un panneau À VENDRE, un homme dissimulé derrière un rideau en partie tiré discutait par le biais de son oreillette Bluetooth.

— Oui, il est toujours là, dit-il avec un accent trahissant ses origines du sud des États-Unis.

L'homme avait les cheveux coupés court, un nez brisé à plusieurs reprises et une mâchoire deux fois plus grande que nécessaire. Contre le mur, à côté de lui, était posé un Bushmaster Carbon 15 muni d'une lunette Trijicon ACOG 4X32. Il portait un Colt .45 dans son holster d'épaule et un poignard Buck dans son étui de cheville.

Son principal signe distinctif demeurait cependant la tache lie-de-vin qui s'étalait sur son visage du haut du crâne jusque sur la joue droite.

— Et je suis censé savoir ça comment, hein ? répliqua-t-il à son interlocuteur. Vous vouliez que je fasse quoi, que je frappe à la porte pour lui demander sa fichue carte de visite, peut-être ?

La voix à l'autre bout du fil reprit. L'homme à la tache de vin ramassa le Bushmaster et se servit de la lunette comme de jumelles pour scruter la Chevrolet dans laquelle Storm était arrivé à Hercules.

— Euh, une voiture du gouvernement, à coup sûr, affirma-t-il. Avec les plaques blanches et tout. Mais aucune marque de…

L'homme s'interrompit. Il écouta un instant avant de reprendre.

— Non, non. C'est justement ce que j'essayais de vous dire. Ce n'est pas la police. Les flics d'ici traitent l'affaire comme si McRae avait juste fait une fugue. Ils n'ont rien trouvé parce qu'il n'y avait rien à trouver. C'est ce que je n'arrête pas de vous dire. On s'est bien débrouillés sur ce plan-là. De toute façon, c'est toujours elle qui va les voir. Ils ne se sont pas déplacés depuis les deux ou trois premiers jours.

Il baissa l'arme tandis qu'on continuait de lui parler à l'autre bout du fil.

— Aucune idée, répondit-il. Peut-être qu'elle a appelé quelqu'un qui a appelé quelqu'un qui connaît du monde chez les fédéraux ? Ça ne ressemble pas au FBI, pourtant. Eux, ils conduisent de grosses bagnoles, des Caprice ou je ne sais quoi. Je me disais que c'était peut-être un véhicule militaire, mais le type qui en est descendu n'avait pas l'air d'un militaire. La carrure, si, digne d'un mec des forces spéciales même. Mais pas d'uniforme. Et la coupe de cheveux ne collait pas non plus. Ben, c'est peut-être quelqu'un du recensement ou un truc du genre ?

L'homme écouta ses instructions.

— OK. Je m'en occupe dès qu'il repointe le bout de son nez.

Après une nouvelle intervention à l'autre bout du fil, il épaula son arme pour regarder dans la lunette.

— Oui, oui. Vous avez reçu mon petit envoi précédent ?

Après une brève confirmation, il continua :

— Non, je vous dis, elle n'a rien vu. Elle n'a pas posé les yeux sur moi une seule fois. J'étais dans ma petite planque quand je les ai prises, mais c'est vrai qu'on dirait que j'étais juste à côté d'elle. Ça devrait plus que motiver votre scientifique. Faites-moi savoir si vous en voulez d'autres.

Il hocha la tête tandis que son Bluetooth émettait de nouveaux grésillements.

— Oui, je suis paré. Je peux l'avoir quand je veux. Vous n'avez qu'à m'en donner l'ordre et pfuit… Finie la vieille dame !

La voix à l'autre bout du fil voulut mettre un terme à la conversation, mais son interlocuteur coupa court. Ça bougeait dans sa lunette.

Le grand type qui était arrivé dans la voiture du gouvernement descendait les marches de l'entrée de la maison d'en face. L'homme à la tache de vin le visa à la tête.

— Attendez, deux secondes. Il ressort. Je vous laisse. Je vais en profiter, ce sera fait.

Il garda le grand type dans son viseur pendant une longue seconde supplémentaire.

Alors seulement, il baissa son fusil pour prendre son appareil photo à ses pieds. Il était équipé d'un objectif de trois cents millimètres, avec lequel il zooma sur le grand type. Lorsque l'autofocus eut fait son œuvre, l'homme à la tache de vin maintint le bouton de l'obturateur enfoncé. Le moteur se mit en marche, et deux dizaines de prises de vue furent réalisées en moins de deux secondes.

L'homme jeta un rapide coup d'œil à l'écran de l'appareil, prêt, le cas échéant, à prendre quelques clichés supplémentaires.

Mais ce ne serait pas nécessaire. Il avait réussi à prendre l'inconnu en gros plan. Il brancha alors l'appareil sur son ordinateur portable pour télécharger les photos et les envoyer à son employeur.

11

Quelque part au Moyen-Orient

Turban blanc sur la tête, grand et anguleux, les yeux rapprochés, le nez dominant un visage allongé, dont le menton était obscurci par une maigre barbe, Ahmed se l'entendait dire tout le temps : il ressemblait à Oussama ben Laden en plus jeune.

C'était pour lui un compliment. Nombre des gens qui s'exprimaient ainsi étaient des admirateurs de Ben Laden, qui veillaient tout de même à ne pas commettre cet aveu en présence de n'importe qui. Ils considéraient Ben Laden comme un leader courageux, même s'ils n'étaient pas d'accord avec ses dernières méthodes.

Par ailleurs, Ben Laden semblait avoir du succès auprès des femmes. Ahmed n'aurait rien eu contre partager ce trait également, lui qui n'en avait pas une seule à ses côtés. Quel mal y avait-il à être comparé à un tel homme ?

Assis à son bureau, il se détendait. On pensait souvent que les hommes comme Ahmed ne disposaient pas de bureau, qu'ils passaient leur vie dehors à ramper dans le sable, tels de vilains scarabées.

Mais non, il possédait bien une table et un bureau. C'était une vaste pièce, suffisamment grande pour accueillir une télévision, qu'il gardait constamment branchée sur Al Jazeera, et le tapis de prière qu'il déroulait avec respect cinq fois par jour en direction de La Mecque.

La pièce était située dans un bâtiment plus vieux que son arrière-arrière-grand-père, à l'intérieur d'une enceinte dont la famille d'Ahmed était propriétaire depuis maintes générations.

Elle ne ressemblait plus à grand-chose désormais, il le savait bien. Jadis, sa famille possédait toutes les terres autour, de sorte que l'enceinte avait l'air d'un domaine. Mais lentement, au fil des générations, ses ancêtres avaient dilapidé ce patrimoine en se séparant d'une terre après l'autre, si bien qu'il ne restait plus qu'une poignée d'hectares. La région, autrefois rurale, s'était lentement mais sûrement développée et constituait désormais une zone résidentielle densément peuplée. Devant l'enceinte passait une rue étroite mais relativement fréquentée, et autour se dressaient des maisons quelconques, beaucoup plus récentes que celle d'Ahmed.

Si on les avait interrogés, ses voisins auraient assuré qu'il était un homme d'affaires tranquille et discret.

Ils auraient pu dire qu'ils trouvaient la présence de fil barbelé sur les murs un peu excessive, mais leur opinion à ce sujet n'intéressait pas particulièrement Ahmed.

En tout cas, ils n'avaient sans doute pas connaissance des armes automatiques dont il disposait. Ni des hommes qu'il avait embauchés pour les manier. Ni les choses qu'il demandait à ces hommes de faire avec. Ces armes n'allaient certes pas avec son personnage d'homme d'affaires.

C'était en partie ce que ces murs contribuaient à cacher. C'était pour cette raison, entre autres, qu'Ahmed adorait ces murs. Grâce à eux, sa maison était un véritable sanctuaire. Ils avaient protégé son arrière-arrière-grand-père et tous les hommes de sa famille depuis. Peu importait le chaos qui pouvait régner autour, il avait de quoi protéger l'enceinte, ses bâtiments et ses terres.

Or la contrée en avait connu, des bouleversements. C'était le berceau de la civilisation. Bien des générations auparavant, les ancêtres d'Ahmed avaient fait partie des premiers hommes à se sédentariser dans le Croissant fertile, comme on nomme cette partie du monde.

Ils y avaient fondé des communautés agricoles, domestiqué des animaux et cultivé des céréales. Ils avaient élaboré des calendriers en observant les mouvements croissants et décroissants de la lune, appris à prévoir les crues des grands fleuves, creusé des tranchées pour irriguer leurs cultures et fait de la terre un bien précieux.

Puis ils avaient commencé à se battre pour la conquérir, et ces combats n'avaient plus cessé depuis.

La famille d'Ahmed avait depuis longtemps renoncé à l'agriculture, car il existait de meilleurs moyens de gagner de l'argent. La terre et le climat avaient beaucoup changé. Le Croissant fertile ne l'était plus autant.

Pourtant, on continuait de se battre pour lui. À cause de la religion, parce que les frontières n'étaient pas les mêmes sur les anciens atlas et sur les cartes actuelles, parce que de nouvelles factions renversaient les gouvernements et usaient de leur pouvoir pour rendre la vie impossible aux anciennes factions.

Ahmed ne se contentait pas d'être un simple spectateur de ces batailles, bien sûr. Loin de là. La guerre. Le chaos. La confusion. Ces choses étaient toutes bonnes pour Ahmed. Si les habitants de cette région du monde cessaient un jour de briser leurs socs pour en faire des épées, ce serait dramatique pour lui, car il faisait partie des porteurs d'épée. La paix que les bien-pensants ne cessaient de croire pouvoir apporter au Moyen-Orient ne l'intéressait pas le moins du monde.

On frappa à la porte.

— Entrez, dit Ahmed en arabe.

Un jeune à la longue barbe et au turban comme celui d'Ahmed entra dans la pièce.

— Le prométhium est à l'abri, annonça-t-il.

— Excellent. Il est protégé, n'est-ce pas ? Je ne voudrais pas que ses radiations empoisonnent mes hommes.

— Oui, monsieur.

— Combien cela en fait-il au final ?

— Cent soixante-dix kilos, dit-il.

Ahmed écarquilla les yeux.

— Tu es sûr ? C'est plus que je n'en attendais.

— Je l'ai moi-même constaté sur la balance.

— Et il est pur, n'est-ce pas ? Aussi pur que les autres fois ?

— Absolument.

Ahmed sourit et se carra dans son fauteuil.

— Cent soixante-dix kilos de prométhium pur. Loué soit Allah. Le meilleur à ce jour. C'est bon pour nous tous.

— Loué soit Allah, répondit son interlocuteur.

— Tu peux te retirer maintenant.

Le jeune homme s'exécuta. Ahmed décrocha le téléphone. Il avait du pain sur la planche.

12

Langley, Virginie

Heureusement que personne autour de lui ne pouvait lire en lui.

De l'extérieur, Jedediah Jones semblait assuré, ainsi campé, armé de son calme habituel, au centre du cagibi. Il présentait à ses collaborateurs un visage aussi lisse qu'un masque vénitien, impénétrable. Sa chemise (il s'était changé à un moment de la nuit) ne présentait pas un pli.

À l'intérieur, en revanche, il était en vrac.

Jones devait son pouvoir au fait d'avoir su se rendre indispensable, d'avoir fait en sorte, au fil des années, voire des décennies, de devenir l'homme de la situation aux yeux de tous les puissants du pays : présidents, ministres, sénateurs et autres services de la CIA. Tous faisaient appel à lui pour régler leurs problèmes. Tous avaient besoin de lui.

C'était son moteur. Son éthique professionnelle relevait d'une sorte de phase maniaque continue. Exigeant à l'égard de son entourage, il était encore plus inflexible envers lui-même. S'il suffisait d'un travail assidu pour trouver la solution à un problème, il se révélait à la hauteur de la tâche, convaincu qu'il était que tout plus ou moins pouvait être résolu à force d'un dur labeur. Jones n'était pas homme à laisser quelqu'un tomber dans les moments importants. Jusqu'alors.

Face à la plus sérieuse menace que la sécurité nationale ait connue depuis l'horreur du 11 septembre 2001, Jedediah Jones s'effondrait. Cela faisait près de vingt-quatre heures que les avions s'étaient mis à tomber du ciel, que les puissants s'étaient tournés vers lui pour lui demander de l'aide et qu'il n'avait aucune solution à leur proposer.

Tout ce qu'il avait sous la main, c'était l'hypothèse de Derrick Storm selon laquelle une sorte de rayon laser pouvait être à l'origine du problème. Jones avait appris à ne pas douter de Storm.

Si quelqu'un était capable de déduire intuitivement ce qui était arrivé à tout un avion rien qu'à l'examen d'un bout de métal, c'était bien Storm, un homme dont l'intuition semblait friser la divination.

Néanmoins, Jones n'avait soumis cette théorie à aucun des puissants. Il se refusait à le faire avant que son barbouze ne lui apporte de quoi étayer plus avant son idée. Pour l'instant, elle manquait de matière, de solidité. Toute sa carrière durant, Jones avait veillé à ne jamais être pris en faute ; il était hors de question que ça commence maintenant.

En attendant, il avait posté des agents aux quatre coins du globe. Leurs ordres étaient d'obtenir des informations par quelque moyen que ce soit, quitte à briser des lois, des confiances, des corps si nécessaire. Lui-même ne s'était pas accordé le moindre instant de répit. Les puissants comptaient sur lui ; or voilà qu'il décevait leurs attentes.

Quel est le contraire du pouvoir ? L'impuissance. C'est exactement ce que Jones ressentait. Il se le prenait en pleine figure, ce sentiment frustrant de ne pas en faire assez, de sentir la situation lui échapper. C'était la plus horrible sensation imaginable.

Puis les choses empirèrent.

Debout au milieu du cagibi, supervisant ses équipes au travail, il se rendit compte que quelque chose n'allait pas avant même de savoir quoi. Manifestement en proie à l'épouvante, l'un des techniciens assis devant lui, tendu sur sa chaise, pianotait à tout va sur son clavier. Les écouteurs dans les oreilles, il n'avait sans doute pas conscience du stress que trahissait son corps.

Jones se rappela qu'il était le patron. Que ses subordonnés avaient besoin de son implacable sang-froid, de son indéfectible soutien. Ils seraient ébranlés s'ils le voyaient sortir de sa réserve accoutumée. Après s'être assuré d'avoir recouvré son flegme, il se dirigea lentement vers le jeune homme en question et lui posa doucement la main sur l'épaule.

— Que se passe-t-il, fiston ?

— Monsieur, les ordinateurs ont repéré de curieux échanges émanant des contrôleurs aériens aux Émirats. Le nombre d'interférences par seconde bat tous les records. Il est nettement plus élevé que celui provoqué par une tempête de sable ou des ratés. J'ai dû remonter l'algorithme pour passer d'une écoute passive à une écoute active, mais, dès que je me branche dessus, je...

— Je t'écoute, fiston.

— Monsieur, un avion s'est écrasé.

— Où ?

— Alors qu'il était à l'approche de l'aéroport international de Dubai. Il était à environ soixante-dix nautiques des pistes quand il est parti en vrille. Monsieur, York, en Pennsylvanie, se trouve à environ soixante-dix nautiques de Dulles. Ces avions sont aussi partis en vrille...

— Quelles sont les coordonnées du lieu où il s'est écrasé ?

Le technicien pointa du doigt une série de chiffres sur son écran.

— Wallace, dit Jones en s'adressant à un autre des petits génies. Localisez-moi vingt-quatre point trois-quatre-quatre-zéro-cinq-sept nord, cinquante-cinq point cinq-cinq-neuf-cinq-cinq-trois est.

— Oui, monsieur, répondit une voix, trois bureaux plus loin.

— Je veux un affichage sur l'écran principal quand vous y êtes.

Les autres techniciens étaient maintenant au courant. Jones voyait leur attention se détacher de leurs terminaux, leur tête se tourner. Le bruit de fond s'était considérablement amplifié dans la pièce.

— Des villes ou des villages dans les environs ?

Une autre voix s'éleva :

— C'est juste à côté d'Al Ain, tout près de la frontière de l'Oman. Al Ain est une ville d'un peu plus de cinq cent mille habitants. Elle est connue pour ses...

— Je ne compte pas aller y passer mes vacances, bon sang ! rugit Jones. Parlez-moi de ses axes routiers. S'il doit s'y produire la même chose que pour les Trois de Pennsylvanie, l'arme se trouve forcément près d'une grande route.

— Il existe plusieurs axes importants qui relient Al Ain à Abu Dhabi et à Dubai. Les E-16, E-95 et E-66 partent au nord. Les E-22 et E-30 à l'ouest. L'E-7 pénètre en Oman par l'ouest. Il nous faudrait plus de renseignements pour déterminer à quelle route on a affaire.

Au même instant, une image apparut sur l'écran de dix mètres à l'autre bout de la pièce. Au milieu d'une vaste étendue beige de désert gisait la coque explosée d'un avion de ligne. Plusieurs parties de l'appareil s'étaient éparpillées aux alentours. De la fumée s'élevait de l'endroit où l'un des moteurs avait atterri.

— Merde ! s'exclama Jones. Bryan, qui avons-nous sur le terrain à Dubai, dont la couverture serait déjà compromise ?

Kevin Bryan consulta le registre qu'il gardait en tête et débita plusieurs noms. Jones choisit Michael Reed, un homme qui devait à son incompétence le fait d'avoir été découvert par les services secrets émiriens quelques jours auparavant. Reed devait quitter le pays avant que l'unité des forces spéciales des Émirats n'ait réuni suffisamment de preuves pour l'arrêter.

— Dites à Reed d'alerter immédiatement les autorités émiriennes ! aboya Jones. Il faut qu'ils interrompent tout trafic aérien sur ce couloir. Si c'est comme en Pennsylvanie, tout avion qui empruntera cette voie d'approche sera en danger.

— Serait-ce possible que cet accident n'ait aucun rapport avec les Trois de Pennsylvanie ? demanda Bryan.

— On sera fixés dans quelques minutes. En attendant, autant considérer ça comme le second volet de cette attaque.

— Oui, monsieur, dit Bryan.

Jones se tourna vers un autre des techniciens.

— Trouvez-moi de quel vol il s'agit. Téléchargez son plan de vol. Remontez jusqu'aux derniers cinquante milles avant qu'il ne s'écrase et quadrillez sur une bande de trois kilomètres. Veillez à porter une attention toute particulière aux zones proches des routes. Si Storm a raison, il y a forcément une sorte de rayon laser posté quelque part. Je veux qu'on le trouve.

Le technicien hésita.

— Monsieur, c'est... autant chercher une aiguille dans une botte de foin.

Jones le fusilla du regard.

— Alors, à vous de me passer tout ça au crible jusqu'à ce que vous vous piquiez le doigt dessus. Compris ?

— Oui, monsieur.

Jones laissa échapper un juron. Tout autour de lui, la formidable puissance informatique qu'il avait réunie dans le cagibi, sans compter celle des talents qu'il avait recrutés pour l'exploiter, était poussée à ses limites. Jones se rendit compte qu'il serrait les poings. Il se força à les relâcher.

Il était possible que des causes naturelles soient à l'origine de l'accident. Mais Jones connaissait les probabilités. D'un point de vue statistique, il n'y avait pas plus de danger à prendre l'avion que de traverser son salon. Peut-être que, dans le cas d'une compagnie aérienne de troisième ordre dans un pays en voie de développement souffrant d'un manque d'argent pour entretenir sa flotte, il pouvait se poser certains problèmes, mais les Émirats faisaient partie des États les plus avancés du Moyen-Orient. Il se trouvait que ce pays avait eu l'intelligence d'investir les revenus qu'il tirait du pétrole dans son infrastructure, son éducation et son système de santé, toutes choses qui resteraient lorsque le pétrole finirait par disparaître.

Une terrible sensation d'écœurement lui souleva l'estomac. Jones se rendit compte qu'il retenait son souffle. Il expira lentement. Les Trois de Pennsylvanie avaient été abattus à douze minutes d'intervalle, respectivement à treize heures cinquante-cinq, treize heures cinquante-huit et quatorze heures sept. Cela faisait déjà sept minutes que le premier avion avait été frappé. Si seulement ils pouvaient passer les prochaines…

— Monsieur ! s'écria l'un des techniciens. Un autre avion a été dévié de sa course au-dessus d'Al Ain. La tour de Dubai a perdu contact. Je suis branché sur elle. Les contrôleurs flippent complètement.

— Coordonnées ? demanda Jones.

— Vingt-quatre point quatre-neuf-neuf-six-quatre-six nord, cinquante-cinq point six-neuf-six-cinq-zéro-neuf est.

— C'est à environ vingt-cinq kilomètres du premier accident, déclara Bryan. Le premier s'est produit juste à l'ouest de l'E-95. Celui-ci, juste à l'est de cette même route.

— On réduit notre zone de recherche au couloir que forme l'E-95, ordonna Jones. Quelqu'un peut-il me fournir des images de cet appareil ?

Sur le grand écran apparut l'image satellite d'un avion en vol…, enfin, façon de parler. Le spectacle offert était si incongru que même Jones en fut sous le choc. L'aile droite avait disparu, et ce qui restait de l'appareil avait entamé une spirale très serrée dans le sens horaire. L'aile restante ne fournissait pas assez de portée pour maintenir l'avion dans quelque direction que ce fût. À partir de cette image en deux dimensions, il était difficile d'évaluer son altitude, mais rien ne semblait pouvoir arrêter sa chute.

Le cagibi était devenu silencieux. Certains des plus brillants et des plus compétents opérateurs d'Amérique se voyaient réduits au rang de simples spectateurs. Il n'y avait rien qu'ils puissent faire pour sauver les malheureux passagers voués à une mort certaine.

Sous leurs yeux horrifiés, l'avion termina sa course en piqué et se planta à pleine vitesse dans une dune de ce désert totalement dépouillé. Il souleva un énorme nuage de sable qui les empêcha de voir l'appareil se désagréger sous la violence de l'impact au sol.

Jones tapa du poing sur le bureau à côté de lui. Plusieurs techniciens tournèrent vivement la tête dans sa direction.

Jamais ils ne l'avaient vu perdre contenance.

Jones souhaitait ne jamais revivre les treize minutes qui suivirent.

Deux autres avions qui n'avaient pu s'écarter d'urgence de la zone de danger furent abattus dans le ciel d'Al Ain et tombèrent dans le désert, tels des oiseaux blessés.

Jones et son équipe ne purent qu'assister, impuissants, à chacun de ces drames. Puis ils étudièrent minutieusement les catastrophes afin d'essayer de mettre en évidence leurs points communs. Certes, elles présentaient d'évidentes similitudes avec les accidents de Pennsylvanie ; néanmoins, elles s'étaient produites à l'autre bout du monde.

Lorsque tout fut terminé, en partie parce que les autorités émiriennes, alertées par Reed, avaient suspendu tous les vols, Jones s'assit dans son fauteuil, dans le bureau qu'il occupait au milieu du cagibi. Il enfouit son visage dans ses mains. Aux Trois de Pennsylvanie venaient de s'ajouter les Quatre des Émirats. Pourtant, bien qu'ils aient réussi à réduire leur zone de recherches, ils n'étaient pas parvenus à localiser la cause de ces massacres.

— Monsieur ? fit Bryan en lui tendant un téléphone. C'est Storm.

— Jones, dit-il dans le combiné, la voix légèrement fêlée. J'imagine que tu es au courant de ce qui vient de se produire dans la péninsule arabique.

— En effet.

— Je t'en prie, dis-moi que tu sais quelque chose.

Storm passa les cinq minutes suivantes à exposer à Jones pourquoi il était de plus en plus convaincu qu'un laser à haute densité d'énergie était à l'origine des accidents. À son tour, Jones raconta plus en détail à Storm ce dont il venait d'être témoin dans le ciel du désert d'Arabie.

— Et vous dites que vous avez pu observer tout ça grâce à un satellite ? demanda Storm lorsqu'il eut terminé.

— C'est exact.

— J'imagine que vous avez conservé ces images.

— Bien sûr.

— L'un de vos petits génies pourrait-il me fournir un gros plan de cette aile sectionnée ? Jusqu'à quelle distance peuvent-ils se rapprocher ?

— Celle qui sépare ton nez de tes pieds, à peu près. Tu le sais bien.

— Pouvez-vous leur demander de me transmettre l'image sur mon téléphone ?

— Tout à fait, dit Jones.

Jones posa le téléphone un instant pour aller soumettre la requête de Storm à l'une de ses techniciennes.

— À quoi penses-tu ? demanda Jones lorsqu'il revint au bout du fil.

— J'ai une idée. Je veux juste vérifier quelque chose.

L'analyste sollicitée un instant plus tôt adressa un signe de la main à son supérieur.

— OK, dit Jones. Ça devrait te parvenir d'un instant à l'autre.

Storm marqua une très brève pause. Son téléphone était relié au réseau satellite 5G du gouvernement. Cette version bêta secrète était cent fois plus rapide que la 4G et ne souffrait pas des trous de couverture fréquents dans les réseaux terrestres.

— Ça y est, je l'ai, confirma Storm. Juste un instant.

Jones attendit que Storm ait examiné la photo. Derrick

l'avait maintes fois sauvé de situations désespérées par le passé. À ce stade, l'Exécuteur des opérations de nettoyage n'avait plus qu'à prier pour que la magie opère une fois encore, quelle que fût l'idée qui germait dans l'esprit de Storm.

— OK, c'est un laser, déclara ce dernier. Aucun doute là-dessus.

— Est-ce la même arme qui a abattu les avions de Pennsylvanie ?

— J'imagine qu'elle présente des caractéristiques identiques, mais ce n'est pas la même unité. Une arme capable de produire un laser aussi puissant doit être de taille considérable. Les cristaux eux-mêmes doivent peser plusieurs centaines de kilos. Par ailleurs, il y a la question de l'évacuation thermique, car une arme comme celle-là chauffe au moment du tir. Or, à moins de détourner cette énergie quelque part – dans une nappe d'eau, dans le sol ou ailleurs –, elle risque de faire fondre des éléments importants. Le transport du laser dont on m'a fait la démonstration il y a quelques années nécessitait un camion, en grande partie à cause du facteur thermique. Même si on réussissait à en miniaturiser certaines parties, il resterait de dimensions relativement imposantes. Du fait de la présence de routes à proximité de chaque lieu où ces avions se sont écrasés, je suis enclin à supposer que cette arme est charriée par une voiture ou un camion. Le seul moyen de transporter un truc de cette taille de Pennsylvanie au Moyen-Orient du jour au lendemain, c'est l'avion. Or seuls les vols militaires sont permis aux États-Unis.

— Bien vu. Alors, c'est quoi, cette fameuse idée ?

— On passe à l'attaque. Il le faut. À présent, ce type peut frapper n'importe où. Pour l'instant, il se sert des routes parce que cela lui permet un accès rapide, mais rien ne nous dit qu'il va continuer à opérer de cette manière. S'il utilise un poids lourd, il lui suffit d'un ruban de bitume. Si c'est une fourgonnette, il peut même emprunter des chemins. Aucun avion dans les airs n'est à l'abri au survol d'une zone terrestre.

— Je suis d'accord, mais comment passe-t-on à l'offensive ?

— On tend un piège, dit Storm. On fait sortir l'ennemi de son trou.

— Je suis tout ouïe.

— L'auteur de ces catastrophes a certes deux lasers très puissants à sa disposition sur deux continents, mais il a aussi un problème.

— Lequel ?

— Un manque de cibles. Personne ne va plus se rendre nulle part en avion dans l'immédiat. Sept accidents d'avion en deux jours ? Tous les aéroports du monde vont être fermés. Notre terroriste est donc au chômage technique pour l'instant. Il ne faut pas oublier que celui qui détient cette arme sait que sa fenêtre de tir va se réduire. D'après ce qu'on m'a dit, le prométhium se dégrade naturellement, ce qui provoque des impuretés dans le cristal. Trop d'impuretés, et le cristal n'est plus bon à rien. Ça va donc démanger notre méchant de s'en servir.

— Je suis d'accord. Comment retourner ça contre lui ?

— En lui fournissant une cible. Une bonne grosse cible.

— À quoi penses-tu ?

— Pourquoi pas *Air Force One* ? suggéra Storm.

— Tu as perdu la...

— Pas avec le président à bord, bien sûr. Laissez-moi vous expliquer. On demande à la Maison-Blanche d'annoncer, avec force trompettes, que les États-Unis, la plus puissante nation au monde, se refusent à céder à la volonté de terroristes. « Par ordre exécutif, le trafic aérien national reprendra donc d'ici deux jours. Mais, en attendant, en gage de bonne foi vis-à-vis du peuple américain, le président, plusieurs membres du gouvernement et une poignée de membres courageux du Congrès et du Sénat embarqueront à bord d'*Air Force One* et décolleront de la base aérienne d'Andrews pour effectuer une grande boucle dans le ciel de l'est des États-Unis avant de revenir atterrir à Andrews. »

On les filmera à leur montée dans l'avion et on diffusera des images d'eux souriants, faisant signe de la main et tout ça, et puis le vol sera effectué par un faux avion télécommandé aux couleurs d'*Air Force One*. Sans personne à bord.

— Mais comment... ?

— Je n'ai pas terminé, coupa Storm. Il faut faire croire à nos terroristes que l'idée vient d'eux. Alors, voilà : on divulgue un faux plan de vol à la presse ; le vrai sera soi-disant secret, mais, bien évidemment, on le postera sur le serveur de la FAA.

— Qui est sécurisé, bien sûr, mais facile à pirater, compléta Jones. Les techniciens ne s'en privent pas. Et on peut être sûrs que celui qui tire les ficelles en est tout aussi capable.

— Exactement. Ensuite, on fait en sorte que notre petit tour dans les airs comporte un seul point de vol se trouvant à la fois au-dessus des terres et à soixante-dix milles d'Andrews. On surveille la région par satellite depuis le cagibi, et on veille à planquer assez de monde au sol pour s'emparer de l'arme et capturer celui qui la manœuvre.

Jones opinait du chef.

— Tu penses que ça va marcher ? demanda-t-il.

— Je ne sais pas, répondit Storm, mais, en tout cas, je suis sûr d'une chose.

— Et c'est ?

— Je n'ai encore entendu personne suggérer une meilleure idée.

13

Kilmarnock, Virginie

Ils s'y prenaient très mal. Très, très mal. Storm le leur aurait volontiers fait remarquer, mais, bien sûr, personne ne lui demandait son avis.

Ils avaient lancé l'opération en suivant ses recommandations à la lettre. La Maison-Blanche avait fait son annonce.

Le vrai comme le faux *Air Force One* avaient été préparés. Toute une pléiade de faux courageux représentants du gouvernement, du président au secrétaire d'État en passant par le porte-parole de la Maison-Blanche, s'étaient portés volontaires pour faire semblant de monter à bord.

Puis ils avaient inventé l'itinéraire, tant celui annoncé à la presse que le soi-disant secret posté sur le serveur de la FAA. Ce dernier devait approcher Andrews par le sud. À exactement soixante-dix milles de la base, il survolait Kilmarnock, une petite ville de la région de la Tidewater, en Virginie. Elle était située dans le Northern Neck, la péninsule bordée par le Potomac au nord, la baie de Chesapeake à l'est, le Rappahannock au sud et une vaste étendue de terres agricoles à l'ouest.

Cette province endormie de l'État avait fait l'objet d'un choix stratégique lié à son isolement et sa difficulté d'accès. L'autoroute la plus proche, l'Interstate 95, se trouvait à plus d'une heure de là. Il n'y avait qu'une seule grande route qui traversait la région du nord au sud, et un seul axe, d'est en ouest, avec une simple voie à double sens dans les deux cas. Pour pénétrer dans la région ou en sortir, il fallait traverser des ponts. Storm était parti de l'hypothèse que l'arme était en partie camouflée. En même temps, elle devait être assez imposante pour qu'il ne soit pas possible de la dissimuler totalement. Il serait relativement aisé d'établir des barrages pour vérifier les véhicules les uns après les autres, voiture après voiture, camion après camion. L'arme ne pouvait pas leur échapper.

Le plan était parfait. Et puis les bureaucrates s'en étaient mêlés. Ils l'avaient baptisée l'opération « Oiseau moqueur », ignorant manifestement l'existence de la secrète campagne menée par la CIA pour influencer les médias dans les années 1950 et qui portait le même nom. Quoi qu'il en soit, Storm avait donné son approbation, ne serait-ce qu'en raison de son amour pour le roman de Lee Harper. Mais ensuite, ils avaient décidé que ni Storm ni Jones ne seraient autorisés à la diriger. Sous prétexte qu'elle se déroulait sur le territoire américain et devait impliquer plus d'hommes et de matériel que ce que même la CIA pouvait raisonnablement espérer cacher, Storm et Jones avaient été forcés de céder la main au FBI, qui avait aussitôt commis ses premières erreurs.

D'abord, ils avaient confié l'exécution du plan à un dénommé Jack Bronson. Ce grand chauve entêté était un ancien militaire de la pire espèce. Trop hiérarchique dans sa manière de penser. Trop respectueux de la chaîne de commandement. Trop impressionné par le fait de se trouver au sommet de la chose, ce Bronson. Ensuite, ils avaient créé une unité opérationnelle impliquant un trop grand nombre d'autres agences : la Sécurité intérieure, la Sécurité des transports, la FAA, la Défense, l'Agence fédérale des situations d'urgence ou FEMA. Cela commença à vraiment tourner au ridicule lorsqu'un gratte-papier de la NASA arriva pour se plaindre que le moindre échec dans cette opération risquait de mettre en péril le programme de lancement d'un satellite. Storm s'attendait maintenant à voir le département de l'Agriculture envoyer quelqu'un leur demander de prendre soin de ne pas abîmer les cultures. De quoi faire rêver d'une nouvelle mise à pied du gouvernement.

Enfin, il y avait juste trop de bruit. Pour cette opération, Storm avait imaginé un camouflage total. Le Northern Neck était une région tranquille de la baie de Chesapeake, essentiellement peuplée de retraités, d'agriculteurs et de rares bateliers fort attachés à leur mode de vie. Les gens bougeaient au ralenti, parlaient au ralenti, roulaient en pick-up et portaient de confortables tee-shirts et sandales Crocs.

La bande d'agents du gouvernement en costume sur mesure et chaussures de ville circulant en tous sens dans leurs berlines et remplissant l'air de leurs bavardages pressants détonnait dans le paysage ! Tous ces gens sortaient du lot, tout comme le moindre matériel apporté sur place. Même s'ils connaissaient mal la culture américaine, les terroristes ne pouvaient que flairer le guet-apens.

Comme il avait cédé les rênes au FBI, Storm n'y pouvait rien. Il était autorisé à « observer », ce qui signifiait implicitement qu'il n'avait pas voix au chapitre.

Bronson avait installé un poste de commande provisoire sous un groupe de tentes dans le parking d'un bowling de Main Street. On avait tant bien que mal tenté de faire passer le tout pour une manœuvre d'entraînement de la FEMA, mais l'entreprise était si pathétique que même le plus candide des autochtones ne s'y serait pas laissé prendre.

La FEMA n'avait pas la réputation de posséder des tanks dans son arsenal. Certains des agents de Bronson avaient renoncé à toute forme de simulacre et arboraient le sigle « FBI » sur leurs vêtements. Storm se demandait si l'étape suivante ne consisterait pas pour Bronson à faire imprimer des bristols annonçant la présence de l'unité opérationnelle.

Storm avait les mains dans les poches et, dans son holster d'épaule, son arme de prédilection : un Smith & Wesson 629 Stealth Hunter, une version modernisée et plus élégante du .44 Magnum rendu célèbre par Clint Eastwood. Storm l'avait baptisé « Dirty Harry » en son honneur. À la fois fébrile et lassé, il errait de tente en tente et regardait les gadgets du FBI avec un mol intérêt. Les joujoux de Jones étaient plus sympas. Il était arrivé le matin même de Californie par un vol militaire, s'était installé au volant de sa Taurus garée dans le parking de Langley et avait rejoint Kilmarnock en un temps record après avoir doublé de longs ralentissements sur les routes à double sens.

Il s'arrêta devant l'écran installé dans le centre des communications. Deux images passaient en boucle sur CNN : d'abord le président et autres personnalités embarquant à bord de l'avion, puis le faux *Air Force One* décollant d'Andrews. Le survol de Kilmarnock était prévu à quatorze heures, ce qui était logique, tout le monde en convenait, puisque les terroristes semblaient apprécier cette tranche horaire. Il était treize heures cinquante-deux lorsque le petit tour de Storm le ramena à la tente principale. Là, il trouva Bronson le nez collé sur le petit écran de son téléphone.

— Tout se passe comme prévu ? demanda Storm.

— J'imagine que oui, répondit Bronson en évitant ostensiblement de relever la tête.

Storm leva les yeux vers le ciel, qui était bleu et vide hormis le passage d'un oiseau de temps à autre.

— Où est l'avion ?

— Pas ici.

— Ça, je le vois bien. Il est en retard ? Il arrive bientôt ?

— Non, à moins qu'on ne soit à Cape Charles, ici.

— Pardon ?

Bronson leva enfin les yeux.

— C'est une ville de Virginie située près de l'embouchure de la baie de Chesapeake.

— Je connais. Mais quel rapport avec l'avion ?

— Oh ! c'est vrai. J'oubliais que vous n'êtes pas sur la liste de diffusion.

— Quelle liste de diffusion ?

— On a changé le plan de vol. On envoie l'« Oiseau moqueur » survoler l'Eastern Shore, un peu plus haut. Le département de la Défense ne voulait pas sacrifier un avion. Ça coûte cher, ce genre de choses, vous savez. Ça ne pousse pas sur les arbres, les Boeing.

Storm le dévisagea avec insistance. Certes, les avions coûtaient cher. Mais la vie humaine n'avait pas de prix. C'est sur ce point que le département de la Défense aurait dû mettre la priorité.

— Et quand comptiez-vous me mettre au courant ? marmonna Storm entre ses dents.

— Cela ne devait être communiqué qu'en cas de nécessité absolue.

— Vous n'allez tout de même pas me jouer cette carte-là ?

— Si. Tous ceux qui devaient le savoir l'ont su. Et cela n'incluait ni la CIA ou ni ses sous-traitants plus ou moins légaux. Cela ne change rien à l'opération en ce qui vous concerne. On a mis les barrages en place. On mettra la main sur l'arme avant qu'elle n'aille bien loin.

— S'il vous plaît, dites-moi que vous avez aussi disposé des hommes sur place au niveau de l'Eastern Shore.

— Inutile, affirma Bronson. La FAA a enregistré plusieurs tentatives de piratage de son système au départ de Damas. L'une de ces tentatives a été couronnée de succès. Le hacker a foncé droit sur le faux plan de vol.

Bronson baissa de nouveau la tête vers son téléphone. Storm fixa un instant son crâne rasé.

— Vous croyez peut-être avoir affaire à des idiots ?

— Humm ?

— Vous croyez vraiment que des gens assez intelligents pour construire une arme qui...

Storm s'interrompit. Tout à coup, il songea au fait qu'on n'a qu'une vie et qu'il ne valait pas la peine de gaspiller son souffle ni son temps avec un homme comme Bronson.

— Peu importe, conclut-il.

Si la Sécurité intérieure, la Sécurité des transports, la

Défense, la FAA, la FEMA, la NASA et un nombre incalculable d'autres agences fédérales étaient toutes au courant de ce plan, les terroristes l'étaient forcément aussi. Tous les hommes et le matériel que le FBI avait rassemblés dans cette petite ville de Virginie comme autant de comédiens sur un décor de cinéma pour le tournage d'un film ne serviraient à rien. Pas ici, en tout cas.

Storm prit sa décision et se dirigea vers un champ où était posé un hélicoptère du FBI. Assis dans le cockpit, la fenêtre ouverte, le pilote ne prêtait aucune attention à son environnement, tout absorbé qu'il était par son smartphone. Sans prendre la peine de lui adresser la parole, Storm passa le bras à l'intérieur du cockpit. Le pilote, par pure curiosité, finit par lever les yeux vers lui. La main de Storm s'avançait déjà vers son cou. Storm s'en saisit, serra fort et maintint sa prise. Le pilote émit un bref gémissement rauque, puis s'effondra.

— Désolé, l'ami, dit Storm.

Deux secondes plus tard, il était à bord. Il retira son casque au pilote et le posa sur le siège passager. Puis il dégrafa sa ceinture et déposa son corps avachi par terre. Enfin, il referma la porte et la fenêtre de l'hélicoptère, et s'installa aux commandes. Devant lui, le tableau de bord présentait une multitude de cadrans, de boutons et d'interrupteurs. Il s'empara du manche, et son pouce trouva naturellement l'interrupteur de compensation. Le Fennec AS550 était foncièrement semblable à l'Écureuil AS350, hélicoptère que Storm avait eu une fois à conduire au beau milieu d'un typhon dans le golfe du Tonkin. Survoler la baie de Chesapeake avec celui-ci par une aussi belle journée ne devrait pas lui poser de difficulté, se dit-il. Deux minutes plus tard, avant même qu'un seul membre du FBI ne comprenne pourquoi les rotors de cet hélicoptère se mettaient en branle, Storm avait décollé. La dernière chose qu'il vit au sol fut un groupe d'agents stupéfiés courant vers lui.

Il ne leur accorda pas la moindre attention. Il avait un laser à trouver.

L'ensemble géographique aujourd'hui formé par la baie de Chesapeake était autrefois un fleuve relativement étroit, à une époque plus froide, où son cours était encore largement pris dans les glaces polaires.

Néanmoins, même si, en ces jours plus chauds et plus humides, l'estuaire est assez large pour qu'on ne puisse pas en voir l'autre côté depuis la rive proche de Kilmarnock, il se traverse assez rapidement à bord d'un Fennec.

Storm fit basculer l'appareil vers l'avant, accéléra pour atteindre deux cent quarante kilomètres à l'heure, sa vitesse de pointe, et se trouva bientôt au-dessus de l'eau. D'après la jauge d'essence, le réservoir était quasiment plein. Le maniement du manche lui semblait confortable. L'hélicoptère réagissait parfaitement aux commandes. Il monta à trois cents mètres, altitude à laquelle le vol s'effectuerait plus en douceur. Selon ses estimations, il ne lui faudrait pas plus de huit minutes pour se retrouver de nouveau au-dessus des terres.

Il en profita pour appeler quelqu'un en mesure de lui indiquer son chemin. La voix de Javier Rodriguez résonna bientôt dans son oreillette Bluetooth :

— Salut, vieux, tu ne saurais pas par hasard qui a bien pu voler un hélicoptère du FBI il y a un instant ?

— Ce n'est pas du vol, c'est un emprunt sans permission expresse, rectifia Storm. Je le rendrai dès que j'aurai fini.

— À ce que j'entends sur les fréquences des fédéraux, tu leur rendrais service en te rendant directement à la prison de Leavenworth. Parce qu'apparemment, c'est là qu'ils veulent t'envoyer maintenant.

— Ça tombe mal, je suis allergique au Kansas, dit Storm. Ils me pardonneront quand j'aurai trouvé leur rayon laser et que je leur en laisserai tout le mérite. Je présume que tu suis l'« Oiseau moqueur » à la trace ?

— Je l'ai justement en plein écran. Je n'en aurais de plus gros plan que si j'étais à bord de cet avion en train de savourer des bretzels servis par une hôtesse.

— Bien. Tu vois aussi ma position, non ?

— Oui, je te vois : un vilain petit coucou qui ne va pas tarder à se faire dégommer par les F-16 que tu devrais apercevoir en approche à trois heures.

— Je m'en soucierai dans une seconde. Tu peux me dire où sera l'« Oiseau moqueur » quand il se trouvera à soixante-dix mi...

— Vise ton téléphone, petit gars. Je t'ai déjà envoyé ta correction de cap.

Storm baissa les yeux vers l'écran de son téléphone et tira sur le manche pour orienter l'appareil dans la bonne direction. Rodriguez poursuivit :

— Tu dois rejoindre une petite ville de l'Eastern Shore appelée Crisfield. Il paraît qu'on y mange d'excellentes croquettes de crabe. Tu nous en rapportes, à moi et à Bryan ?

— Ça marche. En attendant, peux-tu faire quelque chose pour ces F-16 ?

— À part espérer que tu m'inscrives comme bénéficiaire sur ton testament ? Pas vraiment. Jones est justement en ligne avec l'armée de l'air, mais, pour l'instant, les militaires ne sont pas intéressés par ce que tu peux avoir à dire pour ta défense. Il semble que tu aies franchi une importante zone d'exclusion aérienne. Ils ne veulent rien voir dans cet espace aérien qui ne porte pas les couleurs appropriées. Surtout pas des hélicoptères volés.

— Empruntés. C'est un emprunt, rappela Storm, conscient que deux avions de chasse se rapprochaient dangereusement au-dessus de sa tête. Peu importe, on dirait que mes potes sont déjà là. On se reparle plus tard.

— J'espère bien, vieux, dit Rodriguez.

Storm raccrocha et fit le point sur sa situation. Un Fennec pouvait être armé, mais celui-là ne l'était pas. Sa vitesse de pointe, qui lui paraissait si rapide un instant plus tôt, lui sembla subitement très lente. Les deux F-16 Fighting Falcon qui venaient le rejoindre pouvaient en effet atteindre des vitesses supersoniques sans se forcer. De plus, il distinguait sur leurs ailes des missiles Sidewinder.

De l'intérieur du casque encore posé sur le siège d'à côté lui parvint une voix. Il se coiffa du casque juste à temps pour comprendre que l'un des pilotes des F-16 s'adressait à lui.

— November-trois-neuf-zéro-alpha-tango, identifiez-vous si vous ne voulez pas être considéré comme hostile.

— Hostile ! s'exclama Storm. C'est vous qui arrivez avec des missiles sous les ailes et c'est moi qui suis hostile ?

— November-trois-neuf-zéro-alpha-tango, identifiez-vous si vous ne voulez pas être considéré comme hostile.

Storm se rendit compte que son micro était éteint. Il corrigea le problème.

— Je suis en fait très amical quand on me connaît.

Le pilote du F-16 ne parut pas convaincu.

— November-trois-neuf-zéro-alpha-tango, veuillez noter que vous survolez une zone interdite. Identifiez-vous immédiatement.

— Je suis juste le neveu orphelin d'un pauvre propriétaire de ferme hydroponique sur la planète Tatooine. Prévenez l'oncle Owen et la tante Beru que je ne rentrerai pas dîner.

Storm était maintenant encadré par les F-16. Il voyait très bien les pilotes à l'intérieur de leurs bulles, chacun protégé par un casque à visière miroir. Eux ne le regardaient pas. Ils ne semblaient guère impressionnés par le fait qu'il connaisse le passé de Luke Skywalker.

— November-trois-neuf-zéro-alpha-tango…

— Écoutez, les gars, je suis de votre côté, OK ? J'essaie de retrouver un terroriste qui s'amuse à abattre les avions en plein vol. Lâchez-moi un peu.

— November-trois-neuf-zéro-alpha-tango, veuillez noter que nous avons ordre de vous faire quitter cet espace aérien par tous les moyens nécessaires, y compris la force. Changez immédiatement de cap pour signifier votre intention d'obtempérer.

Storm n'en avait aucune intention. Il regarda en bas. De nouveau, il survolait des terres ; il y avait à la fois une île à sa gauche et une étendue de terre plus conséquente correspondant à la côte est du Maryland. L'estuaire était envahi par les plaisanciers et les bateliers. Il piqua au maximum. L'anémomètre grimpa brusquement tandis que l'altimètre chutait d'autant. L'hélicoptère n'avait toujours pas l'avantage de la vitesse sur les avions de chasse, mais, en frôlant la crête des vagues, il deviendrait une cible plus difficile. Les F-16 n'oseraient pas descendre plus bas.

— Ce changement d'altitude n'est pas ce que nous avions en tête, November-trois-neuf-zéro-alpha-tango. Prenez immédiatement le cap deux-huit-neuf.

Storm redressa l'appareil à environ six mètres au-dessus de l'eau. À plusieurs reprises, il dut modifier sa trajectoire afin d'éviter les mâts des voiliers.

— Désolé, les gars, fit-il. J'ai un terroriste à arrêter. Vous pouvez vous joindre à moi ou pas. J'aurais bien besoin de votre aide.

— November-trois-neuf-zéro-alpha-tango, veuillez noter que nous avons reçu l'ordre de faire feu. Changez de cap immédiatement ou nous n'aurons pas le choix.

Storm s'inclina brutalement vers la terre, désormais plus qu'à quelques centaines de mètres sur sa droite. Les F-16 l'imitèrent, mais bien au-dessus de lui. D'ailleurs, Storm pensait qu'ils avaient de l'altitude. Après tout, ils n'avaient pas besoin d'être tout près pour le descendre. Leurs missiles avaient probablement une portée de dizaines, si ce n'était de centaines de kilomètres, sans parler des systèmes de guidage leur permettant de loger leurs ogives entre le « N » et le « 3 » de son numéro d'immatriculation, s'ils le souhaitaient.

Il survolait les terres maintenant, juste au-dessus des toits des maisons bordant la côte. Cela ne lui plaisait pas du tout de se couvrir ainsi, mais, d'un autre côté, il savait très bien, quoi qu'en disent les pilotes, qu'il y avait forcément un commandant de l'armée de l'air quelque part qui leur demandait de ne pas tirer à moins d'être certains que l'hélicoptère n'allait pas s'écraser sur la maison d'un civil.

— November-trois-neuf-zéro-alpha-tango, cible acquise et verrouillée. Changez de cap.

Storm aperçut la ville de Crisfield au loin. En attendant, il survolait maintenant une sorte de marais ou de réserve naturelle. Il n'y avait plus de maisons. Plus de couverture.

— November-trois-neuf-zéro-alpha-tango, ceci est notre dernier avertisse…

Puis plus rien. La communication était coupée.

Supposant qu'un missile fonçait maintenant droit sur son fuselage, Storm vira de bord en direction d'une forêt, dans l'espoir désespéré de détourner l'ogive vers un arbre. Il approchait d'un bosquet de pins lorsqu'une explosion se produisit. Pas loin derrière lui.

Une énorme explosion. Puis une autre encore.

On aurait dit des avions qui s'écrasaient.

Storm tendit le cou à gauche, puis à droite pour essayer de voir ce qui s'était passé, mais en vain. Contrairement aux avions de chasse, qui offraient aux pilotes une vision quasi panoramique à trois cent soixante degrés, un hélicoptère ne permettait de voir que devant soi et un peu sur le côté. Il remonta l'hélicoptère à trente mètres, puis se mit en vol stationnaire. Ensuite, il pivota lentement sur lui-même afin d'inspecter les environs.

Sans surprise, il découvrit deux épaves fumantes, séparées d'une trentaine de mètres. Les F-16 avaient été abattus.

En une fraction de seconde, Storm sut par quoi exactement. Il arracha son casque, plongea la main dans sa poche et appela le cagibi.

— J'ai Derrick en ligne ! entendit-il Rodriguez crier, avant que ce dernier ne reprenne un ton normal. Deux secondes, vieux.

Storm reprit sa respiration et réfléchit rapidement : le dingue aux commandes du laser avait vu les F-16 arriver et décidé soit qu'ils représentaient une menace, soit qu'ils faisaient une bonne cible pour un exercice de tir.

Et, en bon terroriste, il avait conclu qu'il n'y avait aucune raison de ne pas les abattre. L'un des avantages du laser sur le missile, c'est que le laser n'a en gros aucune limite de munitions. Tant qu'il dispose d'une source d'énergie, il peut tirer aussi souvent qu'une cible se présente.

La seule chose qui avait sans doute sauvé la vie à Storm était qu'il volait trop bas pour le laser.

Ce qui signifiait qu'il ne devait pas être loin.

— Storm, fit la voix rauque de Jedediah Jones dans son oreille, tu vois le château d'eau avec un gros crabe rouge peint dessus à ta droite ?

Storm porta le regard vers une tour grise surplombant les bâtiments bas de la ville. À droite, il y avait une crique remplie de bateaux, dont les mâts nus se dressaient vers le ciel comme autant de piquets blancs plantés dans l'eau.

— Oui, je le vois.

— Dirige-toi droit dessus. Mais reste bas. Je répète : tu dois voler le plus bas possible.

— Bien reçu.

— Ce que tu cherches, c'est un camion blanc actuellement garé dans le parking de la marina, juste avant le château d'eau quand tu arrives. Nos techniciens l'ont repéré grâce aux images satellites. C'est une arme sol-air et, d'après leurs premières estimations, son angle de tir le plus bas se situe à trente-cinq degrés. En fait, plus tu te rapproches, plus son angle mort baisse. Alors, même en te maintenant à trente mètres à peine d'altitude, impossible de t'en approcher à plus de cinquante mètres, au risque de te retrouver à portée de tir.

— Je n'ai pas vraiment de mètre à ruban sur moi. J'apprécierais un peu d'aide pour me poser si quelqu'un a une idée d'un endroit possible. Je vois bien des rues, mais elles me paraissent toutes trop étroites. Je n'ai pas très envie de m'approcher des lignes électriques qui les bordent, non plus, déclara Storm.

Il poussa le manche vers l'avant, avec précaution afin de ne pas tenter le diable.

La voix de Jones résonna de nouveau dans son oreille.

— Tu vois un débarcadère ? Droit devant toi, normalement.

Storm concentra son regard sur une langue de béton qui s'avançait dans l'eau juste à gauche de l'entrée du port.

— Oui, je le vois.

— Pose-toi là. L'« Oiseau moqueur » va d'un instant à l'autre entrer dans le champ de tir du laser. Les terroristes vont probablement tenter leur chance et décamper. Mais si tu parviens à poser l'hélico, tu les intercepteras peut-être à pied.

— Je m'en occupe, dit Storm.

De nouveau, il fit avancer l'hélicoptère. Il était maintenant au-dessus de l'eau. Le déplacement d'air provoqué par le vrombissement des pales aplatissait l'eau et perturbait le sens des vagues.

Arrivé au débarcadère, heureusement vide, il se plaça un instant en vol stationnaire, jusqu'à ce qu'il soit certain que ses patins étaient parallèles au sol.

Alors seulement, il se posa lourdement sur la surface en béton sans se soucier du fait que son atterrissage n'aurait guère impressionné un pilote chevronné. À ce stade, seule importait la rapidité, pas le style.

Storm coupa les rotors, mais, sans attendre que les pales se soient arrêtées de tourner, il dégrafa sa ceinture, pivota vivement vers la porte, qu'il fit coulisser, et sauta à terre. Aussitôt, il se mit à courir en direction du château d'eau, au milieu de l'artère principale de Crisfield, une large route à quatre voies séparées par un terre-plein.

— L'arme est toujours là ? demanda-t-il au téléphone.

— Oui, confirma Jones.

— Guidez-moi jusqu'à elle.

— Tu es dans Main Street. As-tu vu la Onzième Rue ? Tu viens de passer devant le panneau.

— Oui.

— Bien. Rejoins la Neuvième Rue et tourne à droite.

Storm poursuivit sa route en courant, sans prêter attention aux maisons ou aux bâtiments, dont il percevait la présence floue en périphérie de son champ de vision. Ses yeux se concentraient sur les plaques des rues : Dixième Rue,

Spruce Street et enfin la Neuvième. Il tourna à fond en courant comme un dératé.

— Ralentis, dit Jones. Dès que tu vas arriver au bout de ce bâtiment à ta gauche, tu devrais voir le parking. Le camion est garé à l'autre bout. Comme on n'a encore vu personne pour l'instant, on présume qu'ils sont à l'intérieur. On suppose aussi qu'ils sont armés. Méfie-toi.

Storm ralentit dès qu'il vit le parking. Il pouvait accueillir une bonne centaine de voitures ; toutefois, peu d'emplacements étaient occupés. À l'autre bout, Storm repéra sa cible. Il n'y avait aucun autre véhicule autour.

Ce n'était pas juste un camion. C'était un camion de glaces, peint tout en blanc et couvert de décalcomanies sur les côtés vantant ses diverses spécialités. Storm reconnut le cône, l'esquimau et la fusée. Tout le monde s'y serait laissé prendre. La seule chose qui gâchait son authenticité était la tourelle rétractable qui émergeait par une fente sur le toit. Au sommet se dressait un cylindre en métal, dont l'extrémité en verre était pointée vers le ciel. Cela ressemblait beaucoup à ces puissants projecteurs qui balaient le ciel lors des premières cinématographiques à Hollywood.

— Je le vois, annonça Storm à voix basse.

Puis il leva les yeux et aperçut dans le ciel la traînée blanche d'un avion de ligne. C'était le faux *Air Force One*. L'« Oiseau moqueur », comme l'appelait le FBI.

— Excellent travail. Maintenant, écoute-moi, Storm : ton objectif, c'est le laser. On suppose que les hommes qui le manœuvrent ne sont que de la piétaille. Ils ne nous intéressent pas. Peu importe qu'on les capture ou pas. C'est le laser qu'on veut.

— Mais, si on se contente du laser, comment... ?

Storm s'interrompit. Il venait de comprendre le jeu de Jones. Son patron était plus intéressé par le fait de récupérer une nouvelle arme de destruction massive pour le compte du gouvernement que de boucler les terroristes. Les paroles prononcées par le lieutenant Marlowe lui revinrent en mémoire : « Il devrait y avoir des limites », puis la réponse de son père : « On ne peut pas plus nous faire confiance. »

— Peu importe, je ferai tout pour sécuriser l'arme, mentit Storm.

— Excellent, dit Jones.

Accroupi, Storm courut du coin du bâtiment vers l'une des voitures garées sans quitter le camion des yeux, à l'affût du moindre mouvement en provenance du véhicule. Toutefois, il ne détecta aucune présence, ni humaine ni autre ; rien n'indiquait non plus que la sienne ait été décelée.

Storm se dissimula derrière la première voiture afin de repérer les véhicules qui lui permettraient de réduire peu à peu la distance le séparant du camion sans se faire voir. Néanmoins, il ne pourrait pas utiliser cette ruse bien longtemps, car il n'y avait plus rien pour se cacher dans un rayon de quarante-cinq mètres autour du camion de glaces. Il entreprit donc de se faufiler entre les voitures sans jamais lâcher sa cible du regard.

C'est ainsi qu'il aperçut l'étroit faisceau bleu émis de la tourelle. Il était d'un bleu frappant et aveuglant. Par réflexe, Storm détourna les yeux.

Quelques nanosecondes avaient suffi pour qu'il sente la brûlure sur ses rétines. Il cligna alors plusieurs fois des yeux rapidement. Une ligne lui barrait la vision, un peu comme s'il avait regardé le soleil trop longtemps.

— L'« Oiseau moqueur » a été touché, annonça Jones. L'aile est partie. Il va s'écraser.

Storm cligna de nouveau les yeux. La ligne s'estompait. Puis, levant la tête vers le ciel, il vit l'avion fumant être entraîné dans une spirale de la mort. Storm se précipita en courant vers le véhicule garé le plus près du camion et dégaina Dirty Harry.

— OK, dit-il. Ça veut dire que ces types ont eu ce qu'ils voulaient et qu'ils vont fermer boutique d'une seconde à l'autre. J'y vais.

— Fais gaffe au la...

Storm raccrocha sans laisser le temps à Jones d'achever sa phrase. Il avait assez entendu d'instructions à ce sujet.

Storm s'accroupit derrière le véhicule le plus proche du camion de glaces, qu'il étudia avec soin. Il était suffisamment près maintenant pour voir à l'intérieur de la cabine. Elle était vide.

Les terroristes devaient être à l'arrière, ce qui était du meilleur augure pour Storm. Il n'y avait guère de place là-dedans, d'autant que le laser occupait la majeure partie de l'espace. Cela signifiait donc qu'ils ne devaient pas être plus de trois. Peut-être n'y avait-il même qu'un seul homme.

Il n'y avait aucune trace d'armements sur le camion, rien de plus menaçant que les décalcomanies déjà mentionnées. Pourtant, il sentait qu'il valait mieux ne pas s'approcher davantage. Cent cinquante mètres de parking, cela représentait une trop grande distance à découvert. Certes, il était capable de la parcourir en moins de six secondes, mais cela faisait quand même six secondes en pleine exposition.

Il lui fallait savoir à quoi – et à qui – il avait affaire. Il était temps de passer à l'attaque. À l'aide de Dirty Harry, il visa le pneu avant, côté passager, et appuya sur la détente. Le pneu explosa. Le camion bascula légèrement sur la droite.

Storm patienta. Aucune réaction. Peut-être les gens à l'intérieur étaient-ils si concentrés sur le laser qu'ils n'avaient rien senti. Il était possible aussi qu'ils n'aient rien entendu non plus. Le compartiment intérieur était peut-être insonorisé. Storm visa le pneu arrière, côté passager ; il explosa à son tour. Le camion penchait maintenant de quinze degrés à droite. S'il y avait quelqu'un à l'intérieur, on s'était forcément rendu compte de ce changement soudain.

D'une seconde à l'autre, on allait sortir voir ce qui se passait. Il n'y avait aucune porte à l'arrière. Sur le côté droit, un auvent se relevait pour la vente des glaces, mais il était fermé. Storm était quasi certain que ce n'était qu'une façade.

Non, le seul moyen pour sortir de l'intérieur consistait à passer par la cabine. Storm scruta cette partie du camion en comptant jusqu'à dix. Aucun signe de mouvement. Il compta jusqu'à trente. Toujours rien.

Il tira trois coups rapides dans la portière côté passager, au cas où quelqu'un se serait tapi derrière. Storm utilisait des munitions à charge creuse, ce qui n'était pas idéal pour pénétrer un épais blindage. Mais l'épaisseur du camion de glaces, à peine supérieure à celle d'une boîte de conserve, n'était clairement pas de taille pour un .44 Magnum.

Storm compta de nouveau jusqu'à trente.

Basculé sur ses jantes, le camion n'irait plus nulle part, c'était sûr. Le plus prudent était donc maintenant d'attendre les renforts. Jones devait déjà s'en occuper.

Mais, dans ce cas, le laser tomberait aux mains de Jones dès la fin du jour. Cette idée était insupportable à Storm. Pas question de perdre le contrôle de la situation.

Dirty Harry toujours dégainé et prêt à faire feu, Storm s'approcha du camion à croupetons. Le vent se leva. Une odeur d'eau saumâtre lui emplit le nez. Quelque part retentit le cri aigu d'un balbuzard.

Il régnait un calme très étrange autour du camion. On aurait dit que le véhicule était mû par des fantômes. Storm se tenait à côté maintenant, le dos collé à son flanc. Il risqua un rapide coup d'œil à l'intérieur de la cabine.

Elle était vide. C'était sûr. Il appuya sur la poignée. La porte s'ouvrit. Il grimpa à l'intérieur.

Le plus spectaculaire était la fidélité avec laquelle on avait cherché à reproduire l'intérieur d'un vrai camion de glaces. Il y avait même un bouton pour actionner la cloche annonçant aux enfants l'arrivée des friandises glacées.

Entre les deux sièges, un étroit passage menait à une petite porte qu'il fallait franchir accroupi. Elle donnait forcément accès à l'endroit où se trouvait le laser. Storm en visa le haut. Si quelqu'un était accroupi à l'attendre derrière, c'était l'endroit où se trouvait sa tête.

Dans un espace aussi restreint, la décharge de Dirty Harry fit un bruit assourdissant. Storm ne put réprimer un sursaut. Après vérification, il s'avéra que la balle n'avait pas pénétré la porte. Elle avait rebondi et s'était fichée dans le tableau de bord de l'autre côté.

Ce n'était finalement pas un camion de glaces ordinaire : la porte était blindée.

L'ennemi devait maintenant avoir parfaitement conscience de sa présence. Storm supposa donc qu'on lui tendait une embuscade. Afin de ne pas prendre le risque de rester au milieu de l'encadrement de la porte, il bondit par-dessus le siège du conducteur pour s'abriter derrière le dossier et, alors seulement, il appuya sur la poignée.

Alors qu'il s'attendait à ce qu'elle soit verrouillée, la porte s'ouvrit sans problème. Aucune balle n'en sortit non plus. Il ne rencontra en fait aucune forme de résistance.

Finalement, il s'autorisa un coup d'œil à l'intérieur. Devant ses yeux se dressait une vraie merveille d'ingénierie : une série de miroirs, de cristaux et de moteurs dont il ne pouvait que deviner la fonction. Devant tant d'exotisme et de beauté, il aurait au fond de lui aimé passer sa journée à l'étudier. Néanmoins, en cet instant, le plus pressant restait ce qu'il ne voyait pas. Il n'y avait pas âme qui vive. D'ailleurs, il n'y aurait eu de place pour personne parmi tous ces appareils. À croire que le laser était manœuvré par des fantômes.

Il était en fait télécommandé. Les terroristes étaient venus garer le camion là, mais ils actionnaient les tirs à distance. Peut-être des environs, peut-être à des kilomètres de là. Peut-être depuis un bunker des environs de Jalalabad.

Dans le ciel au-dessus de sa tête, Storm perçut le bruit saccadé d'un hélicoptère en approche. Les renforts arrivaient. Peut-être s'agissait-il des hommes de Jones, peut-être du FBI. Peu importait à Storm, car chacun avait ses priorités. Lui aussi avait les siennes. « On ne peut pas plus nous faire confiance. »

Il retourna péniblement à l'arrière du camion, parmi tout ce matériel sophistiqué. Par amour de la technologie, il éprouva quelques regrets à la perspective de ce qu'il s'apprêtait à faire, mais, à l'idée qu'il le faisait par amour pour ses congénères, il n'en eut plus aucun.

Il retourna son arme encore fumante pour la saisir par le canon afin de s'en servir comme d'un marteau et se mit à taper de toutes ses forces.

La remorque s'emplit bientôt du bruit de verre brisé et de métal tordu. Lorsque le canon de Dirty Harry ne suffisait pas à détruire quelque chose, il donnait des coups de botte. En trois minutes, Storm eut saccagé tout ce qu'il pouvait. Pendant ce temps, l'hélicoptère s'était rapproché.

Lorsqu'il se fut assuré que tout était réduit en pièces, qu'il n'y avait plus l'ombre d'un espoir de pouvoir reconstruire ni même de comprendre l'arme, il redescendit du camion et appela Jones.

— Storm ! Que se passe-t-il ?

— Il n'y a personne à l'intérieur. Ils opèrent à distance.

— Mais on a l'arme ? s'inquiéta Jones.

— Oui et non. À mon avis, ils doivent surveiller le camion et ils m'ont vu venir. J'ai entendu une petite détonation à l'intérieur pendant que j'approchais, mentit-il. Ils ont préféré saboter leur propre matériel plutôt que de nous abandonner l'arme. C'est le bazar à l'intérieur.

Il fallut une seconde à Jones pour digérer l'information.

— Bien, dit-il philosophiquement. Je suppose qu'on aurait dû s'en douter. Ramène ce qui reste pour qu'on examine tout ça. En attendant, j'ai une autre mission pour toi. L'un de nos agents a entendu des choses au sujet de celui qui pourrait être derrière tout ça et pourquoi. Mais, comme on ne peut pas se permettre de le compromettre, je t'envoie là-bas pour que tu, euh, réunisses quelques informations pour nous.

— OK. Où vais-je ?

— Au Panama.

14

Panama

Storm passa la première partie du vol à étudier les renseignements recueillis sur les Quatre des Émirats. Ce qui demeurait assez mince. Comme pour les Trois de Pennsylvanie, les enquêteurs n'arrivaient toujours pas à comprendre ce qui s'était passé au regard de ce qui restait des épaves.

De même, les victimes venaient de tous horizons et avaient tous de bonnes raisons de se rendre à Dubai. Parmi des centaines d'inconnus, de mères et de pères, de fils et de filles, de passagers en voyage d'affaires et de vacanciers, il y avait Lyle Gomez, un golfeur professionnel venu participer à un tournoi, Beth Bowling, la joueuse de tennis, Barbara Andersen, une célèbre chanteuse de cabaret, Viktor Schultz, le président de la Commission européenne du commerce international, Gunther Neubauer, le représentant du Schleswig-Holstein au Bundestag, le parlement allemand, et Adrienne Pellot, un mannequin français tout en jambes, célèbre pour ses couvertures du magazine *Vogue*.

Et la liste continuait. En attendant de comprendre le pourquoi du comment, toutes ces informations lui semblaient pareilles à un bruit de fond cosmique, un sifflement à basse fréquence qui pourrait durer jusqu'à la fin des temps.

Storm sombra bientôt dans le sommeil. Il avait la chance de bien dormir en avion. Dernièrement, il semblait que ce fût le seul repos qu'il pût prendre.

Il fut réveillé en sursaut par le contact des roues du Gulfstream IV au sol, sur la piste 03R/21L de l'aéroport international de Tocumen.

Comme bien des centres de transit aérien d'Amérique du Nord, Tocumen était encore en grande partie fermé, mais il reprenait lentement vie. Les liaisons commerciales allaient bientôt être rétablies. Le trafic privé était de nouveau autorisé pour quiconque se sentait le courage de tenter l'aventure.

Storm entra dans le pays avec son propre passeport, une nouveauté pour lui en matière de déplacements professionnels, et franchit rapidement la douane. Il était de l'autre côté du hall des arrivées, par ailleurs désert, lorsqu'il fut interpellé par la seule autre personne présente en ces lieux, à savoir un fringant jeune homme dont les traits lui semblèrent trahir des origines à la fois espagnoles et mésoaméricaines.

— *Il le remit entre les mains de Nathan le prophète*, cita l'homme.

— *Et Nathan lui donna le nom de Jedidja, à cause de l'Éternel*, répondit Storm pour compléter cette citation de la Bible.

— Bonjour, monsieur Storm. Quel que soit le nom qu'on vous ait donné pour moi, vous m'appellerez Carlos Villante. Souvenez-vous en toutes circonstances que je suis l'administrateur adjoint de l'Autoridad del Canal de Panama. Je travaille pour un certain Nico Serrano, lui-même administrateur de l'autorité en question. Quant à vous, vous êtes un investisseur américain qui envisage l'achat d'obligations émises par notre société. Nous sommes bien d'accord ?

— Absolument.

— Bien. Suivez-moi. Nous avons du pain sur la planche et peu de temps devant nous.

Storm suivit Villante jusqu'au parking de courte durée, où il se dirigea droit vers une Cadillac CTS.

— Jolie voiture, commenta Storm. Mais ce n'est pas un peu trop pour l'administrateur adjoint d'une institution publique ?

Un sourire entendu se dessina sur le visage de Villante.

— Connaissez-vous l'histoire de l'homme aux sacs de sable ?

— Pas vraiment, non.

— Je vous en prie, montez, je vais vous la raconter, répondit Villante en lui indiquant d'un geste le côté passager tandis qu'il s'installait au volant.

Villante boucla sa ceinture, démarra le moteur et sortit du parking en continuant.

— Un matin, à la frontière, un homme à bicyclette s'approche de l'un des douaniers avec deux énormes sacoches. En les ouvrant, le douanier découvre qu'elles sont remplies de sable. Le douanier continue de fouiller, certain de tomber sur de la drogue ou des bijoux ou tout autre objet de contrebande. Or il ne trouve rien que du sable ; alors, il n'a d'autre choix que de faire signe à l'homme de passer. Le lendemain matin, l'homme à bicyclette revient. De nouveau, ses sacoches sont remplies de sable. De nouveau, le douanier les vérifie soigneusement sans rien trouver de plus. La même chose se reproduit le lendemain. Et le matin suivant. Et chaque matin pendant des semaines. Voilà qui commence à exaspérer le douanier. Il oblige donc désormais l'homme à vider les sacs sur une table afin de pouvoir les passer au crible. Puis il retourne complètement les sacs. Ensuite, il les passe aux rayons X, car il reste persuadé de découvrir quelque chose. Mais il ne trouve jamais rien d'autre que du sable. Un matin, finalement, alors que l'homme à bicyclette passe la frontière, le douanier dit : « S'il vous plaît, monsieur. Je rends les armes. Je ne vous dénoncerai pas, ni aujourd'hui ni jamais. Mais dites-moi une chose : que faites-vous donc passer dans mon pays ? » Et l'homme répond : « Très bien, je vais vous le dire. Je passe des bicyclettes. »

Storm se fendit d'un large sourire.

— Voilà pourquoi je conduis cette voiture, reprit Villante. À l'Autorité comme dans tout le Panama, les gens pensent que je suis forcément soudoyé. Et ils remuent ciel et terre pour découvrir par qui et pour quoi. Tant qu'ils restent focalisés sur ce point, ils ne sauront jamais ce que je fais vraiment.

— Excellente couverture, convint Storm.

— Pour l'instant, nuança Villante. Quoi qu'il en soit, j'espère que vous êtes suffisamment impressionné pour que je puisse maintenant vous exposer le topo.

— Je vous en prie.

— La cible s'appelle Eusebio Rivera. L'homme habite un appartement-terrasse au soixante-dix-septième étage de la Pearl Tower, l'un des tout derniers gratte-ciel de la ville. C'est un brillant homme d'affaires très riche. Il connaît du monde dans les affaires, un milieu qui s'est développé au cours des années précédant la reprise du canal par les institutions de ce pays, et n'en a que prospéré depuis. Mais je présume que Jones vous a parlé des difficultés que rencontre le projet d'expansion et de ce que cela signifie pour des hommes comme Rivera ?

— En effet, confirma Storm. Toutefois, il a dit que vous auriez plus à m'en dire suite à votre rencontre avec lui.

Villante raconta alors à Storm sa visite chez Rivera le jour des Trois de Pennsylvanie. Sur son téléphone, Villante lui montra plusieurs enregistrements vidéo du moment où Rivera évoquait Erik Vaughn. Villante n'était pas parvenu à placer des micros dans l'appartement de Rivera, mais il avait pu mettre sa ligne de téléphone professionnelle sur écoute. Les enregistrements ne laissaient place à aucun doute : Villante n'était pas le seul à qui Rivera avait parlé de la mort du membre du Congrès.

Il n'était même pas le seul que Rivera avait invité à boire à la santé de sa disparition. Chaque fois, il avait porté le même toast : « À bas Erik Vaughn, vive Jared Stack. »

— Donc, il savait qu'Erik Vaughn était mort avant que

la nouvelle ne soit annoncée dans les médias, résuma Storm lorsque Villante eut terminé.

— C'est exact.

— Et vous lui avez demandé comment il était au courant ?

— Absolument, mais il est resté évasif. Je ne pouvais pas le presser davantage de questions sans éveiller les soupçons, car ce genre de choses n'aurait pas intéressé l'administrateur adjoint de l'autorité du canal.

— Bien sûr. Mais vous pensez qu'il en sait plus qu'il ne veut bien l'avouer.

— Lorsque j'ai suggéré qu'il était peut-être impliqué, il a réagi en portant un toast à la mort de Vaughn. D'ordinaire, j'aurais pris ce geste pour une feinte. Les hommes comme Eusebio Rivera tentent toujours de se faire passer pour plus importants qu'ils ne le sont, mais, combiné au fait qu'il semblait avoir connaissance de la mort de Vaughn de première main et son insistance à voir l'administrateur de l'autorité du canal, Nico Serrano, se rendre immédiatement à Washington..., il semblait très conscient des ficelles qu'il tirait. Je ne vous ai pas passé toutes les écoutes, mais il s'est assuré que tout le monde à Panama soit au courant de la mort du membre du Congrès et que chacun envisage d'agir en conséquence.

Storm hocha la tête. Ils traversaient des rues bordées de palmier, encore humides après une récente averse. Il était près de onze heures du soir. Panama était une ville de travailleurs. Les trottoirs étaient déserts. La plupart des habitants étaient déjà rentrés chez eux, car ils se levaient tôt le lendemain.

— Vous attendez donc de moi qu'il me fasse des confessions, dit Storm.

— Il paraît que cela fait partie de vos compétences.

Storm se contenta d'opiner du chef.

— Comment je l'approche ?

— À cette heure, il se terre dans son appartement-terrasse de la Pearl Tower.

— À quel niveau de sécurité faut-il s'attendre ?

— Très élevé, répondit Villante. La Pearl Tower est une résidence de luxe. À Panama, les pauvres ont fait du chemin depuis les années 1970, mais un immense fossé les sépare encore des riches. Et, malgré tous les beaux bâtiments que vous voyez autour de vous, les bidonvilles ne sont jamais bien loin. Cela rend les riches paranos. À juste titre. C'est pourquoi ils veillent à être toujours bien protégés.

— Une description claire, s'il vous plaît ?

— Il y a un portier devant l'immeuble, puis un concierge qui surveille les allées et venues vingt-quatre heures sur vingt-quatre juste à l'intérieur. Si votre tête ne lui revient pas, le concierge bloque les ascenseurs et appelle la sécurité par radio. Il y a entre deux et quatre agents en fonction de l'heure, et ils sont toujours armés.

— Cela ne me paraît pas si problématique, dit Storm. Au contraire, ça ressemble plutôt à une invitation à...

— Je n'ai pas terminé. Rivera dispose de gardes du corps qui ne le lâchent pas d'une semelle. L'équipe en compte six, dont deux au moins sont toujours en service. Les hommes de nuit s'appellent Hector et César. Ils le conduisent partout et restent près de lui dès qu'il sort en public. Lorsqu'il reste chez lui, ils ont toute une batterie de caméras de surveillance à l'œil. Je ne doute pas que vous puissiez venir à bout des agents de sécurité du rez-de-chaussée. Mais il vit au dernier étage. Il faut grimper les soixante-dix étages soit par l'ascenseur, soit par l'escalier, ce qui donne amplement le temps à ses gorilles de vous préparer un méchant accueil.

— Mais, étant donné que vous travaillez pour Jones, vous devez déjà avoir réfléchi à un moyen astucieux de contourner tout ça.

— En effet, dit Villante. D'après Jones, il paraît que vous aimez les..., comment a-t-il dit déjà ?... Les joujoux, je crois.

Un éclair brilla dans les yeux de Storm.

— Oui, oui, en effet. J'aime beaucoup les joujoux.

— Et que vous êtes un grimpeur acharné, en grande formc cn ce moment ?

— C'est le cas.

— Parfait. Parce qu'une belle partie d'escalade vous attend, justement.

Une demi-heure plus tard, Storm avait déjà gravi quarante étages de la Pearl Tower.

Deux protections rondes sanglées aux mains et deux protections similaires aux genoux lui permettaient de se mouvoir le long de la façade du bâtiment, grâce à des alignements de nanotubes de carbone, une technologie imitant les poils microscopiques qui permettent à un gecko de se suspendre la tête à l'envers d'un seul doigt. Ces protections étaient reliées entre elles par un système sans fil. Sur celles de mains, des commandes permettaient d'activer et de désactiver l'adhérence à volonté. Aussi Storm pouvait-il se hisser avec les mains tout en prenant appui sur ses genoux, puis avancer les genoux en se tenant par les mains. C'était lent, car il parcourait un peu moins d'un mètre à chaque traction. C'était troublant parce qu'il grimpait sans filet ni baudrier.

Et il se faisait l'effet d'être une chenille géante. D'un autre côté, il pouvait se prendre pour Spider-Man. Ou disons Elvis Spider-Man, car Villante lui avait dégoté une combinaison blanche pour qu'il se fonde avec la façade de l'immeuble, de peur qu'un passant ne signale aux autorités qu'un fou pratiquait l'escalade libre en plein gratte-ciel.

Aussi difficile sa progression fût-elle, la pensée d'être Elvis Spider-Man l'encourageait assez (ou le distrayait assez) pour l'inciter à continuer. Par ailleurs, il avait besoin de temps pour réfléchir. Villante lui avait fait une présentation sommaire de l'appartement, de son aménagement et de son contenu. Il lui avait indiqué où se trouvait la chambre, où les gardes du corps risquaient d'être postés, et il avait dressé une vue d'ensemble de ce qui l'attendait. Toutefois, il revenait à Storm d'élaborer un plan d'action, chose qu'il n'avait pas encore faite alors qu'il arrivait au soixante-dix-septième et dernier étage. Il allait devoir improviser au fur et à mesure, mais ce ne serait pas la première fois.

Fixé dans le dos, il portait un objet en forme de disque de la taille d'une luge ronde d'enfants. Il était enveloppé dans un tissu blanc pour des raisons de camouflage.

C'était le joujou qu'il s'apprêtait à utiliser lorsqu'il se fut arrêté à hauteur de la fenêtre de chambre de Rivera. Après avoir retiré ses protections d'escalade qu'il laissa collées sur le mur de l'immeuble, d'un haussement d'épaules, il récupéra l'objet, le déballa et le posa sur la vitre de la fenêtre.

Puis il appuya sur un bouton. Sans un bruit, en émettant de très faibles vibrations seulement, une lame diamant pratiqua alors une parfaite incision circulaire, nette et sans bavure, à la surface du verre. Storm tira d'un coup sec sur le disque pour le détacher et le fixa vivement à l'une de ses protections d'escalade avec le rond de verre qu'il avait découpé.

Venait ensuite la phase périlleuse. Ou plutôt, la plus dangereuse, car toute l'entreprise pouvait être qualifiée de périlleuse. Si, dans son sommeil, M. Rivera se rendait compte qu'une douce brise chaude et humide pénétrait subitement par un trou de la fenêtre de sa chambre et décidait d'en comprendre la raison, puis d'alerter ses gardes du corps, Storm risquait de se retrouver nez à nez avec le canon d'une arme à la sortie du fameux trou.

Son seul espoir résidait dans sa rapidité d'action. Il posa la protection de main restante sur le verre et l'activa. Puis il désactiva celles des genoux pour se glisser à l'intérieur.

D'un mouvement fluide, il roula à terre et se redressa l'arme au poing, enchaînement qu'il avait eu à pratiquer à maintes reprises. Sauf que cette fois il n'eut pas besoin de son Stealth Hunter. Tout ce qu'il eut à redouter, ce furent les ronflements tonitruants du dormeur.

Il s'approcha tout doucement de la silhouette qui dormait sur le dos, la bouche grande ouverte. À chaque inspiration, Eusebio Rivera émettait un bruit à faire trembler la table de nuit à côté de son lit. Storm n'avait jamais entendu un tel ronflement. Quand il expirait, on aurait carrément dit qu'on l'étranglait.

De sa poche arrière, Storm sortit une sorte de petit paquet de lingettes pour bébé. Il tira un mouchoir légèrement humide, lui aussi en tous points semblable à une lingette, sauf que le produit dont il était imprégné n'était absolument pas bon pour les enfants puisqu'il s'agissait de chloroforme.

Il maintint la serviette sous le nez de Rivera le temps de deux inspirations : assez longtemps pour qu'il ne se réveille pas avant au moins une demi-heure, mais pas de quoi le maintenir inconscient toute la nuit.

Assuré que Rivera était drogué, Storm le roula sur le flanc. Les ronflements s'interrompirent, au soulagement de tous ceux qui, jusqu'à dix étages plus bas, n'avaient pas la chance de s'être munis de bouchons ou de souffrir d'une surdité congénitale. Storm traversa sur la pointe des pieds l'épaisse moquette jusqu'à la porte de la chambre.

De l'autre côté, il percevait le bruit d'un match de football – désolé, de *futbol* – qu'on suivait en sourdine à la télévision. Il s'agissait de la rediffusion d'une rencontre internationale amicale entre le Panama et le Costa Rica. Apparemment, les Costaricains ne jouaient pas très bien, au grand soulagement de tous les habitants de l'isthme.

Qui sait ? Peut-être que seul un des gardes regardait la télévision. Ou ni l'un ni l'autre. Mieux valait donc ne pas tenter d'ouvrir la porte. Si seulement l'un des joujoux que Jones lui avait remis permettait de voir à travers les murs… Il était imprudent d'ouvrir la porte sans savoir où se tenait l'adversaire.

Évidemment, il pouvait l'ouvrir d'un seul coup et tirer sur tout ce qui bouge. Mais, d'une part, l'immeuble entier, y compris les gardes armés tout en bas, serait alerté. D'autre part, il n'avait aucune envie de tuer deux hommes dont le seul crime était de faire leur travail en protégeant leur patron.

Il était vrai qu'il s'agissait plus d'un problème moral, voire d'une question de style, mais, quand même, il fallait bien avoir un code déontologique ; or Storm prenait le sien très au sérieux.

Il réfléchit un instant avant de décider d'un plan. Il se repassa dans sa tête la voix de Rivera sur les écoutes. L'espagnol était au nombre des huit langues qu'il parlait. Compte tenu de l'afflux d'immigrants hispanophones contribuant actuellement à transformer le profil démographique des États-Unis, il avait plus souvent l'occasion de s'en servir que de mettre en pratique son, disons, roumain.

Storm se posta à droite de la porte, à l'opposé du côté des gonds. Puis il s'efforça de prendre une voix éraillée.

— Hector..., Hector, viens voir, s'il te plaît, appela-t-il en imitant au mieux la voix qu'il avait entendue sur les enregistrements.

Le dos contre le mur, Storm changea son arme de main pour la tenir dans la gauche. Il entendit des pas venir dans sa direction. Bien que le bruit fût amorti par la moquette au sol, l'homme qui arrivait avait le pas lourd. Storm écouta attentivement. Le choix du moment était essentiel.

Or celui de Storm fut parfait. À l'instant où le type franchit le seuil, Storm donna un coup de coude de toutes ses forces, profitant de l'élan qu'il avait pris en reculant, mais aussi de celui du garde du corps qui avançait.

L'individu était moins grand qu'il ne l'escomptait ; néanmoins, il parvint à rajuster son coup à la dernière seconde, de sorte qu'il frappa l'homme au nez de la pointe du coude.

Storm entendit le cartilage craquer. Son adversaire s'effondra lourdement. D'un bond, Storm fut sur lui pour le chloroformer. Puis il tira son corps amorphe dans l'obscurité de la chambre.

Et d'un.

Maintenant, bien sûr, Storm devait faire face à un autre dilemme. Il ignorait où l'autre garde se trouvait. Il se faufila donc dans le salon, Dirty Harry au poing.

La pièce était vide, hormis les meubles : deux fauteuils, un confident et une table basse d'un mètre cinquante de long dont la forme et la couleur évoquaient un teckel à Storm. L'écran plat de la télévision était accroché au mur.

Storm avait bien en tête le plan de l'appartement que lui avait décrit Villante. Derrière le salon, il y avait une grande pièce qui donnait dans la cuisine, une salle à manger à côté de la cuisine, une entrée desservant deux chambres d'amis, une salle de presse, une petite bibliothèque... Et l'autre garde du corps, César, qui pouvait être n'importe où.

Storm entendit alors la chasse d'eau des toilettes. Le bruit provenait de vers l'entrée.

Storm se hâta de traverser le salon pour passer dans la grande pièce, car il savait que César reviendrait par là pour se réinstaller devant son match de *futbol*. Improvisant, Storm s'accroupit derrière un fauteuil en daim pour masquer son mètre quatre-vingt-cinq.

Si le garde du corps avait eu la moindre idée de sa présence, c'était l'erreur à ne pas commettre, car il se trouvait dans une position vulnérable ; et si les sols avaient été en parquet, Storm n'aurait pu tenter l'action qu'il entreprit.

Mais les dieux étaient tous en sa faveur. César traversa la grande pièce du pas décidé d'une personne qui connaissait bien cet environnement. Et le garde du corps n'entendit pas Storm jaillir de sa cachette pour lui asséner un coup de pied derrière les genoux.

Ce fut un tacle digne d'un défenseur des Redskins de Washington. À la fin de l'attaque, Storm se retrouva à cheval sur son adversaire. César émit un grognement, mais sa vision fut bientôt obscurcie par le canon de Dirty Harry.

— À ta place, j'éviterais de faire le moindre bruit, avertit Storm en espagnol. Je n'émettrais pas même un mot.

Le garde gisait par terre, le visage tourné vers le sol, résigné face à la défaite ou incertain quant à ses autres options. De nouveau, Storm voulut s'emparer de son mouchoir chloroformé.

Cependant, à l'instant où ses doigts effleurèrent le tissu, il sut que cela ne marcherait pas. Il était sec. Une nouvelle fois, il s'en voulut d'avoir fait la sieste au lieu de suivre les cours de chimie de M. Menousek. Il aurait dû s'en souvenir : le chloroforme est chimiquement similaire à l'alcool, dont il partage le caractère volatil, ce qui signifie qu'il s'évapore très rapidement.

— Nous voilà face à un problème, chuchota Storm en espagnol. Je n'ai aucune envie de te tuer. Vraiment aucune, mais je ne peux pas non plus te laisser me poser des problèmes. Ton patron a commis de graves bêtises et il faut que je l'interroge à ce propos sans t'avoir dans mes pattes et sans, évidemment, que tu alertes tous les voisins. Je ne vois pas bien comment y parvenir sans t'abattre, mais j'imagine que tu n'as aucune envie de te faire tirer dessus, n'est-ce pas ?

Storm avait son canon braqué sur la tempe de César, qui fit délicatement non de la tête. Storm se rendit compte qu'il venait de lui donner pour instruction de se taire : l'homme ne pipait mot.

Storm continua donc.

— Tu as peut-être des suggestions à me faire. Je suis vraiment dans l'impasse, là.

César se racla la gorge.

— Tu pourrais me ligoter. Me bander les yeux. Me bâillonner, souffla-t-il à voix basse.

— Oui ! s'exclama Storm. C'est ça, excellente idée. J'aurais même pu y penser moi-même. Sauf que je n'ai rien emporté pour le faire et que je ne suis jamais venu dans cet appartement avant. Donc, je ne sais même pas s'il y a une corde ou...

— Il y a de l'adhésif dans la buanderie.

— Il y a une buanderie ? Vil..., euh, je l'ignorais.

— Oui, oui, insista César sur un ton de plus en plus enthousiaste. Tu n'as qu'à garder ton flingue braqué sur moi, je lèverai les mains en l'air et je te conduirai à la buanderie. Avec l'adhésif, j'attacherai d'abord Hector et ensuite, je me ligoterai moi-même. C'est le plus intelligent à faire pour toi parce que, sinon, je risque de profiter d'un moment d'inattention de ta part pour te désarmer.

Storm opina du chef avant même de se rendre compte qu'il était d'accord.

— Là, tu marques un point. OK, c'est ce qu'on va faire.

Storm laissa le garde du corps se relever.

— Merci, dit César en levant les mains en l'air.

— Pas de quoi, répondit Storm, soulagé de constater que la politesse existait encore, finalement.

Fidèle à sa parole, César apporta un rouleau de bande adhésive dont il se servit pour attacher Hector sur l'un des fauteuils du salon. Puis il entreprit de se ligoter lui-même. Storm l'aida pour la dernière étape afin de s'assurer qu'il ne puisse aller nulle part.

Enfin, par charité, Storm tourna César vers le match. Comme il était attaché et bâillonné, l'homme cligna plusieurs fois des yeux pour lui témoigner sa gratitude.

Storm reporta son attention sur Eusebio Rivera, dont les ronflements à faire trembler les vitres avaient redoublé, car il s'était retourné sur le dos dans son sommeil. Maintenant que les gardes du corps étaient hors d'état de nuire, il lui fallait réfléchir à la manière dont il allait s'y prendre pour forcer Rivera à lui fournir des informations à son réveil.

Son attention se porta sur l'aquarium de six mètres de long qui occupait l'un des murs de la chambre. À côté se trouvait une petite desserte sur laquelle étaient posées deux épuisettes – une grande et une petite – ainsi que toute une série de boîtes d'aliments pour poisson. Il y en avait de toutes les tailles, de la salière à la boîte de balles de tennis. À côté de la table, un tabouret permettait d'accéder au sommet de l'aquarium, dont la paroi s'arrêtait à une soixantaine de centimètres du plafond. Cela devait servir à nourrir les bestioles qui nageaient en rond à l'intérieur, songea Storm.

Curieusement, une cloison séparait un quart de l'aquarium du reste. À gauche de cette séparation, il y avait des dizaines d'espèces de poissons de mer alors que la partie de droite semblait déserte. Elle présentait le même faux corail, la même végétation sous-marine, mais pas de poissons.

Puis Storm se rendit compte qu'elle n'était pas totalement déserte. Storm distingua, bien cachée dans l'une des crevasses de la rocaille, l'affreuse tête macabre d'une murène, le plus gros spécimen qu'il lui eût été donné de voir en captivité. C'est alors qu'un plan germa dans son esprit.

Storm retourna dans le salon. Il renversa la table basse et en balaya les quatre pieds du tranchant de la main. Puis il lui fut relativement aisé d'en faire glisser le plateau sur la moquette. Enfin, il s'empara du ruban adhésif..., tout cela sous le regard attentif de César. Hector, quant à lui, demeurait inconscient.

Dans la chambre, Storm posa cette sorte de plan dur de premier secours à côté du dormeur. Il roula ensuite le corps de Rivera dessus, puis l'y attacha grâce à l'adhésif en lui maintenant les bras le long du corps. Tandis que Storm le transformait en momie, Rivera recommença à ronfler, ce qui présentait au moins un avantage : le moindre bruit étrange émis par Storm serait couvert par ce raffut.

Une fois sa proie bien emmaillotée (seuls dépassaient la tête et les pieds de Rivera), Storm fit glisser sa planche dorsale improvisée du lit par terre, puis vers l'aquarium. Du côté de la murène. Ensuite, il retira le couvercle de l'aquarium et le posa à côté afin qu'il ne le gêne pas pour la suite.

D'abord, il souleva la planche du côté de la tête, de sorte qu'elle soit appuyée contre la paroi de l'aquarium, puis il saisit les pieds. Des deux mains, il souleva et se mit à pousser l'extrémité vers le haut de l'aquarium. Rivera était corpulent, mais de petite taille. Il ne devait pas peser plus d'une centaine de kilos. Storm avait l'habitude d'en soulever bien plus.

Lorsque le haut de la planche fut aligné avec le haut de l'aquarium, Storm continua de pousser en même temps pour monter sur le tabouret et atteindre son objectif : qu'elle soit posée sur l'aquarium ouvert.

La tâche suivante consistait à attraper un poisson. Storm choisit la plus grande des deux épuisettes et, debout sur le tabouret, la plongea du côté peuplé de l'aquarium. Bien que les poissons ne fussent guère d'humeur à se laisser faire, le pêcheur improvisé finit par capturer l'un des lents et gros poissons-anges, qu'il sortit de l'eau.

Il retira à la main sa prise de l'épuisette, dans laquelle elle se débattait et se laissait retomber, puis la descendit sur la desserte, où elle continua de se tortiller.

— Désolé, joli petit poisson, s'excusa Storm en sortant un cutter de sa poche arrière.

Après avoir fait surgir la lame, il l'enfonça juste derrière les yeux du poisson pour abréger ses souffrances.

Ensuite, il replaça le tabouret du côté de la murène, où Rivera attendait toujours. Ses ronflements avaient cependant enfin cessé. Storm se jucha sur le tabouret et, à l'aide du cutter, entreprit de vider le poisson, dont il barbouilla les tripes sur les joues, le front et le menton de sa victime.

C'est au beau milieu de cette expérience particulière que Rivera finit par émerger : avec la très étrange sensation d'être attaché sur une table, le visage couvert d'entrailles de poisson qu'étalait un parfait inconnu, apparemment vêtu d'une sorte de survêtement blanc.

— Qu'est-ce que... ? C'est quoi, ça ? Qui êtes-vous ? demanda-t-il. Pourquoi ne puis-je... ?

— Chhhut. Pas un bruit, monsieur Rivera.

L'homme, sentant peut-être qu'il se trouvait dans une position quelque peu désavantageuse, se tut un instant tandis que Storm poursuivait sa tâche.

Mais lorsqu'on lui étala sur le nez ce qui devait être du pancréas de poisson (les poissons étaient-ils dotés de pancréas ?), Rivera ne put se retenir davantage.

— Que faites-vous ?

— Je vous prépare pour la murène, répondit Storm calmement.

Il mit le pancréas (ou quoi que ce fût) de côté. Il avait pris soin de ne pas laisser de morceaux tomber dans l'aquarium, car il ne voulait pas gâcher l'appétit de la murène.

— Qu'est-ce que vous... ?

— Les murènes ont une très mauvaise vue, mais un flair phénoménal, expliqua Storm. Ce sont de véritables limiers de la mer. Pour manger, elles se laissent guider par leur nez. Je veille à ce que votre visage sente merveilleusement bon pour mon amie cachée là, parmi les rochers. Je parie que, si elle a assez faim, elle se ruera sur la première bonne odeur venue.

— Vous êtes fou ? s'exclama Rivera en essayant, en vain, de se libérer de ses liens.

— Autre chose à propos des murènes : leurs dents sont coupantes comme des rasoirs, mais le plus impressionnant, ce sont leurs mâchoires. Pas seulement en raison de leur force, qui est plus que certaine, mais de leur entêtement. Une murène ne lâche jamais le morceau, même morte. C'est un instinct primaire, une survivance de l'évolution, dont je vous épargnerai les détails. Disons simplement que les plongeurs qui ont été mordus par une murène ont souvent dû ouvrir la mâchoire à l'aide d'une pince une fois remontés à la surface.

— Quel sont vos... ? Que voulez-vous ?

Storm ne répondit pas. Le visage de Rivera brillait maintenant d'une couche gluante d'organes de poisson-ange. Storm redescendit du tabouret qu'il déplaça de nouveau, de manière à pouvoir attraper les pieds de Rivera. Il souleva et fit glisser le plan dur sur l'épais bord biseauté du verre, puis lui plongea la tête dans l'aquarium.

Il s'agissait en gros d'une forme de simulation de noyade. Version Storm. Avec une murène affamée en guise de petit supplément.

Storm compta jusqu'à trente avant de ressortir Rivera de l'eau. L'homme émergea en cherchant sa respiration et en crachant.

— Bon sang, mais que voulez-vous ? fit-il entre deux bouffées d'air avalées goulûment. De l'argent ? C'est de l'argent que vous voulez ? Je vous donnerai...

Storm rebascula le haut de la planche dans l'eau pour immerger Rivera de nouveau. Cette fois, il compta jusqu'à quarante-cinq.

La murène n'avait pas encore pointé son nez, à la grande déception de Storm, car, si Villante avait raison, Rivera était responsable de la mort de plus d'un millier de personnes à travers le monde. Se faire dévorer le visage par une murène était le moindre de ses châtiments. Storm le ressortit de nouveau de l'eau.

— Seigneur, je vous en prie, dit Rivera, les yeux exorbités par la peur, la poitrine soulevée par la pression des poumons qui tentaient de pallier le manque d'oxygène.

— Le Seigneur est le moindre de vos soucis en ce moment, assura Storm avant de replonger l'homme sous l'eau.

Cette fois, il compta jusqu'à soixante. Et peut-être un peu plus lentement, histoire de laisser sa chance à la murène.

Lorsqu'il ramena Rivera à la surface, aucun mot ne sortit de la bouche du Panaméen. Seule ne comptait plus désormais que sa survie. Il ne suppliait plus, ne discutait ni ne cherchait plus à amadouer son bourreau. Exactement comme Storm l'espérait.

— Erik Vaughn, déclara-t-il. Je veux que vous me parliez du membre du Congrès, que vous me racontiez tout.

— Vaughn ? Qu'est-ce que vous... ? Qu'est-ce que vous... ?

Storm soupira d'impatience et lui enfonça de nouveau la tête sous l'eau. Il compta jusqu'à quatre-vingt-dix cette fois.

Puis il s'inquiéta : peut-être était-il allé trop loin, car l'homme se débattait de moins en moins.

Lorsqu'il le remonta, Rivera semblait ne plus respirer. Storm allait se résoudre à lui appuyer sur le diaphragme lorsque son souffre-douleur vomit un plein estomac d'eau salée, toussa plusieurs fois et reprit sa respiration.

— S'il vous plaît, je vous en prie, articula-t-il faiblement. Je ne sais pas ce que vous...

— Je parle du rayon laser au prométhium que vous avez utilisé pour abattre l'avion d'Erik Vaughn en plein ciel, dit

Storm. Vous allez tout me raconter. Non seulement comment vous vous y êtes pris, mais avec qui et comment vous vous êtes procuré le prométhium. Vous allez aussi me dire où vous cachez William McRae, le scientifique que vous avez enlevé. Et vous allez me fournir une telle quantité de détails que je saurai que vous n'avez rien inventé. Et ce, illico.

Rivera ne pipait mot, il luttait piteusement pour retrouver son souffle. Storm était sûr de l'avoir moralement brisé. Mais peut-être fallait-il lui fournir des arguments un peu plus convaincants encore. Il bascula de nouveau la planche.

— Non ! Non ! S'il vous plaît ! hurla Rivera. Je vous promets, je ne suis au courant de rien. Rien de...

Storm abaissa de nouveau la planche, mais ne compta que jusqu'à soixante cette fois, uniquement parce qu'il n'avait pas envie du tout d'avoir à lui faire le bouche-à-bouche. Jamais de la vie. Surtout pas avec son visage couvert d'entrailles de poisson.

— Vous sembliez plutôt ravi d'apprendre la mort de Vaughn, dit Storm en remontant Rivera. Il paraît même que vous avez convié le Tout-Panama à venir fêter sa mort avec vous.

— Oui, oui, je sais, dit Rivera, toujours hors d'haleine. Vous avez raison. J'en étais très heureux. Ce membre du Congrès me met des bâtons dans les roues pour l'obtention des fonds dont j'ai besoin pour le projet d'expansion du canal. J'ai dit de terribles choses à son sujet et j'en suis sincèrement désolé, mais je ne l'ai pas fait tuer. Je vous le jure.

— Dans ce cas, comment saviez-vous qu'il était mort avant que les médias ne l'annoncent ?

— J'ai un cousin qui a émigré aux États-Unis dans les années 1980. Il a la nationalité américaine maintenant. Il travaille à la FAA.

— Son nom et sa date de naissance ?

Rivera se hâta d'obtempérer.

— Je vais faire procéder aux vérifications qui s'imposent, déclara Storm, mais, en attendant, j'accorde encore une chance à la murène.

Rivera replongea. De son téléphone satellite, Storm appela le cagibi pour demander que l'un des petits génies vérifie vite fait les registres du personnel de la FAA. Sans surprise, le cousin existait bel et bien.

Storm remonta Rivera. La murène ne s'était pas montrée. Toute cette agitation l'avait probablement effarouchée et incitée à rester cachée. Dommage.

— On me dit que vous mentez, annonça Storm.

— Non, s'il vous plaît, s'il vous plaît ! Je vous ai dit la vérité, je le jure ! Écoutez, je ne suis absolument pour rien dans la mort de ce député, mais je peux peut-être vous aider.

— J'écoute.

— Vous avez parlé d'un laser, au prométhium, c'est ça ?

— Oui.

Il se força à parler vite entre deux respirations.

— Alors que j'étais aux écluses, il y a peut-être trois ou quatre semaines, un de mes amis là-bas m'a parlé d'une rumeur. Apparemment un bateau avait déclenché les détecteurs de radiations nucléaires... Comment appelle-t-on ça ?...

— Les compteurs Geiger ?

— Oui, c'est ça, les compteurs Geiger. La nouvelle a fait le tour des écluses. Tout le monde ne parlait que de ça. Il y a toujours la peur que des terroristes tentent quelque chose sur le canal. On a mis le bateau à l'écart pour le fouiller et on a trouvé le conteneur qui déclenchait le compteur. Je ne connais pas tous les détails, mais les analyses ont montré qu'il renfermait du prométhium.

— Ils l'ont gardé ?

— Non, ils n'ont pas pu. Cette cargaison n'étant pas destinée à l'importation au Panama, la douane n'a rien pu faire. On a tout remballé avec force protections pour éviter que les radiations ne rendent les marins malades, et on a laissé repartir le navire. Il existe toute une liste de substances dangereuses qu'on a le droit de retenir, mais le prométhium n'en fait pas partie.

— Alors, on l'a laissé passer.

— Oui.

— Et en quoi est-ce censé m'aider ?

— Je me souviens du nom de l'expéditeur. Il figurait sur les formulaires, et ma source, aux écluses, m'a expliqué de qui il s'agissait. Une société égyptienne appelée « Ahmed Métal Génération »

— « Ahmed Métal Génération », répéta Storm pour s'assurer qu'il avait bien entendu.

— Oui, c'est ça. Trouvez cette société et vous aurez la provenance de votre prométhium.

Storm quitta la chambre sans un mot supplémentaire. Il n'avait plus besoin d'Eusebio Rivera ni aucun désir de le voir lui ralentir sa sortie en appelant la sécurité de l'immeuble.

Toutefois, Storm n'était pas dépourvu de compassion. Il détacha Hector qui, en guise de remerciement, s'affala par terre, toujours profondément endormi. La salive lui coulait entre les lèvres.

Hector finirait bien par se réveiller. Il se souviendrait alors d'avoir été taclé par-derrière et se demanderait pourquoi son patron était perché en haut de l'aquarium. Puis il détacherait tout le monde et chacun retournerait à ses moutons. Il ne s'était rien passé de grave, personne n'avait souffert, si ce n'était la fierté de Rivera et le poisson dont Storm avait ouvert le ventre. Dommage collatéral.

— Cligne une fois de l'œil si tu veux que je change de chaîne, dit Storm à César, qui ne bougea pas un cil.

— Bon match, alors.

Pour témoigner sa reconnaissance, César adressa à Storm un regard souriant.

Storm quitta l'immeuble par l'ascenseur, et, donc, nettement plus rapidement qu'il n'y était entré. Villante l'attendait dans sa Cadillac, garée devant, dans la rue.

— Jones veut un rapport, annonça-t-il à Storm.

Il était plus de deux heures du matin, autrement dit plus de trois heures pour Jones, mais, bien sûr, le patron n'était pas couché.

Storm sortit son téléphone satellite et se prépara au mensonge. Si le prométhium venait de chez Ahmed Métal Génération, la dernière chose que Storm voulait était que Jones l'apprenne. Peu importe ce qu'il découvrirait au sujet de cette société, il lui faudrait se passer de l'aide du cagibi.

— Tu as trouvé quoi ? demanda Jones.

— C'est une impasse. Rivera ne sait rien.

— Tu en es sûr ?

— Mes méthodes sont efficaces, assura Storm.

— Bon, j'ai une autre piste pour toi. Tu te souviens de cette Ingrid Karlsson dont je t'ai parlé ?

— Oui.

— Apparemment, son offre de récompense a rapporté d'importantes informations, dit Jones.

— De quoi s'agit-il ?

— Elle n'a rien voulu dire au téléphone. Toutefois, elle veut bien en parler de vive voix à la personne de confiance que je lui envoie.

— Et c'est moi que vous envoyez ?

— Exactement. Elle passera te prendre à l'emplacement F-18 de la marina du casino de Monte-Carlo, dans deux jours, dit Jones. Tu n'as rien contre un petit voyage à Monaco, non ?

— Vous savez à quels sacrifices je suis prêt.

15

Monte-Carlo, Monaco

L'homme resplendissant de fraîcheur et de raffinement qui fit son entrée dans la salle de jeux du casino de Monte-Carlo n'avait plus rien à voir avec le boy-scout qu'il avait été.

Le passage de Derrick Storm dans cette grande institution que forment les boy-scouts d'Amérique avait eu pour résultat, il faut bien le dire, quelques fâcheux désagréments : un bref accès de pyromanie vers l'âge de douze ans, qui avait failli se solder par l'incinération de la voiture de son père, une tendance à encourager ses plus jeunes compagnons à se livrer à des chasses au dahu, dont au moins une s'était terminée par la perte d'un louveteau dans les bois au milieu de la nuit, et, plus tard, une fascination pour un certain camp de girl-scouts, de l'autre côté du lac, pour laquelle il avait failli se faire arrêter.

Néanmoins, tout ce temps passé au sein de ladite organisation avait eu au moins un bienfait : Storm en avait retiré le sens de la confiance en soi, car il prenait très à cœur la devise scoute : « Toujours prêt. »

Or donc, là où un homme de moindre valeur aurait pu se sentir submergé face à une telle situation d'urgence qu'une soirée à passer à Monaco (l'un des plus grands terrains de jeux du monde) sans rien avoir à faire, Storm s'était trouvé à la hauteur de l'enjeu.

Le fait d'avoir les bons amis ne nuisait pas, en l'occurrence. Dès qu'il eut raccroché avec Jones, ses calculs lui permirent d'estimer qu'il était près de neuf heures du matin à Monaco.

Cela lui parut une heure raisonnable pour appeler Jean-François Vidal, le directeur général de la Société des bains de mer de Monaco, compagnie fondée par la famille royale des Grimaldi pour gérer les plus importants actifs touristiques de la principauté.

C'était par ailleurs un homme qui devait sa vie, sans parler de la préservation de la façade de son plus célèbre hôtel lors d'un attentat à la bombe, à la débrouillardise d'un certain agent de la CIA.

Aussi, lorsque Storm s'annonça sur son téléphone satellite, il reçut une réponse d'un Vidal à moitié chantant.

— Derrick, Derrick, Derrick ! Quelle joie de vous entendre ! Je vous en prie, dites-moi que vous m'appelez pour m'annoncer votre venue sur notre cher Rocher.

— C'est le cas.

— Quelle merveilleuse nouvelle ! Je vous en prie, dites-moi que vous me ferez l'honneur d'être mon hôte ; cela me ferait le plus grand plaisir de vous accueillir dans mon établissement.

— C'est le cas.

— Je vous en prie, dites-moi que vous acceptez les services de la limousine que j'envoie vous chercher à l'aéroport.

— C'est le cas.

— Je vous en prie, dites-moi que vous me permettez de vous préparer l'une de nos plus belles suites à l'Hôtel de Paris ?

— Bien volontiers.

— Je vous en prie, dites-moi que vous restez au moins une semaine. Un mois, peut-être ?

— Hélas, une nuit seulement.

— Quel dommage ! Y a-t-il quoi que ce soit que je puisse faire pour vous ?

— Je baigne actuellement dans un survêtement blanc qui sent un peu trop la peur et le poisson cru. Je suppose qu'on pourrait améliorer ça.

— Ne vous souciez de rien.

Vidal ne prit pas la peine de s'enquérir de sa taille ni de sa marque préférée ou s'il souhaitait ses chemises amidonnées, car il était le genre d'homme à savoir ce genre de choses et à s'en charger.

— Autre chose ? demanda-t-il.

— Rien pour le moment. Cela dit, j'espère que vous vous joindrez à moi plus tard pour prendre un verre.

— Ce sera un honneur et un privilège.

— Oh ! Et, Jean-François ?...

— Oui, très cher Derrick ?

— Je sais que vos intentions sont louables, mais pas de prostituées, d'accord ?

Vidal avait tendance à pousser l'hospitalité un peu trop loin à son goût. Certes, c'était une activité légale à Monaco, mais ce n'était pas trop le style de Storm.

— Bien sûr, assura Vidal avant de raccrocher en se moquant des Américains et de leur pudibonderie.

Dix heures et demie plus tard, poussé par un vif vent arrière, le même Gulfstream IV qui avait transporté Storm au Panama atterrit à l'aéroport de Nice, en France.

Le barbouze fut ensuite conduit jusqu'à Monaco en deux temps trois mouvements par une longue limousine Lexus, qui le déposa à l'Hôtel de Paris. Une fois franchies les hautes colonnes de la façade ornée d'imposantes cariatides, il pénétra dans le hall tout en marbre, un vaste espace lumineux agrémenté en son centre d'un arrangement de fleurs coupées presque aussi grand que lui.

On le conduisit alors à la suite présidentielle Winston-Churchill, où l'ancien Premier ministre séjourna en personne à de nombreuses reprises et qu'il aurait contribué à meubler et décorer. Deux de ses lithographies étaient encore accrochées aux murs.

Une fois à l'intérieur, Storm eut tôt fait de constater que Vidal avait pensé à tout. Dans le placard était suspendu sur cintre un smoking Brioni spécialement taillé sur mesure, une paire de a.testoni sagement rangée dessous.

Une corbeille de fruits, pas aussi haute que l'arrangement floral du hall mais presque, et une bouteille de champagne Goût de Diamants l'attendaient dans le salon. Les rideaux étaient ouverts afin de lui permettre de contempler la magnifique vue à deux cent soixante-dix degrés sur les lumières de la ville qui émanaient de la falaise et allaient se perdre dans l'obscurité de la Méditerranée.

Quelques instants après que Storm se fut installé, une masseuse frappa à la porte et insista pour lui faire oublier le torticolis contracté lors de son vol grâce à un vigoureux massage. Après cette petite séance, suivie d'un rapide jogging et d'une douche, Storm se sentait comme neuf, moralement et physiquement.

Ce n'était plus un globe-trotter débraillé toujours dans ses vêtements de la veille qui sentait vaguement le poisson, mais un charmant gentleman plein d'assurance, dont la tenue vestimentaire indiquait à tous qu'il appartenait au monde des athlètes professionnels, des célébrités, des monarques et des très, très riches.

Il était un peu plus de vingt-deux heures, heure à laquelle la vie nocturne de Monaco commençait tout juste à se mettre en train, lorsque Storm traversa la place sur laquelle se dressait le splendide édifice Belle Époque du Casino, le célèbre temple du jeu

À son entrée dans la salle, il fut immédiatement salué par Vidal, qui l'embrassa sur les deux joues.

— Vous avez l'air en pleine forme, comme toujours, Derrick.

— Grâce à vous.

— Je vous ai ouvert un crédit de deux cent mille euros. Il

vous suffit d'une signature à la caisse. J'espère que cela vous convient ?

— C'est parfait. Vous êtes trop gentil, Jean-François.

— Vous savez bien que je ferais n'importe quoi pour vous, Derrick. Avec ce que je vous dois...

— Rien du tout, venez plutôt trinquer.

Deux cocktails plus tard, de quoi se lubrifier le gosier sans s'enivrer, Storm s'attabla pour sa première partie de black jack. Les deux premières cartes qu'il reçut furent un as et une reine, ce qui donna le ton pour l'extraordinaire séance qui suivit.

Pendant une heure, la chance lui sourit. Il doubla la mise sur des onze, des dix, des neuf, même des huit et des sept, avec succès chaque fois. Il splitta des six et remporta les deux mains. Il demanda une carte sur un seize alors que le croupier avait tiré un valet et se vit distribuer un cinq. Sur un treize, il décida de rester et fit sauter la banque.

Ses mises avaient beau être modestes, car il n'avait aucune intention de tester les limites de ses deux cent mille euros, sa pile de jetons n'en cessait pas moins de croître, au point qu'il s'en trouva presque gêné. Il ne cessait de changer les plus petits pour des gros afin de dissimuler sa réussite, en vain.

Sans même avoir besoin de compter, il se savait en possession de plusieurs centaines de milliers d'euros. Les autres joueurs, deux messieurs allemands âgés, se mirent à applaudir ses succès en les ponctuant d'un *Gut, sehr gut !* ou d'un hochement de tête accompagné d'un *Mein Gott, mein Gott !*

En attendant, un autre jeu se déroulait en parallèle. À deux tables de là, une rousse d'une beauté saisissante ne cessait de jeter des coups d'œil à Storm. Ses hautes pommettes lui donnaient un air aristocratique. Elle portait un très léger maquillage, dont elle aurait même pu aisément se passer. Sa flamboyante chevelure était relevée en un savant chignon au-dessus de sa nuque, et son cou gracile était orné d'un collier scintillant. Sa robe d'un bleu acier assorti à ses yeux offrait un décolleté si plongeant qu'on ne pouvait plus vraiment parler de décolleté. On lui voyait quasiment le nombril. Son corps rendait hommage aux vertus de l'exercice physique.

Bref, elle était éblouissante.

Elle n'arrêtait pas de consulter discrètement son téléphone, comme si elle attendait quelque chose…, un message, un appel. Mais rien ne venait. Son front, par ailleurs parfaitement lisse, se plissait légèrement chaque fois qu'elle sortait l'appareil de la minuscule pochette ornée de brillants posée à côté d'elle.

Autre chose indiquait cependant à Storm que cette femme pulpeuse au teint si pâle n'était pas vraiment à l'aise. Il percevait une certaine indécision en elle. De l'hésitation. Mais ce n'était pas calculé pour séduire. Ou alors ?...

Dès que Storm regardait dans sa direction et croisait son regard, elle détournait les yeux, comme s'ils ne s'étaient posés sur lui que par pur hasard.

Le manège se reproduisit plusieurs fois avant que Storm finisse par accompagner son regard d'un sourire. Cette fois, elle rougit avant de tourner la tête.

La pile de jetons devant elle, qui n'était déjà pas très grosse pour commencer, ne cessait de diminuer. Cela ne semblait pas l'inquiéter. Storm décida de ne plus lui prêter attention pendant un moment, histoire de voir quel tour prendraient les choses. Lorsqu'il finit par céder et lui permit d'entrer de nouveau dans son champ visuel périphérique, il constata qu'elle ne l'avait pas lâché des yeux.

Puis elle regarda de nouveau son téléphone. Une fois de plus, elle vérifia ce qu'elle vérifiait depuis le début. Une fois de plus, le téléphone sembla la décevoir. Elle secoua la tête. Puis elle se leva. Sa décision semblait prise.

Storm reporta son attention sur sa table de jeu. Le croupier venait de lui distribuer deux huit. Il opta pour le split afin de ne pas partir sur un seize face au sept du croupier. À ses huit vinrent s'ajouter un roi et un quatre. Il resta sur le dix-huit et demanda une carte sur le douze, auquel s'ajouta donc un quatre. C'était bien la peine de vouloir éviter le seize…

Il choisit alors de rester. Le croupier retourna une reine. Un partout, balle au centre.

Absorbé qu'il était par toute cette action, Storm ne remarqua pas que la rousse se tenait maintenant derrière lui. Elle était encore plus grande et plus menue qu'il ne l'avait cru. Elle lui posa une main légère sur l'épaule. Ses lèvres rose pâle s'approchèrent de son oreille.

Pas un mot ne sortit de sa bouche. Elle passa juste derrière lui, laissant dans son sillage de légers effluves de lavande, et sortit sur le balcon.

Storm sentit un spasme involontaire lui contracter l'abdomen. Il fit signe à Vidal, qui avait assisté à toute la scène tandis qu'il bavardait non loin avec ses inspecteurs.

D'un pas fluide, le Français vint rejoindre Storm à sa table. Le joueur retira sa mise pour indiquer au croupier qu'il passait son tour.

— Je croyais vous avoir dit que je ne voulais pas de prostituées, dit Storm, non pas parce qu'il pensait vraiment qu'elle en fût une, mais parce que Vidal le saurait avec plus de certitude.

— Ce n'est pas une prostituée, mon ami, assura Vidal. Je ne connais pas cette femme, mais je connais les bijoux qu'elle porte. Il s'agit d'une pièce de chez les frères Mouawad. Peut-être avez-vous entendu parler d'eux, non ? Un de leurs colliers, baptisé « L'Incomparable », s'est récemment vendu cinquante-cinq millions de dollars. La pièce qu'elle porte n'est pas tout à fait aussi raffinée et, sans une loupe, je ne saurais dire avec certitude... Mais il doit bien valoir, disons, deux, trois millions d'euros !

Storm laissa échapper un sifflement, puis Vidal reprit :

— Tout ce que je peux dire, c'est que ce n'est pas une prostituée. Elle est sans doute bien d'autres choses. En tout cas, pour l'instant, elle est seule. Un terrible gâchis, à mon avis.

Storm jeta quelques jetons devant lui pour signaler au croupier qu'il souhaitait reprendre la partie. Il reçut deux valets. La banque avait retourné un as et demandait aux joueurs s'ils voulaient une assurance. Storm déclina, de même que les Allemands. Aussitôt, ils le regrettèrent, car le croupier retourna un roi.

La chance tournait. Du moins, au black jack. En ce qui concernait l'autre jeu, cela restait à voir. Il lança un jeton de dix mille euros au croupier et quitta la table.

— Ah ! le légendaire Derrick Storm ne déçoit jamais le sexe faible, n'est-ce pas ? chantonna Vidal.

— Vous ne voyez pas d'inconvénient à demander à ce qu'on s'occupe de ça pour moi, n'est-ce pas ? demanda Storm en indiquant d'un geste ses jetons. Je préférerais ne pas m'encombrer ce soir.

— Certainement. Souhaitez-vous que la somme soit livrée à votre suite en lingots ? En euros ? En dollars ? En livres ? Vous savez que nous serons ravis de satisfaire tous vos désirs.

— Laissez-la simplement sur mon compte, dit Storm. On ne sait jamais, elle pourrait me servir plus tard. J'aime être couvert.

— Très bien, fit Vidal, puis il hocha la tête en direction du balcon. J'espère que vous êtes aussi couvert pour ça.

— Nous verrons, mon ami, dit Storm. Nous verrons.

Après une tape sur l'épaule de son hôte, il se dirigea vers le balcon.

Monaco était le genre d'endroit où il était plus probable d'assister à des embouteillages à minuit qu'à midi. À l'approche de cette heure fatidique, la ville baignée de lumière était très animée.

Toutefois, le bruit n'atteignait pas le balcon. Seule la musique d'un quatuor à cordes, qui venait d'entamer son récital, s'échappait par les portes ouvertes du casino. De la Méditerranée soufflait un doux air chaud chargé d'iode.

Storm s'avança vers la femme en robe bleu acier, qui, seule près de la balustrade en pierre, contemplait la mer. À son approche, elle se retourna.

Quelques mèches rousses s'étaient échappées de son chignon et s'agitaient sous la brise. De près, elle était encore plus envoûtante que dans la salle bondée du casino.

— J'avais quelque chose sur mon smoking ? demanda Storm.

— Pardon ?

— À la manière dont vous me regardiez, j'ai cru que je m'étais peut-être renversé quelque chose sur moi. Je suis terriblement maladroit dans ce domaine.

— Oh ! Non. Non, ce n'était pas du tout cela.

— Ce n'était donc pas mon smoking. Mon visage, alors. Je dois avoir quelque chose sur le visage. Il faut que vous me montriez où.

Il se rapprochait encore, comme pour lui permettre de lui indiquer le défaut qui avait tant attiré son regard.

— Non, non, assura-t-elle.

Il était très près maintenant, suffisamment pour que la senteur de lavande lui emplisse de nouveau les narines. Avec la discrète odeur de sel marin, cela formait un merveilleux parfum, un parfum que personne ne pourrait jamais mettre en bouteille. Un parfum aussi que Storm associerait toujours à cet instant, à cette femme, à cet endroit.

Certains auraient pu croire qu'un homme comme Derrick Storm, qui avait connu tant de femmes, ne serait guère ému par une nouvelle conquête. À dire vrai, au contraire. Chaque nouvelle expérience n'était que renforcée par le souvenir des précédentes liaisons et l'anticipation des prochaines. À ses yeux, la gent féminine était une source de fascination infinie, dont les complexités ne cesseraient jamais de l'intriguer.

— Eh bien, peut-être que si nous faisions plus ample connaissance, vous vous sentiriez plus à l'aise pour m'avouer de quoi il s'agit. Je m'appelle Derrick Storm.

— Je sais, dit-elle. Je vous ai vu parler avec le directeur

et je lui ai demandé votre nom. Il a dit que vous étiez un homme... très généreux.

— C'était très gentil de sa part.

Leurs visages n'étaient plus qu'à quelques centimètres d'écart. Il sentait son propre cœur battre un peu plus vite que nécessaire compte tenu de son niveau de fatigue et il remarqua qu'elle rougissait légèrement sous la fine couche de poudre qui lui teintait les joues. Elle aussi devait avoir le cœur battant.

— Il a dit que vous aviez sauvé le casino de la destruction, dit-elle.

— Je suis sûr qu'il a exagéré.

— Il a dit que vous étiez un héros.

— Pour d'autres, je suis une fripouille. Tout ça n'est qu'une question de point de vue.

— Et quel est le vôtre ?

— Mon point de vue sera immensément amélioré une fois que je vous aurai embrassée.

Il baissa la tête et posa ses lèvres sur les siennes. Elle répondit de tout son corps en se collant contre lui, puis elle posa une main sur sa poitrine. Storm était un connaisseur en matière de baisers. Par conséquent, il savait que le premier, malgré tout le romantisme qu'on lui prêtait dans les chansons et les poèmes, n'était jamais vraiment le meilleur.

C'était plutôt une promesse, un indice de ce que l'avenir réservait, une fois différents styles abordés. Quoi qu'il en soit, il lui fallait bien admettre que ce premier essai laissait entrevoir un réel potentiel.

Il commençait tout juste à lui caresser le menton lorsqu'elle lui repoussa la main.

— J'ai un petit ami, dit-elle vivement.

— Moi ? demanda Storm. Euh, c'est un peu rapide, mais, oui, je serai volontiers votre petit ami.

— Non, non, dit-elle, confuse. Je veux dire que je suis avec quelqu'un.

Storm regarda théâtralement autour d'eux.

— Pourtant, je ne vois personne. S'agit-il d'un homme doué d'invisibilité ?

— Non. Il était censé me retrouver ici, mais c'était il y a deux heures.

— Je vois, dit Storm. Et c'est la première fois qu'il est en retard à un rendez-vous ?

Elle fit non de la tête.

— C'est la seconde fois ?

De nouveau, elle fit non de la tête.

— Avez-vous des raisons de penser qu'il souhaiterait désespérément être là, mais qu'en fait, il gît au fond d'un fossé, impotent et dans l'incapacité de vous faire parvenir directement ou indirectement un appel de détresse ?

Nouveau hochement de tête négatif.

— Il est coutumier du fait, n'est-ce pas ?

Cette fois, elle opina du chef.

— Alors, il est stupide, dit Storm. Et je ne dis pas ça uniquement parce qu'il est absurde de laisser seule une belle femme comme vous, mais parce que l'amour d'une femme belle ou ordinaire, peu importe, est la chose la plus exceptionnelle qui puisse arriver à un homme et qu'il est totalement idiot de traiter ce bien le plus précieux comme une vulgaire marchandise jetable.

Nouveau hochement de tête.

— Je peux vous raconter une brève anecdote sur l'amour ? Je pense qu'elle vous plaira.

De la main gauche, il entrelaça ses doigts dans les siens tandis que la droite lui glissait dans le bas du dos. Bien qu'il eût adopté une position de danse, il ne se mit pas vraiment à danser. Il se balança simplement.

— Je n'ai pas réellement eu l'occasion de voir comment s'y prenaient mes parents dans leur relation, parce que ma mère est décédée alors que j'étais encore enfant, commença-t-il. En revanche, j'ai bien vu comment faisaient mes grands-parents. Mon grand-père Storm était un gentleman à l'ancienne. Il tenait toujours ma grand-mère par le bras, où qu'ils aillent, même pour se rendre à l'épicerie. Et il lui tenait toujours la porte... Toutes les portes : les portières de voiture, la porte de la grange, celle de la salle de bain. S'il y avait une porte, grand-père la tenait pour elle. Il était très attaché à ma grand-mère, et c'était l'une des petites attentions dont il usait pour lui témoigner son amour.

» Bref, un jour où ils sortaient dîner au restaurant, grand-père a eu une mégacrise cardiaque. Il aurait dû mourir sur le coup, mais il y avait une porte à ouvrir. Je ne sais pas si c'est parce qu'il avait peur que ma grand-mère ne sache pas l'ouvrir ou quoi, en tout cas, il a réussi à tituber jusqu'à elle pour la lui tenir. Ce fut littéralement son dernier geste.

» Quand l'ambulance est arrivée, il a fallu lui arracher la poignée des mains. À l'enterrement, j'ai dit à tout le monde que j'ignorais si le paradis existait, mais que, si c'était le cas, grand-père y serait pour tenir la porte à grand-mère.

Du balancement, il était maintenant passé à la danse. Pas de manière ambitieuse. Pas encore. Mais tout de même, ils dansaient.

— Voilà ce qu'est l'amour, conclut-il. Du moins pour moi. Maintenant, en ce qui concerne votre soi-disant petit ami, poursuivit-il en indiquant d'un signe de tête la petite pochette couverte de brillants dans laquelle était rangé son téléphone. Comment compte-t-il vous tenir la porte s'il ne vient même pas jusque-là ?

Après l'avoir fait tourner, il la rejoignit d'un pas expert à la fin de la mesure avec une parfaite synchronisation.

— Il ne devrait peut-être plus être mon petit ami, dit-elle.

— Je pense que ce serait plus sage.

— Vous êtes très bon danseur.

— Oh ! mais nous n'avons même pas encore commencé, déclara-t-il avant de l'emporter dans un nouveau tourbillon.

Ils se mirent à virevolter sur le marbre du balcon, Storm la guidant d'un geste sûr, elle, suffisamment formée dans son pensionnat, sa préparation au bal des débutantes, ou peu importe l'endroit où les jeunes femmes de bonne famille modernes apprenaient ce genre de choses, suivant sans aucune difficulté.

Il leur fallut peut-être un ou deux morceaux pour apprendre à anticiper les mouvements de l'autre, puis leurs pas se firent merveilleusement synchrones, au point qu'il avait à peine à lui signifier ses intentions pour qu'elle ne sente quasiment plus ses pieds toucher le sol.

Tout à la musique et au mouvement, ils n'échangèrent pas un mot pendant un moment. Lorsqu'elle ouvrit enfin la bouche, Storm fut quelque peu pris au dépourvu.

— Jacques ! s'exclama-t-elle.

Un jeune homme, le visage bouffi, les yeux vitreux et rouges, la goutte au nez, sortait sur le balcon en titubant. Il arborait un smoking à cinq mille dollars, au bas mot, mais sans aucune élégance ni respect pour sa splendeur.

Son nœud papillon était de travers, sa chemise vaguement rentrée dans son pantalon faisait elle aussi très négligée. Le jeune homme était mince, mais on percevait déjà la bedaine qu'il développerait un jour.

De manière légitime ou non, Storm eut tôt fait de le cataloguer. Ce jeune homme faisait partie d'une espèce courante à Monaco, et dans tous les autres endroits où les riches oisifs aimaient à se retrouver : il avait reçu une éducation de premier ordre et toutes les opportunités de réussir, mais n'en avait tiré aucun parti. Au contraire, il s'était contenté de dépenser l'argent si durement acquis par son arrière-grand-père, en en sniffant ou en en buvant la plus grande partie.

— Ah ! tu es là, connasse ! la savonna Jacques en français.

Storm se lança dans une réponse en français également.

— Tout doux sur les insultes, mon...

— Laissez, je m'en occupe, dit doucement la partenaire de danse de Storm avant de faire face à son futur ex-petit ami. Jacques, tu étais censé me rejoindre il y a plus de deux heures. J'en avais assez de t'attendre, tout comme j'en ai assez d'attendre que tu mûrisses un peu. C'est fini entre nous, Jacques.

— Quoi, à cause de ce crétin, là ? fit Jacques sans même accorder un regard à Storm. Combien t'a-t-il coûté ?

Storm se rapprocha, prêt à lui signifier sa désapprobation par un commentaire bien senti, mais la jeune femme le devança.

— Non, ce n'est pas à cause de cet extraordinaire gentleman. Tu veux savoir pourquoi ? Parce que les seules fois où tu te montres gentil avec moi, c'est quand tu veux faire l'amour avec moi ou me laisser régler l'addition. Parce que, malgré tes beaux discours sur tout ce que tu vas accomplir, jamais tu ne lèves le petit doigt. Et parce que le seul endroit où tu sembles pressé, c'est au lit.

— Comment oses-tu, sale traînée ? répliqua Jacques.

Il leva les mains en l'air, recula, serra le poing et balança tout son poids sur son pied arrière. Mais jamais il ne parvint à le transférer sur le pied avant.

Avant qu'il ne porte son coup, Storm lui décocha une balayette du pied dans le ventre. Le défenseur sentit plusieurs côtes se comprimer, et vraisemblablement céder, puis il envoya chanceler son adversaire en arrière dans le mur du casino. La tête de Jacques heurta la pierre et il s'effondra.

Storm se rapprocha et dut faire un effort pour retenir son envie de l'envoyer basculer par-dessus le balcon. Cela aurait été plaisant, c'était certain, mais, si le jeune homme appartenait vraiment à une grande famille, cela causerait des ennuis à Jean-François. Storm s'en serait alors voulu.

Au lieu de cela, il souleva le bras de son adversaire pour lui prendre le pouls.

— Dommage. Son cœur bat encore, dit-il, puis il laissa son bras retomber le long du corps. Si on dansait ?

— Non, non, dit-elle, encore toute rouge. Il faut partir.

— Pourquoi ? Ce récital comprend sans doute encore au moins deux ou trois morceaux...

— Vous ne comprenez pas. La famille de Jacques dispose d'importantes forces de sécurité. Enfin, ils appellent ça comme ça, mais en réalité ce sont des hommes de main. Quand ils apprendront ce qui s'est passé...

— Je peux me débrouiller.

— Je n'en doute pas, dit-elle en se rapprochant de lui, lui emplissant le nez de son parfum de lavande. Toutefois, je n'ai pas l'intention de gâcher ma soirée à vous regarder vous battre avec tous les gorilles du coin. Nous avons mieux à faire.

Storm fit de son mieux pour garder son sourire pour lui.

— Oui, je suppose que vous avez raison. On pourrait battre en retraite dans ma suite à l'Hôtel de Paris, si vous voulez.

— Non. Ils risquent de venir vous chercher à l'hôtel. Et on ne peut pas aller chez moi non plus. En revanche, ma famille possède pas loin d'ici un petit pied-à-terre dont Jacques ignore l'existence. Ce n'est pas très spacieux, mais il y a assez de place pour deux, si cela vous dit.

— Ça me dit, confirma-t-il. Ça me dit.

Il veilla à lui tenir toutes les portes en chemin.

Le petit pied-à-terre de sa famille se révéla être une somptueuse maison baroque du début du dix-huitième siècle, juchée au sommet d'une falaise avec vue plongeante sur la mer. Ses façades offraient une exubérante illustration de ce style très ornementé, dont les formes curvilignes et théâtrales évoquaient à la fois le mouvement et la sensualité.

Aussitôt, Storm réfléchit aux avantages et aux inconvénients de ce genre d'architecture forte : il espérait que cela n'allait pas lui casser la baraque. L'intérieur était richement décoré, dans un style peut-être plus rococo que baroque.

Il dégageait une impression assez impersonnelle et on sentait que personne ne vivait là. Il ne s'agissait vraisemblablement que d'un point de chute... pour riches, donc minutieusement entretenu, mais rarement utilisé.

La rousse, dont il ignorait toujours le nom, lui demanda de monter l'attendre sur la terrasse sur le toit pendant qu'elle s'occupait de certaines petites choses en bas. De son perchoir, Storm percevait le déferlement des vagues contre la paroi de la falaise une trentaine de mètres plus bas. Leur rythme exerçait un effet magique, proche de l'hypnose.

Il se tourna vers l'horizon de la mer, vers l'Afrique et, si son sens de l'orientation était juste, Tanger. Pendant un moment, la ville marocaine avait figuré sur le certificat de décès que Jedediah Jones lui avait fait parvenir.

Telle était l'idée que son patron se faisait d'une bonne blague. Storm repensa à la mission qui l'avait conduit là-bas et qui avait failli le tuer pour de bon. Alors qu'il était parti capturer un agent du nom de « Vipère », il était tombé dans une embuscade, suite à la trahison de l'un de ses propres hommes. Il avait fini sur le carrelage froid par terre, dans une mare de sang, le ventre criblé de balles.

C'était grâce à un dénommé Thami Harif, dit « Tommy », qu'il s'était refait une santé. Ce vieux loup de mer de la marine américaine était doté de la double nationalité américano-marocaine. Son aide et son silence avaient été achetés par Jones dans le cadre d'un marché dont Storm se réjouissait d'ignorer les détails. Storm avait également appris à ne pas poser de questions sur les autres sources de revenus de Tommy, qui menait plutôt grand train.

À un moment donné, durant sa convalescence, Storm était tombé par inadvertance sur un entrepôt rempli de matériel de guerre. Lorsqu'il s'était enquis de la raison d'être de tous ces équipements militaires, Tommy avait pieusement répondu : « Mais c'est pour la justice, évidemment. » Storm avait alors décidé qu'il ne souhaitait pas en savoir plus.

Storm chassa Tommy de son esprit. Il tenta même de se vider totalement la tête. De là-haut, les soucis du monde lui semblaient loin : ces hommes dangereux et leurs armes redoutables, ces avions qui tombaient du ciel, cet horrible secret que voulait révéler Ingrid Karlsson. Il aurait aimé pouvoir prétendre qu'il allait s'en tenir à l'écart, mais il savait qu'il lui faudrait de nouveau y faire face dès le lendemain.

Sa seule consolation était de savoir qu'il lui restait quelques heures encore avant le matin. Il pouvait donc continuer à prétendre, même pour un petit peu de temps seulement.

Au bout d'une dizaine de minutes, sa compagne reparut deux verres de vin rouge à la main.

Elle avait troqué sa robe bleu acier contre un simple caraco à fines bretelles et un caleçon d'homme d'où émergeaient ses superbes jambes qui semblaient interminables. Elle était pieds nus. Sa chevelure rousse libérée lui encadrait maintenant le visage. Elle s'était démaquillée.

Storm dut réviser sa première impression, car elle n'était pas juste éblouissante, c'était tout simplement l'une des plus belles femmes qu'il eût jamais vues, et sans se forcer.

— Désolée, il fallait que je me mette plus à l'aise, déclara-t-elle en tendant l'un des verres à Storm.

Débarrassée de sa tenue de soirée, elle paraissait légèrement plus jeune que Storm ne l'avait d'abord cru. À son avis, elle devait avoir dans les vingt-sept ans, l'âge auquel certaines femmes parviennent enfin à se débarrasser des Jacques qui encombrent leur vie tandis que d'autres, Storm le savait, passaient la leur à essayer.

Ils trinquèrent, puis s'assirent côte à côte face à la mer, sur un banc de pierre agrémenté d'un coussin.

— C'est très joli ici, dit Storm.

Elle respira profondément.

— Je devrais vraiment venir plus souvent, dit-elle.

— Si je possédais un endroit pareil, je ne le quitterais probablement jamais, dit Storm avant de boire une gorgée.

Il conserva d'abord le vin sur le bout de la langue, pour en goûter la suavité, puis il l'aspira par les côtés, afin d'en savourer les tanins.

Les mots qu'elle prononça ensuite le firent sursauter.

— Êtes-vous sérieusement venu jusqu'ici pour me mentir ?

— Pardon ?

— Vous, monsieur, vous êtes un homme d'action. J'ai entendu dire que vous aviez sauvé l'hôtel. Je vous ai vu à l'œuvre avec Jacques. Vous ne pourriez rester confiné dans un endroit pareil, aussi beau fût-il, pas plus que vous ne pourriez vivre dans un bunker souterrain. Vous êtes un voyageur, un explorateur. Il vous faut du mouvement, de l'action, de l'exploit. Vous êtes l'homme qui sauve le monde et vous irez là où il faudra le sauver.

Il haussa les épaules sans mot dire. Elle n'avait pas tort, il le savait, mais il lui était impossible de répondre à ce genre de déclaration sans paraître prétentieux.

— Alors, pourquoi faites-vous ça ? demanda-t-elle.

— Quoi ?

— Pas de fausse modestie, monsieur Derrick Storm. Si d'autres personnes apprenaient qu'une bombe allait rayer de la carte une partie de cette ville, leur première réaction serait de se précipiter sur leur yacht pour fuir le plus loin possible. Or, vous, il paraît que vous avez couru vers la bombe pour la désamorcer. Pourquoi ? Pourquoi êtes-vous celui qui sauve le monde ?

— Parce qu'il faut bien que quelqu'un le fasse, non ?

— Insuffisant, dit-elle. Peut mieux faire.

Storm but une autre gorgée de vin.

— Vous connaissez Einstein et la théorie de la relativité, n'est-ce pas ? demanda-t-il.

— Bien sûr.

— Eh bien, je n'ai rien contre le principe scientifique, mais tout contre ceux qui ne laissent pas Einstein aux physiciens. On veut toujours appliquer la relativité à tout, même à la moralité. On voudrait nous faire croire qu'il n'y a pas d'absolu dans ce monde, que rien ne peut être défini sans rapport avec tout le reste. Ça convient peut-être à la plupart des gens, mais pas à moi. Parce que si on pousse la théorie jusqu'au bout, tout d'un coup, il n'y a plus ni bien ni mal dans ce monde, juste des points de vue différents. Prenez les nazis, par exemple, poursuivit-il. Si on pousse jusqu'au bout la logique, en conclusion, on ne peut plus dire que ce qu'ont fait les nazis était mal. Ce n'est qu'un groupe de gens qui a poussé sa vision du monde à l'extrême, d'accord ? Eh bien, très peu pour moi. Je crois à l'existence du mal absolu et du bien absolu. Certes, il existe aussi tout un éventail de nuances entre les deux, et c'est là que se situent la plupart d'entre nous. Mais quand je vois que des gens situés plutôt du bon côté de la balance vont souffrir de choses qui sont plutôt du mauvais, j'éprouve le besoin d'agir.

— Mais là encore, pourquoi vous ?

— Parce que j'ai toujours été plus grand et plus fort que la moyenne. Parce que j'ai été formé à me servir de cette force. Parce que mon père reste l'un des meilleurs hommes que j'ai connus et que je sais que je le décevrais si je n'utilisais pas les moyens dont je dispose pour protéger les gentils innocents. Et, surtout, parce que, si je ne réagissais pas dans ce genre de situations, je ne suis pas sûr que quelqu'un d'autre le ferait et je ne pourrais pas vivre avec l'idée de n'avoir rien tenté alors que j'aurais pu le faire. C'est un peu le mélange de tout ça, plus un tas d'autres choses auxquelles je n'arrive pas à penser, là, maintenant, parce que ce vin me monte un peu à la tête.

Elle croisa ses magnifiques jambes et le regarda avec sérieux. Elle ne lui en parut que plus séduisante encore, si tant est que ce fût possible.

— Mais comment juger ce qui est mal et ce qui est bien ?

— Avec notre humanité profonde. C'est tout au fond de nous. Ou du moins de la plupart d'entre nous. Il faut juste avoir le courage d'être à l'écoute de ça et d'agir en conséquence.

— Et que se passe-t-il quand c'est vous qui avez besoin d'être sauvé ? Qui s'en charge ?

— Je ne sais pas, répondit Storm. Par chance, cela n'arrive pas souvent.

— En tout cas, si vous avez un jour besoin de quelqu'un pour vous sauver, je serai ravie de me proposer.

— Vraiment ? s'étonna Storm, à la fois amusé et touché. Vous devriez faire attention avec ce genre de propositions. On pourrait vous prendre au mot, on ne sait jamais.

Elle acquiesça de la tête pensivement, puis leva son verre vide.

— Finissez votre verre, Einstein. Vous prenez du retard.

Storm bascula son verre et avala une longue gorgée de vin rouge, digne de ce nom. Puis une autre, jusqu'à la dernière goutte.

Elle lui sourit en le regardant boire, d'un gentil sourire, tout à fait agréable, jusqu'à ce qu'il commence à se tordre. Alors, Storm se rendit compte que ce n'étaient pas que ses lèvres qui paraissaient déformées, mais aussi l'intégralité de son visage. Non, en fait, c'était le monde tout entier.

La nausée l'assaillit plus fort que les vagues dont lui parvenait le fracas en contrebas. Le verre glissa de sa main et il eut vaguement conscience qu'il se brisait sur le marbre.

Il se sentit alors chanceler. Il tenta de crier, de combattre la sensation, de lutter pour rester debout, mais rien n'y faisait ; son corps ne semblait plus lui obéir. Il n'était même pas sûr que son cri ait franchi ses lèvres.

La dernière chose dont il eut conscience avant le noir complet, c'est qu'elle tendait la main vers son téléphone, le ramassait et composait un numéro.

— C'est fait, annonça-t-elle dans le combiné. Vous pouvez venir le chercher.

16

Quelque part en Méditerranée

Il y avait une main sur son visage. Large et poilue. Elle avait l'air de pouvoir se rendre utile, mais elle était un peu moche. Les articulations portaient la marque de trop nombreuses égratignures, de trop nombreux coups de poing. La paume était traversée par une longue cicatrice qui lui semblait étrangement familière et... Oui, en effet, il s'agissait bien de la sienne. Il fit un effort pour la fléchir et elle s'exécuta. Non seulement c'était la sienne, mais il la contrôlait. Un bon début. Il était dans un lit. Un lit douillet, avec des draps en satin et un édredon en plumes qui le protégeaient agréablement du courant d'air froid envoyé par la climatisation au-dessus de sa tête. Il cligna deux fois des yeux. La lumière du soleil pénétrait à flots dans la pièce par les fenêtres à sa gauche. En regardant à l'extérieur, il n'aperçut que des nuages. Mais les nuages se déplaçaient.

Non. C'était lui qui bougeait. Il était sur un bateau. Forcément. C'était un gros bateau, mais il percevait le mouvement des vagues, le ronronnement des moteurs loin en dessous.

Il se dressa sur les coudes.

— Enfin, vous revoilà, chantonna une voix charmante.

C'était la rousse de la veille. Elle portait un tricot bleu sur un short blanc juste assez long pour ne pas provoquer de scandale lorsqu'elle se penchait en avant. Ses cheveux étaient réunis en une queue de cheval. Elle était toujours éblouissante, mais elle avait l'air beaucoup plus empressée.

— Bonjour, monsieur Storm, dit-elle.

Storm émit une sorte de râle qui ressemblait à « Ouu-suuuiiij ». Comme la fin était prononcée sur un ton légèrement plus aigu, son interlocutrice comprit qu'il posait une question.

— Vous êtes à bord du *Princesse guerrière*, l'informa-t-elle. Ce bateau appartient à ma patronne, Ingrid Karlsson. Je m'appelle Tilda. Je suis l'assistante de madame Karlsson. On vous a emmené ici en hélicoptère la nuit dernière, peu après que vous avez perdu connaissance. Toutes mes excuses pour la manière dont nous avons dû procéder, mais madame Karlsson est pointilleuse sur la sécurité. Jamais elle n'arrime son yacht au port. Elle n'aime pas le soumettre aux regards des badauds. Pour elle, c'est une invasion de son intimité.

Storm s'assit sur son séant et se frotta les yeux.

— On dirait que l'occasion de me sauver se présente plus tôt que je ne l'aurais cru, dit-il.

— Oh ! ça ne compte pas, dit-elle. Et désolée d'avoir mis ainsi un terme à notre soirée, hier. Quoi qu'il en soit, j'ai passé un très bon moment. Vous êtes vraiment un excellent danseur.

Elle gloussa, puis porta la main à sa bouche.

— Et vous embrassez à merveille. Merci encore.

Storm voulut répondre « Pas de quoi », mais il n'émit qu'un bruit incompréhensible.

— Les effets du sédatif que nous avons employé devraient s'estomper d'ici peu, expliqua-t-elle. Si vous voulez, je peux demander au médecin de bord de vous administrer quelques amphétamines pour vous donner un petit coup de fouet.

— Pas de drogue, dit-il d'une voix rauque.

— Très bien. Peut-être un petit-déjeuner, alors ?

Il acquiesça de la tête. Quelques instants plus tard, il entendit une autre voix :

— Bonjour, monsieur Storm. Que souhaitez-vous que je demande au chef de vous préparer ?

Storm s'efforça de fixer son regard sur un point. Lorsque ses yeux le lui permirent, il constata qu'il s'agissait du Jacques de la veille. Sauf qu'il n'avait plus du tout l'air d'un paresseux cocaïnomane, pourri gâté. Il arborait un polo bleu sur un pantalon d'un blanc immaculé. Le blanc et bleu semblait donc l'uniforme du personnel par ici. Il était beaucoup plus mince que dans le souvenir de Storm. Aucune trace de bedaine.

— Vous portiez un plastron de protection, avança Storm.

— Oui, monsieur, dit-il, avec un sourire bienveillant. N'empêche que c'était un sacré coup de pied. Je le sens encore un peu ce matin.

— Heureusement que je n'ai pas visé au visage.

— Les agents de sécurité de madame Karlsson avaient étudié vos habitudes de combat. D'après eux, si je levais les mains et exposais le buste, c'était là que vous frapperiez. Une chance qu'ils aient vu juste. Mais, donc, que puis-je vous ramener de la cuisine ?

— Des œufs, du bacon et des toasts. Avec un café, ajouta Storm, convaincu qu'un tel plateau le revigorerait plus certainement que n'importe quelle pilule ou potion prescrites par le médecin.

— Bien, monsieur.

Lorsque Jacques eut disparu (aussi vite qu'il était apparu), Tilda conduisit Storm à la douche (sans malheureusement se joindre à lui), puis elle lui indiqua un placard où plusieurs tenues étaient laissées à son choix.

Storm opta pour quelque chose de décontracté : une veste de sport en cachemire noir, un polo gris et un jean qui lui moulait les cuisses et les fesses comme s'il avait été coupé pour lui. Ce qui, à son avis, devait être le cas.

Après le petit-déjeuner, servi dans de la porcelaine d'un prix probablement supérieur à ses trois premières voitures réunies, Storm se vit offrir une visite guidée du *Princesse guerrière*, dont il put admirer l'étincelant éclat du pont aux profondeurs de la salle des machines. Tilda le laissa aller librement, ne lui barrant l'accès qu'aux quartiers de l'équipage, qui l'intéressaient peu, et la zone privée d'Ingrid Karlsson, qui l'intéressait beaucoup, mais qui était réservée aux invités conviés par la maîtresse des lieux en personne.

Tilda s'arrêta à sa propre cabine, située juste à côté du pont arrière. Il se demanda si cela faisait partie de la visite ou s'il fallait y voir une suggestion pour plus tard.

S'il comptait sur cette dernière option, il lui fallait bien admettre qu'il ne savait plus trop comment interpréter les signaux de l'assistante de Mme Karlsson.

Tandis qu'ils poursuivaient, Storm découvrit l'éventail des autres distractions offertes à bord : un écran de cinéma aussi grand que ceux que l'on pouvait trouver dans n'importe quelle salle habituelle, une bibliothèque faisant honneur aux maîtres scandinaves du roman policier que sont Henning Mankell, Jo Nesbø ou encore Maj Sjöwall et Per Wahlöö (en revanche, aucune trace de filles tatouées mettant le feu aux poudres), une piscine sur trois niveaux réunissant une cascade, un lagon et quatre jacuzzis, dont un bassin intime à deux places et un autre semblant pouvoir accueillir tout un groupe, sans compter une salle de musculation équipée d'un assortiment de machines permettant de soulever des poids ou de s'adonner à des exercices de cardio-training, ainsi que des courts de tennis et de racquetball.

Parmi les autres installations réservées aux loisirs figuraient un pont escamotable à l'avant permettant aux amateurs de plongée avec ou sans bouteille de sauter à l'eau lorsque le navire était à l'ancre, un ponton flottant que l'on pouvait déployer pour le lancement d'une ou plusieurs embarcations de plaisance, du jet-ski au bateau à moteur pour le ski nautique, ainsi que des ponts supérieurs destinés aux invités souhaitant pratiquer le tir au pigeon, le cerf-volant ou taper quelques balles de golf biodégradables dans le grand bleu. La plate-forme hélicoptère, où Storm avait apparemment atterri la veille au soir, se trouvait aménagée sur un pont à proximité de la proue, à côté de l'élégante cheminée qui constituait l'élément le plus haut de l'embarcation.

Il y avait aussi un ensemble de salles à manger, tant couvertes que découvertes, dans lesquelles on pouvait servir toutes sortes de repas à des groupes de toutes tailles, une cafétéria où tout était évidemment en libre-service et un choix étourdissant de bars permettant de préparer les boissons les plus diverses, alcoolisées ou non. Bref, on y trouvait plus ou moins tous les services proposés dans les complexes hôteliers ou sur les paquebots de croisières.

Chaque pièce était décorée avec une splendeur époustouflante, même aux yeux de Storm, pourtant habitué à la richesse ou à ceux qui la possédaient. Du point de vue stylistique, chacune présentait sa propre esthétique, qui variait grandement, presque comme si la propriétaire des lieux voulait pouvoir choisir en fonction de son humeur. Ainsi, l'époque victorienne pouvait céder la place au design moderne, qui à son tour côtoyait le cubisme. On retrouvait des influences aussi bien occidentales qu'orientales, des éléments de la Russie impériale comme du feng shui ou du folklore africain.

S'il y avait un thème commun, c'était tout simplement l'opulence. Tout n'était qu'antiquités rares, meubles raffinés ou précieuses œuvres d'art. Partout où il posait les yeux, Storm ne voyait que des pièces qui auraient pu constituer le joyau d'une collection différente. Ici, elles étaient toutes réunies en un seul endroit. Storm avait du mal à croire que tout cela flottait à bord d'un yacht capable de parcourir soixante-quinze pour cent de la surface du globe.

Pourtant, non, ils étaient bien à bord d'un bateau, cela ne faisait aucun doute. Lorsqu'à un moment donné ils croisèrent un autre navire, on entendit résonner trois coups d'une sorte de trompette, version plus douce.

— C'était quoi, ça ? Un trombone ?

Tilda éclata de rire.

— Presque. En fait, c'est censé imiter le son du cor. Madame Karlsson adore cet instrument, c'est pourquoi, lorsqu'elle a fait construire ce yacht, elle a insisté pour qu'il puisse être signalé aux autres bateaux par un son qui ressemble à celui du cor. Elle a vraiment pensé au moindre détail.

La visite se termina par la passerelle, la partie la plus impressionnante pour un accro de mécanique comme Storm. Il s'agissait moins d'une timonerie au sens traditionnel du terme que d'un poste de commandement aux murs couverts d'ordinateurs et d'écrans numériques. Les gadgets du *Princesse guerrière* étaient aussi perfectionnés que tout ce que Storm avait pu voir à bord d'un vaisseau de guerre, plus, même, dans certains cas, que les équipements des navires de la marine américaine. De toute évidence, Ingrid Karlsson n'avait pas à se préoccuper de limitations de budget. Les défenses du bateau, en particulier, étaient impressionnantes. Comme Xena elle-même, le *Princesse guerrière* était équipé pour le combat. Il y avait les agents de sécurité, des gros bras – Storm en avait aperçu trois ou quatre – en uniforme bleu et blanc, couleurs de prédilection de Mme Karlsson. À vrai dire, Storm était surpris qu'ils ne soient pas plus nombreux, jusqu'à ce qu'on lui montrât les systèmes électroniques, bien plus redoutables.

Storm écouta le second lui vanter certains éléments. Le radar, bien sûr. Les sonars, à la fois passif et actif. Le lidar pour tout ce qui aurait échappé à ces systèmes. Des missiles sol-air capables de descendre tout ce qui tentait de s'approcher par les airs. Des torpilles capables de s'occuper de tout ce qui pouvait provenir de l'eau, en surface comme en sous-marin. Et tout était relié à un système de détection automatisé fonctionnant vingt-quatre heures sur vingt-quatre, sept jours sur sept, avec ou sans surveillance humaine.

— On a dû bricoler certains paramètres, expliqua le second, après quelques problèmes de déclenchement dus à des bancs de thons, mais il conserve un assez bon niveau de sensibilité. À vrai dire, tout ce qui dépasse la taille d'un dauphin et qui tente quoi que ce soit contre ce bateau se retrouve aussitôt nez à nez avec une tête d'ogive. Une fois, on a même failli faire exploser une baleine.

— Et j'en aurais été très mécontente, déclara une voix autoritaire. Même avec les sommes que je verse à Greenpeace, je n'aurais pas fini d'en entendre parler.

En se retournant, Storm découvrit une femme d'âge mûr, d'un peu plus d'un mètre quatre-vingts, soignée, les cheveux noirs et raides coupés au carré, avec une frange soulignant son vif regard gris bleu.

Xena la guerrière en personne.

Après des présentations en règle, on évoqua avec animation les événements de la veille.

— Veuillez encore excuser nos méthodes, répéta Ingrid Karlsson en conclusion. Outre mon inquiétude habituelle concernant ma vie privée, il m'a semblé que la présence de la CIA requérait un supplément de vigilance. Nous retrouver au quai F-18 comme prévu, c'était tendre la perche pour qu'on nous suive. Le seul moyen auquel j'ai pensé pour éviter cela a été de vous livrer aux mains de Tilda.

— Ce n'est pas grave, j'y ai trouvé mon compte, assura Storm en adressant un clin d'œil à l'assistante.

Ingrid Karlsson invita alors Storm à laisser la belle en compagnie des autres membres de l'équipage pour se retirer dans un salon situé juste avant ses quartiers privés.

Comme les autres pièces du navire, celle-ci était décorée dans un style très marqué, en l'occurrence, celui de l'époque de la reine Anne de Grande-Bretagne. Storm reconnut un exemple classique du genre dans les portraits ornant les murs. Le plus grand représentait un chevalier en armure. Son visage mou était surmonté d'une perruque crêpée et bien séparée par une raie au milieu – une choucroute à faire pâlir d'envie une fille du New Jersey.

Storm choisit de s'installer dans un fauteuil en noyer à haut dossier et pieds courbes en « s ».

— Début du dix-huitième, commenta Mme Karlsson. La reine Anne en personne s'y serait assise pour fêter la signature des actes d'Union. Vous connaissez l'histoire de ce traité au profit du Parlement de Grande-Bretagne ?

Storm se retint de plaisanter au sujet des actes d'union que lui préférait personnellement.

— Pas vraiment, dit-il.

— Il s'agit de deux actes passés par les parlements d'Angleterre et d'Écosse pour mettre fin à des siècles de conflits sanglants entre Anglais et Écossais, prouvant que la plume peut être plus forte que l'épée. L'intéressant, c'est quc, contrairement à la plupart des traités, les deux partis ont pu se séparer en criant victoire. Mais je dirais que c'est toujours le cas lorsqu'on supprime les frontières nationales, qui ne sont que des concepts humains n'ayant jamais dû voir le jour au départ. Tout le monde y gagne. Ce fauteuil est un symbole de mon espoir en l'homme.

— Vous préférez que je reste debout ?

— Non, non, s'esclaffa-t-elle. Je sais que mes goûts sont un peu éclectiques, mais chaque objet a été sélectionné avec soin. Je n'ai pas plus envie de me rendre esclave d'un style que de me rendre esclave d'un gouvernement. Je n'ai aucune envie non plus qu'on vienne dire : « Tiens, c'est une Suédoise qui vit ici » ni même « Tiens, voilà une Suédoise qui se prend pour une hindoue ». Je souhaite voir le monde entier représenté à bord. J'aime l'idée que chacun puisse trouver ici quelque chose de familier et de confortable, mais aussi quelque chose qui élargisse ses horizons ou bouscule ses points de vue.

— C'est à couper le souffle, dit Storm. Dans le moindre détail.

— Eh bien, merci, dit-elle. Pour vous dire la vérité, Brigitte a eu une très grande influence en ce qui concerne le décor de ce salon. C'est elle qui en a choisi plusieurs pièces. Elle adorait le portrait réalisé par Michael Dahl derrière vous.

Storm se retourna et contempla de nouveau le tableau du type à la coiffure digne d'une pétasse du New Jersey.

— C'est le prince Georges de Danemark, le mari de la reine Anne. Brigitte a choisi ce tableau à cause du genre d'époux qu'il était. Le prince Georges soutenait toujours sa femme en public, même s'il n'était pas d'accord avec elle en privé. Et, contrairement à la plupart des hommes de cette époque, qui auraient tenté d'affirmer leur domination sur leur épouse dans tous les domaines, le prince Georges ne voyait aucun inconvénient à laisser la reine Anne jouir de ses pleins pouvoirs. Disons qu'elle a eu le premier compagnon moderne au monde, une personne qui ne faisait pas une fixation sur la séparation des rôles entre l'homme et la femme.

Au son de sa voix, Storm comprit qu'Ingrid se perdait dans ses souvenirs.

— Vous teniez beaucoup à elle, n'est-ce pas ? dit-il.

— Oh ! mon Dieu, je... Oui, bien sûr. Brigitte et moi étions amantes, comme on a dû vous le dire. Elle était... Je ne dirais pas que c'est elle qui m'a fait comprendre que j'étais lesbienne, car ce n'est pas vrai. Je me suis rendu compte assez tôt que les relations sexuelles avec les hommes ne m'intéressaient pas. Sans vouloir vous offenser.

— Je ne le suis pas. Les relations sexuelles avec les hommes ne m'intéressent pas non plus.

Ingrid Karlsson sourit et continua :

— Mais, même si je savais que les hommes n'étaient pas pour moi, je n'étais pas sûre de pouvoir jamais nouer une vraie relation avec une femme. La plupart de celles qui me séduisaient physiquement ne m'attiraient pas par ailleurs. Je ne savais pas vraiment si je parviendrais à trouver une partenaire avec laquelle passer ma vie. Cela peut sembler prétentieux de ma part, mais je ne trouvais aucune d'elles digne d'être mon égale. En tout cas, je n'étais pas prête à partager cette égalité avec elles, à donner et recevoir, à faire des compromis comme on doit en faire si on veut qu'une relation marche. Et puis j'ai rencontré Brigitte et tout a changé. Elle était tout ce que je cherchais avant même de savoir ce que je cherchais.

Son regard se fit de nouveau lointain. Puis elle reporta son attention sur la pièce.

— Je vous en prie, ne confiez rien de tout cela à la presse.

Ce ne sont pas des choses que j'aimerais lire dans les journaux à scandale.

— Jamais de la vie.

— Merci. Brigitte et moi évoquions souvent notre envie de vivre plus ouvertement notre choix, parce que nous en étions fières. Nous n'éprouvions absolument aucune honte. Nos familles étaient évidemment au courant de la nature de nos relations, de même que nos amis proches. C'est juste qu'on trouvait que cela ne regardait personne d'autre. Personne ne parle de la sexualité des PDG d'UPS ou de FedEx. Pourquoi devrait-on débattre de la mienne ?

— Je comprends, assura Storm.

— Quoi qu'il en soit, nous n'étions pas mariées au sens légal, parce que ni l'une ni l'autre ne reconnaissions l'hégémonie d'un État-nation, ni ne voulions les complications liées à une union religieuse. Je ne sais même pas si nous aurions su décider quelle religion adopter…

Elle s'interrompit pour s'esclaffer.

— … mais nous étions mariées au plan affectif. Jamais il n'y aurait d'autres femmes pour moi ou pour elle. Et je ne crois pas avoir jamais envisagé l'avenir sans penser que nous vieillirions ensemble. Et puis l'avion s'est écrasé...

En changeant de position, Storm fit craquer le bois de son antique fauteuil qui avait vu passer tant de corps avant le sien. Comme Ingrid se perdait de nouveau dans ses pensées, il décida de la ramener dans le moment présent.

— C'est bien sûr la raison de ma venue ici. Jedediah Jones m'a dit que vous aviez obtenu quelques renseignements concernant les auteurs de cet attentat ?

— Oui. Il s'avère qu'une prime de cinquante millions de dollars vous apporte la coopération de personnes qui ne viendraient en aide à personne autrement. C'est incroyable de voir à quelle vitesse ces terroristes qui se prétendent prêts à mourir pour leur cause et leurs idéaux oublient leurs serments de loyauté dès qu'on leur agite assez d'argent sous le nez. Avez-vous déjà entendu parler de la Société de Médine ?

— La Société de Médine. Une violente cellule dissidente des Frères musulmans, récita Storm. Elle tire son nom de la ville d'Arabie saoudite où le prophète Mahomet vint s'installer lorsqu'il fut contraint de quitter La Mecque en 622. Cet exil, le fameux *hijra*, marque le début de l'hégire, l'ère musulmane. Le siège de Médine fut la première grande victoire militaire de Mahomet et de ses adeptes, qui finirent par conquérir toute l'Arabie. Médine est aussi l'endroit où Mahomet est enterré, ce qui en fait un lieu sacré pour les musulmans, le deuxième plus important juste après La Mecque. Certains quartiers de la ville ne sont pas autorisés aux non-musulmans. Voyons, quoi d'autre ?... À l'instar des Frères musulmans, la Société de Médine considère le Coran et les hadiths comme la seule base d'une société pieuse. Aussi, comme les Frères musulmans, rejette-t-elle la plupart des formes d'occidentalisation, de modernisation ou de laïcité. Contrairement aux Frères musulmans, qui ont tenté d'obtenir le pouvoir légalement en présentant des candidats aux élections, la Société de Médine recourt à la force, la peur et l'intimidation pour parvenir à ses fins. Parmi ses objectifs, elle vise l'élimination totale de l'État d'Israël, le retour de la Palestine sous contrôle musulman, l'exclusion des non-musulmans du gouvernement, la restauration de la loi islamique... Comment je m'en sors pour l'instant ?

— Plutôt bien. Vous avez omis le fait qu'ils souhaitent aussi voir les femmes reprendre leur rôle traditionnel, la pratique de l'excision pour contrôler la sexualité féminine et la légalisation des crimes d'honneur.

— Donc, en gros, il s'agit d'une bande de dingues qui feraient passer les talibans pour de doux agneaux, conclut Storm.

— Tout à fait. Jones vous a bien préparé.

— Non, je viens juste de lire le journal. Mais, bon, qu'est-ce qui vous porte à croire qu'ils sont derrière tout ça ?

— Comme je le disais, cinquante millions de dollars, cela permet d'obtenir un paquet d'informations. Mais aussi de l'aide. Je n'ai pas encore réussi à infiltrer la Société de Médine elle-même, mais je me suis arrangée pour que plusieurs groupes prennent contact avec les gens dont je dispose au Moyen-Orient. Or trois sources distinctes m'affirment que la Société de Médine est derrière tout ça. Et... êtes-vous prêt à mettre un instant votre scepticisme de côté, Derrick ?

— Considérez-moi en mode débrayage, déclara Storm.

Ingrid sourit, s'avança sur le bord de son siège et baissa la voix :

— D'après mes sources, la Société de Médine a créé un rayon laser à haute densité d'énergie incroyablement puissant. Cet engin futuriste fonctionne grâce à une substance qu'on appelle « prométhium » et qu'on pensait auparavant si rare qu'il n'en existait en fait pas dans la nature. Mais, apparemment, ils en ont découvert une importante quantité. Ça paraît fou ; pourtant, une fois encore, la chose m'a été confirmée par de multiples sources.

Storm soupira.

— Eh bien, par chance et/ou malheur, mes informations concordent sur ce point. Je vous confirme l'existence d'un rayon laser au prométhium. J'en ai moi-même détruit un, mais, de toute évidence, ils en ont au moins un autre.

— D'après ce que j'ai compris, ils ont la capacité et les matériaux d'en construire plusieurs. L'arme qui a abattu les avions à destination de Dubai pourrait n'être qu'une parmi tant d'autres. Il me reste à déterminer comment ils ont obtenu l'expertise nécessaire pour mettre au point une arme d'une telle sophistication.

— C'est fait, dit Storm qui informa alors son interlocutrice de la disparition de William McRae.

— Et personne au gouvernement des États-Unis ne s'est inquiété de la disparition de ce scientifique ? s'étonna-t-elle avec un hochement de tête. C'est tellement typique : une fois qu'on n'a plus besoin d'un citoyen, on le jette.

Storm ne releva pas la critique d'Ingrid Karlsson à l'égard des politiques.

— Ne perdons pas de vue notre objectif : comment arrêter ces tarés avant qu'ils ne zigouillent autre chose ? Vos informateurs savent-ils où on peut trouver cette Société de Médine ?

— C'est là que le bât blesse, apparemment, dit-elle. D'après ce qu'on m'a dit, ceux qui dirigent la Société de Médine ne sont pas nés de la dernière pluie. Ils ont appris à tirer les leçons de leurs propres erreurs, mais aussi de celles des autres, de tout le monde : de Khaled Cheikh Mohammed à Oussama ben Laden en personne. Ils ne se servent pas d'Internet pour communiquer, jamais. Pas même en code. Ils n'autorisent pas leurs membres à utiliser des téléphones portables. Ils se déplacent sans arrêt et s'assurent de couvrir le moindre de leurs mouvements. Ils savent que les Américains disposent de satellites assez puissants pour distinguer la terre qu'ils ont sous les ongles et agir en conséquence. Ces terroristes-là font partie des plus brillants qu'on ait jamais vus.

Storm se rendit compte qu'il se mordait la lèvre inférieure. Il desserra les dents. Voilà qu'il lui fallait prendre une décision hâtive face à quelqu'un qu'il venait tout juste de rencontrer : devait-il lui faire confiance ou non ? Il n'était pas rare pour un espion de se retrouver dans ce genre de position. Or, cela pouvait être une question de vie ou de mort. Cette fois, l'enjeu n'était pas uniquement la vie de Storm, mais celle de milliers de personnes. Voire de millions.

— Ingrid, dit-il posément. Je sais que vous et Jedediah Jones êtes... amis.

— Euh, ce n'est pas exactement le terme que j'emploierais, dit-elle. Je dirais plutôt que nous nous servons de temps en temps l'un de l'autre par consentement mutuel. Vous connaissez l'histoire de la grenouille et du scorpion, je présume ?

— La fable d'Ésope ? Oui, le scorpion, qui ne sait pas nager, demande à la grenouille de le transporter de l'autre côté de la rivière pour l'aider à traverser. La grenouille dit : « Non, tu vas me piquer. » « Non, je te le promets, car sinon on se noiera tous les deux », assure le scorpion. La grenouille cède, mais, au beau milieu du courant, le scorpion pique quand même la grenouille. Tandis qu'ils coulent, la grenouille demande : « Pourquoi as-tu fait une chose pareille ? » et le scorpion répond : « Je suis un scorpion. C'est ma nature. »

— Exactement. Pour moi, Jones est le scorpion. Mais, tant qu'on sait quelle est sa nature, on peut traiter avec lui en conséquence.

Storm lui adressa un sourire entendu.

— Je comprends. Croyez-moi, je comprends. D'ailleurs, pour être franc avec vous, en l'occurrence, votre intérêt pour cet incident et celui qu'y porte Jones ne convergent peut-être pas tout à fait.

— Expliquez-vous, je vous prie.

— Il veut que les gens qui utilisent cette arme soient arrêtés. Comme nous tous, dit Storm. Mais il veut aussi mettre la main sur cette technologie et les ressources derrière dans le but d'un futur usage militaire par le gouvernement américain. Si je suis fier d'être un citoyen américain, ce n'est pas une chose que je souhaite voir mon pays capable de déployer sur le champ de bataille ou ailleurs.

— Je suis bien d'accord, dit-elle. Ma loyauté ne va à aucun gouvernement, mais à l'humanité entière.

— Bien. Dans ce cas, ce que je m'apprête à dire ne doit pas arriver aux oreilles de Jones. D'accord ?

Elle acquiesça de la tête.

— J'ai peut-être une piste qui nous aidera à trouver l'origine de ce prométhium, reprit-il. Quelqu'un de votre réseau d'informateurs aurait-il entendu parler d'une société nommée Ahmed Métal Génération ?

Ses épaules s'affaissèrent.

— Pourquoi cette question ?

— D'après ce que j'ai pu apprendre, Ahmed Métal Génération pourrait être la source du prométhium utilisé pour faire fonctionner ce rayon laser.

Elle hochait maintenant la tête.

— Eh bien, vous avez raison et tort à la fois. J'ai bien

peur qu'« Ahmed Métal Génération » ne soit pas une société. C'est plus un cri de ralliement pour les membres de la Société de Médine. C'est comme « Souvenez-vous de l'Alamo » ou « Souvenez-vous du Maine » pour les Américains. L'un de leurs premiers martyrs s'appelait Ahmed. Certains de leurs leaders ont adopté ce nom pour eux-mêmes ou pour leurs enfants, de sorte qu'il est devenu relativement courant au sein du mouvement. « Générer du métal », c'est une expression qu'ils utilisent quand ils fabriquent des bombes ou improvisent des explosifs, pour « pétarder » l'ennemi. « Ahmed Métal Génération », c'est un peu leur manière de dire : « Allons faire sauter des trucs au nom d'Allah. »

Storm commença à comprendre.

— Je n'ai donc rien appris, en fait, c'est ça ?

— Eh bien, c'est un indice de plus que la Société de Médine est derrière tout ceci, mais à part cela ? J'ai bien peur que nous ne soyons dans l'impasse.

Alors, de cette manière troublante qui le caractérisait, Jedediah Jones se glissa dans la conversation par le biais d'une sonnerie de téléphone qui résonna dans la poche de Storm.

— Tiens, quand on parle du loup..., fit Storm.

— Je vous laisse, déclara Ingrid. Venez me rejoindre quand vous aurez terminé. Nous discuterons de la marche à suivre.

Elle se leva, puis, arrivée à la porte, elle marqua une pause.

— J'ai demandé à Jones de m'envoyer le meilleur de ses hommes. Je suis ravie de constater qu'il a choisi quelqu'un de bien en plus.

Tandis que la princesse guerrière quittait la pièce, Storm décrocha son téléphone.

— Agence Storm.

Jones ne s'attarda pas en mondanités.

— Tu as avancé ?

Storm lui résuma son arrivée à bord du *Princesse guerrière* et lui fournit certains détails de ses échanges avec la PDG de Karlsson Logistics.

— La Société de Médine ? s'étonna Jones lorsque Storm eut terminé.

— Vous ne pensez pas que ce soit eux ?

Jones marqua un très bref temps d'arrêt. Aussitôt, Storm comprit que son patron, à son habitude, lui cachait quelque chose.

— Non, en fait, ça ne me surprend pas, dit Jones. Ça explique plutôt pourquoi on a si peu entendu parler de tout ça. S'il s'était agi de l'un des autres groupes extrémistes de là-bas, dix agents différents nous auraient fait parvenir les schémas de cette arme. La Société de Médine semble nous donner du fil à retordre. Personne n'arrive à infiltrer leurs rangs.

— Oui, même l'argent de madame Karlsson n'y est pas parvenu, dit Storm. Ils ont l'air particulièrement méfiants, mais ils ont quand même un talon d'Achille.

— C'est-à-dire ?

— Le prométhium. Ça semble être un frein dans leurs affaires. C'est apparemment parce qu'ils en ont découvert d'importantes quantités qu'ils ont pu construire cette arme. Néanmoins, ce matériau incroyablement rare a un temps de demi-vie relativement court et, comme il se dégrade très vite, il va leur falloir se réapprovisionner constamment. Ils vont vouloir disposer d'un accès permanent à leur source. Je propose qu'on mette la pression sur le prométhium. À coup sûr, ça nous mènera à la Société de Médine.

— C'est drôle que tu dises ça, répondit Jones, parce qu'on est plus ou moins arrivés à la même conclusion ici. On a ramené l'arme que tu as récupérée au labo et tout démantibulée. Finalement, l'arme elle-même ne s'avère pas si compliquée ; c'est le prométhium qui la rend si puissante. Alors, nos chimistes se sont penchés de plus près sur cette bête-là. Apparemment, elle nous aurait fourni une piste.

— Je vous écoute.

— Comme tu le sais, le prométhium est un métal. Or, comme tous les métaux, il a des propriétés magnétiques. En raison de son interaction avec le magnétisme terrestre, il renferme certaines informations qu'on peut étudier si on dispose d'un microscope électronique assez puissant. En substance, d'après l'alignement des noyaux, on peut déduire où se trouvait le prométhium au moment où il a pris sa forme actuelle.

— Ce serait un genre de GPS naturel, commenta Storm.

— En quelque sorte. Quoi qu'il en soit, l'une de nos techniciennes est un as en la matière. Elle a réussi à déterminer l'endroit où le prométhium qui a permis à ce laser de fonctionner a vu le jour. Les coordonnées approximatives sont : vingt-cinq point sept-sept-trois-neuf-deux nord, trente et un point huit-quatre-trois-six-cinq est. Avec une précision de plus ou moins trois kilomètres, pour un indice de confiance de quatre-vingt-dix-neuf pour cent.

Storm s'empressa de noter les coordonnées.

— Et qu'avez-vous trouvé en braquant le satellite dans cette direction précise ?

— Rien. Que du sable. Ce rayon de trois kilomètres représente vingt-cinq kilomètres carrés à ratisser. On a tout passé au peigne fin, mais il est possible qu'on ait loupé quelque chose. Ça se trouve en plein désert, pas loin du Nil, en Égypte. Et, bien sûr, le Sahara, c'est juste ce qu'il y a en surface à cet endroit de la planète. Or la plupart des terres rares viennent de la croûte terrestre.

— Vous avez donc besoin de quelqu'un comme moi pour aller creuser sur place, dit Storm.

— C'est précisément pourquoi j'y ai envoyé Clara Strike.

À ce nom, Storm sentit un blocage se produire dans son esprit. Avec Clara Strike, il vivait une histoire compliquée, comme si elle et lui faisaient partie de deux clans opposés dont les membres ne cessent de se marier entre eux.

Parfois, ils se retrouvaient pour faire l'amour. Parfois, ils se faisaient la guerre. La seule constante était la passion qui animait ces deux pulsions opposées.

— Strike, hein ? se contenta-t-il de lâcher.

— Ne me dis pas que vous vous chamaillez à nouveau, tous les deux.

— Je ne sais pas ce qu'on fait en ce moment, dit Storm. Mais, bon, pourquoi n'envoyez-vous pas un hélicoptère me chercher ici ? Je m'occupe de faire savoir au personnel d'Ingrid Karlsson qu'il ne faut pas l'abattre avant qu'il ne m'ait déposé en Égypte.

— Excellente idée. J'ai informé Strike que vous vous retrouveriez ce soir à Louxor. C'est la grande ville la plus proche de ces coordonnées. Elle te fournira le reste des détails concernant l'opération sur place.

Storm raccrocha, puis alla rejoindre Ingrid Karlsson sur le pont avant, où elle admirait la proue de son magnifique navire qui fendait l'eau bleue de la Méditerranée.

— L'Égypte est le meilleur endroit où vous puissiez aller, dit-elle lorsqu'il lui eut expliqué où il comptait se rendre. Il semble que la Société de Médine ait profité de la récente instabilité politique que connaît le pays pour y renforcer ses appuis. Je vais continuer d'arroser tous mes contacts et je vous tiens au courant de mes découvertes. Si vous avez besoin de quoi que ce soit – n'importe quoi –, n'hésitez surtout pas à me le faire savoir ; il vous suffit de demander.

— Bien sûr. J'apprécie vraiment votre solidarité.

À sa grande surprise, Ingrid Karlsson lui saisit les deux mains. Elle plongea ses yeux gris bleu dans les siens et le regarda avec la même intensité que lorsqu'elle avait fait de sa société suédoise de transports un conglomérat multinational.

— Moi qui peste si souvent contre le genre humain parce qu'il cède à ses instincts les plus bas, voilà que je..., je crie vengeance, avoua-t-elle. Je ne m'explique même pas le réconfort que cela m'apporterait, mais celui qui s'en est pris à Brigitte doit payer.

— Je ferai de mon mieux, assura Storm.

Elle resserra encore sa prise.

— Et méfiez-vous de Jones. Par pitié, souvenez-vous de sa nature.

17

Louxor, Égypte

Il reconnut son parfum avant même de l'apercevoir. À son humble avis, Clara Strike exhalait une odeur qui aurait dû être légalement classée parmi les drogues.

Un jour, Derrick Storm avait lu dans l'ouvrage d'Alice Clark, intitulé *Le Guide pratique des relations amoureuses*, qu'à l'instar des animaux, l'être humain se sert autant de son nez que de ses yeux pour choisir ses partenaires.

C'était certain en ce qui concernait Clara. Storm se targuait d'être en mesure de capter la moindre molécule de son parfum et d'en percevoir les effluves avant même de savoir d'où ils provenaient exactement. Storm avait reçu pour instruction de la retrouver au bar du Winter Palace, le légendaire hôtel de l'époque coloniale britannique, où Agatha Christie était censée avoir écrit *Mort sur le Nil*.

Storm songea qu'il aurait bien aimé posséder certaines des facultés d'Hercule Poirot tandis qu'il s'avançait vers l'hôtesse d'accueil de l'établissement et que l'odeur de Strike se faisait plus prégnante. Outre les difficultés qu'ils avaient éprouvées sur le plan personnel, leur passé était émaillé de complications sur le plan professionnel. Contrairement à Storm, qui travaillait en indépendant, Strike était un pur produit de la CIA.

La dernière fois qu'ils s'étaient croisés, c'était dans un bâtiment d'une usine abandonnée de Bayonne, au New Jersey. Ils avaient évoqué la possibilité d'un nouveau départ sans toutefois préciser ce que cela impliquerait exactement.

Ils avaient parlé d'un avenir sans détailler ni la date ni le comment. Puis, au beau milieu de la mission, elle avait reçu une balle, que son gilet avait cependant arrêtée. Du coup, Storm avait dû partir à la poursuite du méchant pendant qu'on évacuait Strike vers un établissement médical. Ensuite, elle avait repris son chemin, et lui, le sien, comme toujours. Comme toujours, aussi, rien n'avait été résolu.

Retardé par son passage à la douane (quel calvaire d'avoir à voyager avec son vrai passeport !), il n'avait pas eu le temps de prendre une chambre avant leur rendez-vous, dont l'heure était venue. L'hôtesse lui fit traverser une vaste salle dont les meubles semblaient ne pas avoir changé depuis l'époque victorienne et dont les lustres étincelaient de cristal. C'était dans la pièce suivante, plus petite, mais pas moins opulente, que Strike avait opté pour un petit coin intime.

D'après sa tenue, il était clair qu'elle n'était pas en service, car elle portait une robe d'été jaune ajourée qui lui arrivait juste au-dessus du genou, un vêtement à la fois sobre et, sur Strike, grandiose. Sa peau était un peu plus bronzée que d'habitude, ce qui suggérait que, soit elle était partie en vacances, soit elle venait d'accomplir une mission qui lui avait fait passer moins de temps que d'ordinaire sous les néons. Le soleil avait éclairci quelques mèches de sa chevelure châtain.

En apercevant Storm, elle se leva avec un sourire ; le cœur de Derrick faillit s'arrêter de battre. Peut-être la partie rationnelle de son cerveau, celle qui lui rappelait la toxicité de leurs rapports, connaissait-elle une panne momentanée, car il découvrait qu'elle lui avait terriblement manqué.

— Derrick ! s'exclama-t-elle.

Elle s'approcha et lui effleura la joue de ses lèvres, permettant à son parfum de faire tout son effet sur ses nerfs olfactifs. Cela suffit à lui faire tourner la tête. Puis elle se recula pour mieux le contempler et éclata de rire. Elle lui avait laissé une trace de rouge à lèvres sur la joue, qu'elle essuya du pouce.

— Tu as l'air en grande forme, Storm, dit-elle. Ça fait plaisir de te voir.

Elle se rassit sur sa chaise, puis croisa les jambes. Il n'y avait pas plus d'une demi-douzaine d'autres hommes dans la pièce. De ce seul mouvement, elle avait capté leur attention à tous. Storm choisit la chaise en face d'elle. Il y avait un ancien échiquier entre eux.

— Je n'ai rien dit à Jones, mais j'étais ravie quand il m'a annoncé que tu venais me rejoindre ici, dit-elle. On n'a jamais vraiment eu l'occasion de se reparler après Bayonne. Je croyais que j'allais avoir un peu de temps après ça et qu'on aurait même celui de disparaître un temps ensemble. Je meurs d'envie de retourner dans notre petite retraite aux Seychelles. Ou de passer avec toi une semaine à Manhattan ou, je ne sais pas, moi, n'importe où. Mais voilà, tu sais, une chose en entraînant une autre...

Il se contenta d'acquiescer sans trop savoir quoi dire. Comment lui expliquer qu'une semaine en sa compagnie était à la fois ce qu'il désirait, mais aussi ce qu'il redoutait le plus ? Clara Strike était le plus grand amour qu'il eût connu, mais aussi sa plus grande peine de cœur. Il l'avait vue mourir dans ses bras. Par sa faute à lui. Or, elle l'avait laissé vivre avec cette souffrance et ce sentiment de culpabilité pendant des années sans jamais lui faire savoir qu'en réalité elle était en vie et que tout cela n'était qu'une mise en scène de Jedediah Jones. Jamais il ne pourrait lui pardonner entièrement de l'avoir laissé traverser cette épreuve. Pourtant, il comprenait, aussi bizarre cela fût-il, que cela faisait partie des risques du métier, qu'il s'agissait d'un dommage collatéral d'ordre affectif comme en comportait tout travail important.

— J'ai entendu parler de ce qui t'est arrivé à bord de cet avion dans le ciel de Pennsylvanie. Incroyable. Si tu avais attendu, quoi, cinq minutes de plus, cette vrille aurait été fatale. Ils ont sacrément eu de la chance, les autres passagers. Je sais que Jones n'a pas divulgué ton identité à la presse, mais moi, je trouve qu'on devrait organiser un défilé avec serpentins ou un truc du genre en ton honneur.

Un serveur apparut avec une bouteille de Château Carbonnieux blanc, en servit deux verres, puis posa la bouteille dans le seau à glace.

— J'espère que ça te va, du blanc, dit-elle. Il faisait si chaud, et j'ai passé la jour..., enfin, en pleine chaleur. Ça fait un bien fou de revenir ici se doucher. Je te jure, j'avais au moins quinze kilos de terre et de sable sur moi. Quand j'ai trouvé cette petite robe au fond de ma valise, je me suis dit ouf, enfin quelque chose qui ne soit ni une tenue tactique ni un tailleur-pantalon. Entre ça et l'air conditionné, je me sens comme neuve.

Storm n'avait pas touché à son vin. Il n'avait pas bougé d'un iota. Tout cela était trop pour lui : la présence de Clara, si proche, son look d'enfer. Il se demandait ce qu'il devait en penser. Les choses étaient rarement sans ambiguïté avec elle. Même lorsqu'elle semblait aller droit au but, ce n'était généralement que pour mieux cacher le mauvais coup qu'elle préparait. Pourtant – attention, contradiction –, c'était ce qui la rendait si douée dans son travail, l'une des choses qu'il admirait justement chez elle.

Il se rendit compte qu'elle le dévisageait.

— Storm, tu vas te décider à dire quelque chose ou tu comptes juste rester assis là comme un grand et beau bêta ?

— Désolé, désolé, dit Storm. C'est juste que... Je crois que je n'ai dormi qu'à bord de moyens de locomotion en mouvement ces derniers jours.

— Il est un peu tôt dans la soirée pour essayer de me mettre dans ton lit, non ? le taquina-t-elle. Mince alors ! Tu pourrais au moins me faire boire un peu avant.

Il se pencha en avant vers l'échiquier devant eux, ramassa un pion blanc et l'étudia. C'était une splendide pièce d'ivoire sculptée. Une antiquité. Il y avait belle lurette que l'Égypte avait interdit le commerce de l'ivoire. Il l'avança de deux cases par rapport à son emplacement initial, puis haussa un sourcil à l'adresse de Strike.

— On n'a pas joué aux échecs depuis cette fameuse fois à Istanbul, dit-elle.

— Je me suis exercé depuis.

— Je l'espère, dit-elle en sélectionnant un pion noir en face de celui de Storm qu'elle avança également de deux cases.

— Bon, j'imagine que Jones t'a transmis les coordonnées ? fit-il en déplaçant de nouveau son pion.

— Il m'a fait le topo, oui.

— Dans ce cas, que dirais-tu de lui demander de nous faire venir une jeep pour qu'on puisse s'y rendre ce soir ? demanda-t-il en lui prenant son pion avec le sien.

— De nuit, on risquerait trop de louper ce qu'on cherche, dit-elle en entamant une série de coups dont la stratégie échappa d'abord à Storm. S'il y a quelque chose à trouver, en fait, c'est peut-être minuscule. On sait déjà que ça ne se voit pas d'un satellite ; il pourrait donc s'agir d'une subtilité géologique. Ou de quelque chose que quelqu'un a camouflé pour le dissimuler aux satellites. On sait que la Société de Médine est au courant que les yeux de l'oncle Sam dans le ciel sont toujours braqués sur eux et elle est connue pour prendre des contre-mesures. Et puis, conclut-elle, il est dangereux de se promener dans le désert la nuit. D'après nos agents sur place, le banditisme a pris de sacrées proportions dernièrement.

— De quoi as-tu peur ? Tu peux compter sur moi et mes gros biscotos.

— Aux dernières nouvelles, tes « gros biscotos » n'étaient pas à l'épreuve des balles. Dois-je te rappeler qu'il n'y a nulle part où se cacher dans le désert ? D'ailleurs, on n'est pas là pour transformer les lieux en gruyère. La bannière étoilée n'est pas très bien vue dans ces contrées ces temps-ci.

La première à sortir son cavalier, elle s'en servait maintenant pour décimer les premières défenses de Derrick, jusqu'à ce qu'il finisse par l'éliminer avec son fou. Puis, deux tours plus tard, elle fit volte-face et prit le fou avec sa reine.

— Je ne suis pas ici pour me cacher, affirma Storm.

— Alors, tu ferais bien de changer ta façon de penser. Si la manière forte fonctionnait avec la Société de Médine, on l'aurait déjà rayée de la carte. On n'a pas affaire à de banals détraqués à turbans, Derrick. Ce sont des futés.

— Tu proposes quoi, alors ?

— Ça ne va pas te plaire.

Il était en pleine manœuvre pour tendre un piège à l'une de ses tours. Elle allait la perdre, c'était sûr. D'ici un ou peut-être deux coups.

— Je suis un grand garçon. Je peux tout entendre.

— En chameau, dit-elle.

Son visage s'allongea et il laissa son bras gauche retomber le long de son corps.

— Oh non ! T'es sérieuse ?

— Il faut qu'on soit discrets. Si on y va dans un de tes gros joujoux de prédilection, on nous verra arriver de quinze kilomètres à la ronde, s'il y a quelqu'un sur place. Au contraire, il faut qu'on se fasse passer pour de pauvres nomades. Et, dans cette région du monde, les pauvres nomades se déplacent encore à dos de chameau.

Il baissa les yeux sur l'échiquier. Alors qu'il se croyait sur le point de prendre au piège sa tour, il s'avérait qu'elle allait en fait coincer l'une des siennes. Il lui fallut la sacrifier pour sauver sa reine.

— Tu sais ce que je pense de ces... trucs. Ils puent.

— Toi aussi parfois. Écoute, on n'a pas le choix. Tout est déjà organisé. On va rejoindre un camion plein de chameaux juste en dehors du champ visuel de la zone cible. Mais, une fois qu'on sera à l'intérieur, ce sera à dos de chameau.

Storm fit une grimace et émit un bruit digne d'un enfant d'école primaire, au vu des circonstances.

— OK, mais dis-moi au moins qu'on aura de vraies

armes, dit-il alors que l'un de ses cavaliers se faisait achever par la reine adversaire.

— Oh oui ! On dispose de tout un attirail. Je n'ai aucune envie de mourir, Storm. Je parlais juste de faire preuve d'un peu de prudence dans notre manière d'aborder les choses. Il faut qu'on ait l'air de nomades de loin. Ce qu'on cache au milieu de nos affaires est une autre histoire.

— Bien, parce que je n'ai rien sur moi, à part Dirty Harry.

— Toi et ton Stealth Hunter, fit-elle avec un hochement de tête. Oh ! Au fait, échec et mat.

Il baissa le regard, effaré.

— Attends, non, ce n'est pas possible.

Il fixait désespérément les cases noires et blanches autour de son roi, certain d'y trouver quelque part une pièce à déplacer. Elle soupira, le laissant patiemment arriver seul à la conclusion qu'elle avait anticipée depuis au moins cinq coups. Finalement, il fronça les sourcils et renversa son roi.

— Allons dormir un peu, dit-elle. J'ai demandé qu'on nous réveille à trois heures du matin, car je veux être dans la zone cible à la première heure. Avec un peu de chance, on trouvera ce qu'on cherche avant que le soleil ne nous fasse griller sur place.

— Ça me va. Laisse-moi le temps de prendre ma chambre.

— Oh ! mais tu n'as pas de réservation.

— Pourquoi ? Jones m'a pourtant dit...

— Je l'ai annulée, dit-elle vivement. Compte tenu des restrictions budgétaires et tout, j'ai pensé que ce serait dans l'intérêt de la politique d'austérité qu'on partage la même.

— Tu veux donc dire que j'accomplirai mon devoir patriotique ? dit Storm.

— Tout à fait.

— Bien, dans ce cas, fit-il en se levant pour offrir son bras à Clara, que Dieu bénisse l'Amérique.

Elle accepta son escorte. Puis ils se retirèrent dans leur chambre pour y exercer leurs droits à la recherche du bonheur, de la manière la plus vigoureuse qui soit.

Les étoiles commençaient à pâlir lorsque l'antique camion à bétail puant le diesel ralentit pour s'arrêter sur le bord de la route peu fréquentée, avec force grincements de freins à air et craquements de suspension.

En arabe, Storm distingua sur le côté : H. MASSRI, PROPRIÉTAIRE. En lettres un peu plus grosses figuraient des mots qu'il aurait préféré ne jamais lire ensemble : LOCATION DE CHAMEAUX.

— Sérieux ? s'exclama-t-il. Location de chameaux ?

— Grandis un peu, siffla Clara entre ses dents tout en faisant des signes de la main au chauffeur.

— Hello, hello ! s'exclama joyeusement Massri dans un anglais fortement accentué. Vous êtes bien monsieur et madame Sullivan, c'est ça ?

— « Sullivan » ? s'étonna Storm. Tu sais que je n'ai jamais aimé ce nom.

— Arrête tes gamineries, le gronda Strike entre ses dents serrées. Oui, oui, c'est nous ! reprit-elle plus fort, d'une voix gaie.

Le loueur se précipitait déjà le long du camion, en direction de la remorque, dont il ouvrit la porte arrière et révéla deux dromadaires brun clair, l'un de plus de deux mètres de haut et l'autre d'environ un mètre quatre-vingts. Aussitôt se déversa dehors une odeur pestilentielle qui assaillit les narines des deux Américains.

— Toutes mes félicitations pour votre mariage, monsieur et madame Sullivan. Je suis ravi que vous ayez choisi de passer votre lune de miel ainsi. C'est un grand honneur pour moi de vous présenter Antoine et Cléopâtre. Ce sont mes deux chameaux les plus romantiques.

Massri fit d'abord sortir le plus petit.

— Voici Cléopâtre. C'est une bonne fille, très douce. La meilleure que j'aie. Vous savez, « chamelle » vient du mot arabe pour « beauté ». Elle est belle, n'est-ce pas ? Je compte bien l'emmener au Festival de dromadaires du Sud Sinaï, où je pense qu'elle a les meilleures chances de remporter un prix. Allez-y, vous pouvez la caresser si vous voulez, madame Sullivan.

Massri avait fait descendre la femelle par la rampe et tendait maintenant les rênes à Strike, qui effleura le museau de Cléopâtre d'une légère caresse. En guise de réponse, l'animal ferma les yeux et allongea le cou pour rapprocher la tête du visage de Strike.

— Elle vous aime bien, ça se voit, affirma Massri. C'est parfait.

Puis il remonta dans le camion.

— Et ça, c'est Antoine, dit-il en saisissant le mâle par le licol pour le tirer à l'extérieur. C'est aussi un excellent chameau. Un vrai champion. Très bien élevé. Très bien formé. Son père fut l'un des grands chameaux de course de notre temps. Celui-là, il court aussi vite que le vent, monsieur Sullivan.

Comme Storm pouvait le constater..., seulement par temps très calme. Pour l'instant, Antoine refusait de courir. Ou même de marcher. Voire de quitter la remorque sans se débattre. La bosse collée au fond du camion, le dromadaire se défendait pour ne pas s'en écarter alors que Massri lui tirait le menton en avant. Antoine signala son mécontentement par une forte éructation, proche du grognement.

— Comme vous le voyez, j'ai déjà chargé sur leur dos tout ce qu'il vous faut pour passer ces trois jours dans le désert, déclara Massri. Les chameaux ne devraient pas avoir besoin de se désaltérer de toute cette période. Toutefois, si par hasard vous tombez sur une oasis, n'hésitez pas à les laisser boire. Ils peuvent engloutir jusqu'à cent cinquante litres en trois minutes.

Antoine ne bougeait toujours pas. Le son qu'il émettait s'était fait plus grave et plus menaçant.

— Il est un peu irascible, surtout à cette heure matinale, expliqua Massri. Il n'est vraiment pas du matin, ce chameau-là.

— Un peu irascible ? reprit Storm. Et ça donne quoi quand il est vraiment fâché ?

— Eh bien, dans ce cas, il mord, répondit Massri entre ses dents, puis il se rendit compte que Storm avait entendu. Mais ça n'arrive jamais, ajouta-t-il. Presque jamais. C'est un bon chameau. Il est juste un peu têtu. Ce qui n'est pas vraiment inhabituel chez un chameau, vous verrez.

Massri parvint enfin à forcer Antoine à descendre la rampe. L'animal émettait un bruit semblable à celui d'un petit rongeur coincé dans un moteur hors-bord. Une sorte de vessie rose lui sortait de la bouche sur le côté.

— Pourquoi me tire-t-il ainsi la langue ? demanda Storm.

— Ce n'est pas sa langue, monsieur Sullivan. Ça s'appelle la *doula*. C'est le voile du palais qui se gonfle et qu'il extériorise pour montrer qu'il veut affirmer sa domination sur vous… ou peut-être s'accoupler avec votre femme.

Strike tourna brusquement la tête dans leur direction.

— Pardon ? fit-elle.

— Oh ! je ne m'inquiéterais pas trop pour ça, madame Sullivan. Ce n'est pas la bonne période de l'année pour qu'il soit en rut. D'ailleurs, les chameaux sont uniques parmi les ongulés à copuler assis. Si le vôtre s'assoit, c'est soit parce qu'il est trop fatigué pour continuer, soit parce qu'il se sent amoureux. Tant qu'il reste debout, vous n'avez rien à craindre.

Les vocalises d'Antoine avaient enfin cessé, et l'animal semblait désormais simplement contrarié. Storm s'avança d'un pas vers lui. Il répondit par un grognement, toutes dents dehors.

— Vous dites qu'il ne mord jamais, hein ?

— Presque jamais, corrigea Massri, le sourire de nouveau aux lèvres. Ah ! mais, monsieur Sullivan, ne vous en faites pas. Attendez de le voir en pleine course. C'est magique. Une vraie licorne !

— Sans la corne, dit Storm.

— Oui, sans la corne.

— Dans ce cas, ce ne serait pas plutôt Pégase ?

Devant l'air perplexe de Massri, Storm décida de laisser tomber les comparaisons avec les créatures mythiques.

— Si seulement les chameaux ne sentaient pas…, comment dire…, le chameau…, fit Storm en plissant le nez, car l'odeur de l'animal, une sorte d'horrible mélange indéterminé d'urine, d'excréments et de sueur de chameau, se rapprochait.

— Ah ! mais il faut savoir que les chameaux ont le nez très sensible. Antoine est capable de flairer l'eau à trois kilomètres. Alors, il est possible qu'il trouve la vôtre beaucoup plus repoussante, monsieur Sullivan.

Storm regarda Antoine, dont la bouche commençait à déborder d'une épaisse bave blanche et écumeuse qu'il secouait et qui tombait par terre en gouttes visqueuses.

— J'en doute fort, assura Storm.

Sur ce, il compléta le fardeau de l'animal de quelques articles essentiels préparés par Strike, dont tout un arsenal démonté afin d'en faciliter le rangement et le transport.

Chacun portait en outre sur lui une arme de poing dissimulée, Dirty Harry pour Storm et, pour Strike, un Smith & Wesson .500 Magnum, présenté par ses fabricants comme le plus puissant revolver sur le marché.

À elles deux, ces armes ne manquaient pas de punch ; pourtant, Strike y avait ajouté deux fusils longue portée : un fusil de précision CheyTac M200 et un vétuste fusil d'assaut M16 qui, de toute évidence, avait fait ses preuves au combat. Outre de multiples éraflures et bosselures, l'interrupteur permettant de basculer du tir simple au tir automatique avait été arraché en position automatique. Pour compenser ce défaut, Strike avait prévu un supplément de munitions.

Massri les aida tous les deux à se mettre en selle. Cléopâtre, qui se montra docile, permit à Strike de s'installer tranquillement tandis qu'Antoine ne cessait de se retourner pour essayer de mordre Storm aux jambes, ce que Massri ne parvint à éviter qu'à grands coups de cravache sur le museau du chameau.

— Tenez, vous feriez mieux de garder ça, dit Massri en tendant la baguette à Storm lorsqu'il fut enfin monté sur la bête. C'est compris dans la location. Mais je vous préviens, monsieur Sullivan : il faut en user avec parcimonie. C'est le chameau le plus rapide du désert. Une licorne ! Un Pégase ! Je pourrais le faire courir contre le plus rapide des pur-sang. C'est le crack des chameaux. C'est une chance pour vous de monter pareil champion.

Antoine lâcha une dernière éructation, puis se rangea derrière Cléopâtre, qui partait déjà d'un pas lent et obéissant vers les vastes étendues du Sahara.

Ils avaient décidé de se rendre au milieu de la zone cible pour entamer leurs recherches en cercles concentriques autour de l'épicentre formé par l'emplacement exact des coordonnées que leur avait fournies Jones.

Le soleil se leva derrière eux tandis qu'ils se dirigeaient vers l'ouest. L'aube dans le désert était un moment d'une beauté envoûtante, auquel Storm avait assisté plus d'une fois. Au début, en tout cas, on parvenait même à se convaincre que cet endroit, malgré son aridité et sa désolation, n'était pas si terrible que cela. Ou du moins qu'il avait mauvaise presse. Storm contempla leurs longues ombres, qui ne tardèrent pas à raccourcir. Puis le soleil atteignit une certaine altitude. Il fut en tout cas suffisamment haut pour que ses rayons n'aient plus tant d'atmosphère à traverser. C'est alors que Storm commença à sentir sa chaleur percer la fine djellaba ocre qui lui couvrait le corps et le keffieh blanc qu'il avait enroulé autour de sa tête et de son cou.

Le sable, qui s'était rafraîchi la nuit, se réchauffait. Lentement au début, puis à une vitesse incroyable. Storm ne prit pas la peine de regarder quelle température il faisait (à quoi bon ?). Néanmoins, elle devait bien grimper de cinq degrés toutes les quinze minutes. Alors qu'au petit matin, il ne faisait sans doute guère plus de dix degrés, le mercure allait bientôt atteindre les trente. Storm sentit la sueur perler sur son corps. Il regarda sa bouteille d'eau. Pas encore. Il leur fallait conserver ce qu'ils avaient.

Hormis le fait qu'il lui fallait prétendre être un nomade, Storm était ravi de pouvoir jeter de temps à autre un œil à son GPS. Le paysage était si monotone qu'il comprenait qu'on finisse par tourner en rond lorsqu'on se perdait dans le désert. Il était vraiment facile de perdre tous ses repères. Le GPS leur permettait donc de garder plus ou moins le cap.

En dehors de cet accessoire de navigation, ils traversaient le désert comme le faisait l'homme depuis des millénaires : à dos de chameau. En pleine chaleur. Sous les ardents rayons d'un soleil meurtrier. Ils parlaient peu. Tous deux semblaient avoir conscience de la nécessité de conserver leur énergie, de ne pas la gâcher en bavardages. En ce qui concernait la volonté de Strike d'en avoir terminé avant la chaleur du jour, c'était clairement mission impossible. Ils avaient une trop longue distance à parcourir.

Aussi récalcitrant qu'il eût pu se montrer au départ, Antoine avait adopté un bon rythme. Bave et crachats mis à part, il faisait ce pour quoi il avait été élevé depuis la domestication de son espèce (avant l'avènement des pharaons).

Il leur fallut trois heures pour se rapprocher des coordonnées indiquées par Jones. Storm était sûr qu'il faisait déjà plus de trente-deux ; la fournaise ne semblait cependant pas avoir encore atteint son apogée. Storm se rendait compte que Strike le regardait de plus en plus fréquemment depuis qu'ils se rapprochaient de leur but. Il se permettait de consulter le GPS de plus en plus longuement. Ils avaient établi l'emplacement correspondant à la coordonnée nord. Il ne leur restait plus qu'à s'engager un peu plus à l'ouest.

Enfin, ils furent arrivés.

— On y est, annonça Storm en tirant sur les rênes.

Dans un rare moment d'obéissance, Antoine s'arrêta.

En silence, ils scrutèrent un instant l'horizon. Il n'y avait rien. Juste un océan de sable s'étendant à perte de vue de tous côtés. Quelque part au milieu de ces vingt-cinq kilomètres carrés se cachait ce qu'ils cherchaient. L'énormité de la tâche s'imposa à eux dans toute sa mesure.

— Eh bien, oui, je me rends compte maintenant, commença Strike pour devancer les sarcasmes de son compagnon.

— C'est sacrément inconsidéré de la part des terroristes de ne pas avoir au moins planté un drapeau ou autre chose pour nous aider. Quand même, après tout ce chemin.

— Des terroristes qui ne connaissent pas l'hospitalité. La pire sorte. Si ça se trouve, tu vas voir qu'ils n'auront même pas sorti la belle porcelaine pour nous.

— C'est la faute des parents. On ne sait plus élever un bon terroriste de nos jours, dit Storm. Montons au sommet de cette dune, là-bas, pour voir si on voit quelque chose.

Storm fit avancer sa monture, et Cléopâtre lui emboîta le pas. Arrivés au sommet de ce qui semblait un haut tas de sable parmi tant d'autres, ils s'arrêtèrent de nouveau. Les chameaux se tenaient côte à côte. Comme Cléopâtre poussait Antoine du museau, ce dernier laissa échapper une tonitruante éructation.

Ce fut le seul son à des kilomètres à la ronde.

— Oh ! c'est bon, j'ai compris, dit Strike en inspectant la vue, dont seule l'altitude avait changé. Le truc idiot, c'est que je croyais que ce serait plus facile une fois qu'on serait sur place. En fait, c'est pire que quand je regardais avec l'aide des satellites. Au moins, je n'avais pas la sueur qui me dégoulinait dans le décolleté.

— Bon sang, jamais je n'aurais cru être jaloux un jour de ta sueur, dit-il.

Strike ne répondit rien, car elle avait pour habitude de ne pas prêter attention aux remarques de Storm qui semblait ne jamais cesser de penser au sexe plus de huit secondes. Storm sortit des jumelles de marine Steiner 7x50 que Strike avait eu la bonne idée de glisser dans son sac à dos. Il fit la mise au point, puis braqua le viseur sur l'horizon. Après un examen panoramique de trois cent soixante degrés, il revint à son point de départ. Il était peut-être à mi-chemin lorsqu'il aperçut un scintillement. Le soleil devait frapper soit sur un morceau de verre, soit sur du métal poli ; ni l'une ni l'autre surface ne se trouvait toutefois à l'état naturel dans le désert. Il prit note de la direction, puis abaissa les jumelles.

— Là-bas, dit-il en les tendant à Clara. Regarde à deux cent sept degrés.

— Deux cent sept degrés, c'est à peu près la température qu'il fait ici, dit-elle en jetant un œil dans la direction indiquée. Tu es sûr de ne pas avoir d'hallucinations ?

— Non. C'est pour ça que je te demande de regarder. Tu vois le reflet ?

— Storm, je ne vois rien, mais... Oh ! peu importe. Oui. Ça y est, je le vois. Jones avait mentionné qu'il y avait quelque chose qui ressemblait à un campement de Bédouins, mais, comme il était à l'extérieur de la zone cible, ils n'y ont pas vraiment accordé d'attention. Tu crois que c'est ça ?

— Peu importe ce que c'est, c'est toujours plus intéressant que ce que je vois par ici. Je suis sûr que c'est à l'extérieur de la zone cible, mais laissons tomber notre système de recherches et allons voir.

— Ça me va, répondit Strike.

Et ils redescendirent de leur dune. Dans les jumelles, l'éclat qu'ils avaient aperçu semblait presque assez proche pour s'en saisir de la main. En réalité, il était à près de huit kilomètres de là et il leur fallut une bonne heure pour y arriver.

Ils retombèrent dans le silence. Le seul son qu'on entendait était celui des épisodiques blatèrements d'Antoine. Les chameaux ont développé toutes sortes d'astuces pour lutter contre la chaleur et préserver leur hydratation : des globules rouges non pas ovales mais circulaires, un nez capable de piéger l'humidité dans l'expiration pour la renvoyer recyclée dans l'organisme, des bouses si sèches qu'on peut allumer un feu avec. L'homme n'a pas connu ces évolutions. Comme la température dépassait maintenant les trente-sept, Storm et Strike commençaient à souffrir sérieusement. La chaleur semblait régner partout à la fois, comme si elle emplissait le moindre espace disponible, excitait le moindre atome. Le peu d'oxygène qui restait dans l'air semblait s'être évaporé avec toute l'eau de la planète.

Ni l'un ni l'autre ne se plaignait. Storm ne pipait mot, car il ne servait à rien de dire quoi que ce soit, Strike parce qu'elle avait toujours l'impression, qu'elle le reconnût ou non, d'être dans une sorte de compétition tacite avec Storm : c'était à celui qui était le plus coriace, le meilleur agent, celui qui tenait le mieux le coup. Il n'était pas question pour elle de le laisser gagner, même s'il ne s'en rendait pas compte.

En se rapprochant, ils se rendirent compte que le scintillement qu'ils avaient distingué au loin ne provenait pas d'un simple morceau de métal gisant au soleil. Il y avait une sorte de campement : un regroupement de tentes, dont certaines assez grandes, avec des camions éparpillés autour. Storm, qui ne les lâchait pas du regard, vit des hommes vêtus de blanc et blanc cassé s'affairer de tente en tente, essayant d'éviter le soleil autant que faire se pouvait. Il en dénombra peut-être une vingtaine, bien qu'il fût difficile de savoir s'il ne comptait pas deux fois les mêmes à cette distance.

Ils semblaient travailler à quelque chose. Dans quel but ? Storm donnait sa langue au chat. Par un pan d'une tente relevé sur le côté, il discernait plusieurs objets, dont certains assez gros avaient été emballés dans des caisses, peut-être en vue d'un futur transport.

Lorsqu'ils se trouvèrent à peut-être huit cents mètres ou un kilomètre, Storm perçut des cris d'affolement. Comme le son portait, Storm comprit qu'ils avaient été repérés, même s'il ne distinguait pas exactement leurs paroles. Les cris s'amplifièrent. Lorsqu'ils ne furent plus qu'à quelques centaines de mètres, ils virent arriver vers eux à dos de chameau un comité d'accueil chargé de les intercepter.

À peu près au même instant, Storm finit par deviner ce qui se passait. Il aperçut une antique structure en blocs de grès surgissant de terre. Elle possédait une entrée menant sous terre. La majeure partie de l'attention qui n'était pas concentrée sur Storm et Strike semblait focalisée autour de cette entrée.

— Une idée ? demanda Strike.

— On dirait des fouilles archéologiques.

— Je suis de ton avis. D'ordinaire, je dirais qu'ils ne risquent pas de se montrer agressifs à notre égard. Sauf que là, je vois que plusieurs de ces messieurs sont armés.

— C'est juste parce qu'ils ont plus peur de nous que nous d'eux, dit Storm. Pourquoi n'irais-tu pas leur parler ? Une voix féminine les calmera peut-être. Je vais lever les mains bien en l'air, mais je préfère que tu gardes les tiennes sous ta burka, sur la détente de ce petit calibre que tu as sur toi. Juste au cas où. D'accord ?

— Compris, confirma Strike.

Elle se mit à crier fort, mais sur un ton amical, en arabe :

— Bonjour, mes amis. Nous ne sommes que de paisibles voyageurs. Nous ne vous voulons aucun mal. Baissez vos armes, s'il vous plaît. Je vous assure, nous venons en paix.

Storm scruta les canons braqués sur eux. Il s'agissait de vieilles armes, qui n'avaient probablement jamais tiré juste et qui avaient été mal entretenues, en plus. Le sable est particulièrement dommageable pour une arme, surtout si elle n'est pas correctement nettoyée. Même si ces clowns voulaient tirer sur eux, ils échoueraient probablement.

Finalement, les propos de Strike eurent l'effet recherché. Storm vit les canons se baisser. Ils étaient assez proches pour qu'il distingue les sourires affichés par ces hommes.

Et s'aperçoive que l'un d'eux n'en était pas un.

Elle n'était manifestement pas non plus égyptienne. Storm voyait des mèches blondes s'échapper de son hijab usagé. Et elle avait des taches de rousseur sur le nez. Et de beaux yeux bleu clair. Et quelque chose dans sa posture trahissant une certaine confiance en soi, ce qui laissait entendre qu'une très jolie jeune femme se cachait sous ces monceaux de tissu destinés à la protéger du soleil et, en ce moment précis, du regard inquisiteur de Storm.

— Salut ! lança-t-il en anglais en s'adressant plutôt à elle. Je m'appelle... Talbot. Terry Talbot. Et voici ma collègue. Elle s'appelle Sullivan. Sally Sullivan.

— Oh ! salut, répondit-elle. Je suis le docteur Katie Comely.

— Ravi de vous rencontrer, dit Storm, le sourire aux lèvres.

— Un peu trop, je dirais, grommela Strike, entre ses dents, avant de lui lancer un regard qui aurait permis à n'importe quel chirurgien de pratiquer une magnifique incision pour entamer une opération à cœur ouvert.

Storm la regarda à son tour l'air parfaitement innocent, tactique adoptée par les hommes du monde entier lorsqu'ils veulent désespérément faire croire qu'ils n'ont pas remarqué l'arrivée d'une autre jolie femme parmi eux.

Ils s'étaient suffisamment rapprochés pour que leurs chameaux puissent se regarder au moins d'aussi près que leurs cavaliers. Antoine émit un grognement et se remit à baver. Par chance, les cavaliers semblaient d'un accueil plus chaleureux. Storm vit le Dr Comely écarquiller les yeux une seconde avant, sembla-t-il, de comprendre.

— Vous êtes de la L-I-P-A ?

— Pardon ? fit Storm.

— La Ligue internationale de protection des arts. C'est juste que... Je voyais l'arme qui sortait de votre sac, là, alors, je...

Strike allait la corriger quand Storm intervint.

— Oui. Oui, nous faisons bien partie de l'International Art Protection League. Désolé, c'est que normalement on utilise plutôt notre acronyme anglais, et on dit « i-apple », un peu comme « iPhone »... Mais, oui, nous avons des armes. Et des chameaux. Et nous sommes bien là pour vous protéger. Pour protéger vos œuvres d'art. Enfin, vous et vos œuvres d'art.

— Je suis tellement soulagée de vous voir ici, avoua la jeune femme. On a eu les pires problèmes avec les bandits.

Ils nous ont volé tant de nos découvertes que je ne saurais même pas par où commencer...

Elle se retourna et cria en direction d'un homme qui sortait tout juste du camp avec son chameau.

— Professeur, ce sont les gens de la protection des arts !

Katie souriait comme si Storm et Strike étaient le Messie.

— C'est le docteur Stanford Raynes, leur expliqua-t-elle.

L'homme ne semblait guère à l'aise sur sa monture. Grand et mince, il arborait un air hautain d'universitaire qui déplut immédiatement à Storm. Quoi qu'il en soit, Raynes lui sourit, et ils se présentèrent de nouveau.

— Pourquoi ne pas vous joindre à nous ? proposa Katie.

— Avec grand plaisir, se hâta de répondre Storm avant que Strike ne trouve les mots assortis à son air renfrogné.

— Formidable. Vous pourrez même nous aider à sortir notre dernière découverte du tombeau. Cela risque d'être passionnant, vraiment. Mais aussi assez lourd, spécifia Katie en se tournant entièrement vers Storm. Mais ce ne devrait pas être un problème pour vous. Vous m'avez l'air capable de soulever un tank. Vous devez faire beaucoup de musculation, monsieur Talbot.

— C'est en effet dans mes habitudes, dit Storm.

Strike le fusillait maintenant du regard. Toutefois, elle ne dit rien.

— Eh bien, suivez-nous dans ce cas, reprit Katie. Nous allions faire une pause en attendant que cette terrible boule de feu disparaisse du ciel, mais ensuite, il faudra nous activer.

18

Quelque part au Moyen-Orient

Sur le mur du fond, dans le bureau d'Ahmed, il y avait un grand tableau illustrant une scène des *Trois Pommes*, l'un des contes narrés par Schéhérazade dans *Les Mille et Une Nuits*. Il s'agit d'un pêcheur qui découvre un beau coffre décoré et le vend au chef suprême de la communauté musulmane. Lorsqu'il l'ouvre, le calife trouve le corps d'une jeune femme découpé en morceaux. Il accorde alors trois jours à son vizir pour retrouver le meurtrier, au risque sinon de mourir à son tour.

Au troisième jour, le grand conseiller est sur le point d'être exécuté, car il a échoué, mais deux hommes surgissent alors, affirmant tous les deux être les meurtriers. Il s'ensuit toute une série de rebondissements, toujours plus inattendus, tous d'autant plus extraordinaires quand on sait que la conteuse, Schéhérazade, tente elle-même de sauver sa peau face à un monarque sans pitié.

On considère aujourd'hui *Les Trois Pommes* comme l'un des premiers exemples de thriller en littérature, car il se fonde sur une intrigue à rebondissements multiples destinés à tenir le lecteur en haleine, et cette histoire est racontée par un narrateur dont il faut se méfier. Pour Ahmed, c'était un rappel du principe selon lequel il ne faut faire confiance à personne et que rien n'est jamais comme il paraît. Ce qui était parfaitement approprié puisque ce tableau n'était pas non plus uniquement un tableau. En effet, il masquait la porte d'un passage secret menant à une cavité juste assez haute pour qu'un homme puisse s'y tenir debout et assez profonde pour y cacher des choses de valeur. Cette cache avait été conçue par l'un des ancêtres d'Ahmed pour y dissimuler on ne sait quoi aux yeux d'on ne sait qui.

Ahmed y jouait lorsqu'il était enfant. Il volait des halvas à la cuisine, remplissait une amphore d'eau et s'y enfermait au petit matin avant que son père ait terminé son petit-déjeuner. Alors, muni de ses provisions, Ahmed y passait la journée entière à épier son père. Par endroits, le tableau était transparent de l'intérieur, ce qui lui permettait de voir sans être vu. Il pouvait rester là, sans faire de bruit, à écouter les conversations qui se déroulaient dans le bureau.

Ahmed appelait ce compartiment *aman*, ce qui signifie « protection » ou « sécurité » en arabe.

Le jour où son père avait fini par découvrir son secret, au lieu de le gronder, il avait loué son intelligence. Ensuite, il avait prié son fils de cesser ses cachotteries. Cependant, il l'invitait de temps à autre à venir dans l'*aman* assister à des conversations importantes.

— Maintenant, écoute bien, recommandait-il. Cet homme va négocier un prix d'une centaine de livres l'unité. Je lui répondrai qu'une telle chose est impossible, que personne ne peut vendre à si vil prix, que je ne serai plus en mesure de nourrir ma famille avec une somme pareille. Je le supplierai de manière assez pitoyable. À la fin, il acquiescera et acceptera cent vingt-cinq livres, sans jamais savoir qu'il ne m'en coûtera que cinquante.

Une autre fois, il dit :

— Cet homme va commencer par me réclamer de lui faire un prix. Il pleurera misère. Je le réprimanderai pour sa faiblesse, puis prétendrai lui concéder un prix très spécial en lui proposant cent cinquante livres. Il m'assurera que ses enfants en seront affamés. Alors, d'un geste magnanime, je lui accorderai les cent vingt-cinq livres. Il ne m'en coûtera toujours que cinquante.

Ahmed était fasciné de voir les prédictions de son père se révéler si souvent justes. Ainsi, dans son *aman* secret, il apprit beaucoup sur le monde des affaires et les hommes.

Jamais il n'aurait deviné qu'un jour, il utiliserait cette cavité pour y dissimuler un stock de prométhium, cette substance qui permettait de fabriquer une arme plus puissante que tout ce dont son père aurait pu rêver.

Ahmed n'aurait pas deviné non plus qu'il aurait à demander parfois à l'un ou l'autre de ses agents de sécurité de s'y cacher. Juste au cas où. Et seulement parce qu'Ahmed n'était pas aussi doué que son père pour anticiper les propos ou les gestes de ses visiteurs dans son bureau.

Il est vrai que ces visiteurs étaient plus dangereux que ceux que recevait son père. Ahmed contemplait le tableau en repensant aux enseignements des *Trois Pommes*, en se remémorant ces longues heures passées derrière dans son enfance, quand son téléphone sonna.

— Oui ? répondit-il en arabe. Oui, je suis prêt. Je suis toujours prêt. Vous savez bien que... Dès que vous le souhaitez. Demain peut-être ? C'est possible pour moi demain... Oui, bien sûr que j'aurai l'argent. Ai-je jamais failli à mes engagements envers vous ?... Et nous sommes d'accord sur le prix ?... Non, non, non. Ce n'est pas acceptable. Pas du tout. Ces complications dont vous parlez ne sont pas mon problème... Eh bien, dans ce cas, tuez-les si vous voulez. Qu'attendez-vous de moi, que je pleure à leur enterrement ? Ils ne me sont rien du tout... Alors, je vous suggère le désert, c'est l'endroit parfait pour se débarrasser d'un corps. Vous connaissez le dicton, n'est-ce pas ?

Ahmed éclata de rire.

— Non, non. C'est : « Le sable ne rend que ce qu'il veut. » Occupez-vous de vos problèmes. Je m'occupe des miens. À demain matin, louange à Allah.

19

À l'ouest de Louxor, Égypte

Katie Comely était rouge, mais, pour une fois, pas uniquement à cause de la chaleur.

— Je ne comprends vraiment pas ces objections, disait-elle au Pr Raynes. Ces gens concrétisent nos rêves. Vous avez vu la taille de ce type ? Il ferait tenir trois Égyptiens dans sa poche. Mais le plus important, ce sont quand même les dimensions de son arme… Quant à elle, elle n'a pas l'air d'avoir les deux pieds dans le même sabot, non plus. C'est en tout cas beaucoup mieux qu'une bande de soi-disant gardes qui détalent au moindre regard de travers.

Katie et le professeur s'étaient retirés sous une tente pour fuir la chaleur écrasante. À l'extérieur, le mercure continuait de grimper et allait atteindre les cinquante degrés Celsius. Sous la tente de Raynes, un système de climatisation à énergie solaire soufflait un air frais qui faisait barrière au feu du désert. Le plancher en bois que Raynes avait installé isolait sa tente du sable, de sorte qu'on n'y étouffait pas trop.

Quoi qu'il en soit, c'était de loin l'opération de fouilles la plus cossue à laquelle Katie eût participé. Raynes disposait du tout dernier équipement et de générateurs pour tout faire fonctionner. Cela contribuait à donner au camp un semblant de vernis civilisé dans cet environnement difficile.

— Tout ce que je dis, c'est que je ne suis pas sûr de leur faire confiance, Katie, répondit le professeur.

— Comment pouvez-vous dire ça ? Ils sont de l'i-apple. Ils sont venus nous protéger.

— Oui, oui, je sais que c'est ce qu'on croit, mais, normalement, les gens de la Ligue internationale de protection des arts ne surgissent pas comme ça de nulle part, à dos de chameaux, sans prévenir. Ils appellent d'abord. Ils arrivent en camion. Ces gens-là pourraient être n'importe qui.

Katie posa les mains sur ses hanches.

— Pourquoi iraient-ils dire qu'ils font partie de l'i-apple si ce n'est pas le cas ? Ça paraît un peu dingue de le prétendre si ce n'est pas vrai. Si ça vous inquiète tant, pourquoi ne pas contacter la personne que vous connaissez à Bern.

— Je vais le faire, en effet, dit le professeur.

— C'est juste qu'on est si près du but. Bouchard est prêt à être déplacé. On le sort ce soir.

Elle avait pris l'habitude d'appeler sa momie « Bouchard », du nom de Pierre-François-Xavier Bouchard, le lieutenant de l'armée française qui avait découvert la pierre de Rosette, découverte qui était considérée à l'origine du champ entier d'études que constituait l'égyptologie. Tant qu'elle n'aurait pas ramené la momie au labo, Katie n'avait aucun moyen de connaître son vrai nom. Lequel était-il parmi les nombreux anciens rois d'Égypte qui n'avaient pas encore été découverts ?

— Je sais ce que cela représente pour vous, s'adoucit le professeur.

— Quelqu'un se propose de nous aider ? Pour ma part, je me moque de savoir s'il s'agit de charlatans. Tant qu'ils nous protègent, je veux bien leur acheter toutes les huiles de serpent qu'ils voudront nous vendre ou...

— Katie, êtes-vous sûre que ce soit bien sage ?

— Je viens de... J'ai déjà perdu Kheops, alors, si je perds aussi celui-là... Quand même, c'est toute ma..., commença-t-elle avant de s'interrompre en se rendant compte qu'elle allait se mettre à pleurer.

— Katie, Katie, roucoula le professeur.

Il se leva, se posta derrière elle et entreprit de lui masser les épaules. C'était la première fois qu'il se permettait de la toucher d'une manière aussi peu professionnelle. Son premier réflexe fut de vouloir le repousser, de se débattre et de le réprimander, car elle savait qu'il avait un faible pour elle. C'était mal à de nombreux points de vue.

Néanmoins, elle se rappela qu'elle avait besoin de toute l'aide qu'elle pourrait trouver. Il y avait pire dans la vie que d'accepter un massage du dos non sollicité. Si cela permettait qu'il reste de ses côtés, autant laisser faire.

Deux tentes plus loin, l'humeur n'était pas aux massages.

— Oh ! monsieur Talbot, vous êtes si grand et si fort, se moquait Clara Strike en imitant la voix de soprano de Katie Comely. Vous m'avez l'air capable de soulever n'importe quoi. En fait, pourquoi ne viendriez-vous donc pas par ici me soulever les jupes ?

— Oh ! arrête !

— Et quand vous aurez fini, que diriez-vous de creuser un peu autour de ce que vous y aurez trouvé ? Je parie qu'on ferait vraiment de fascinantes découvertes.

— Tu suggères quoi ? demanda Storm.

— Ce que je suggère ? s'exclama Strike sur un ton normal. Rien du tout. J'affirme qu'elle veut déchiffrer les hiéroglyphes avec toi sur l'oreiller, et, compte tenu de la manière dont tu la regardes, cette envie me semble plus que partagée.

— Arrête, c'est complètement idiot, dit Storm.

— Idiot ? Désolée, c'était donc juste une coïncidence si, de la gentille jeune mariée, et heureuse de l'être, partie en lune de miel avec les plus romantiques chameaux de toute l'Égypte, je me retrouve d'un instant à l'autre vieille fille, à traîner dans les dunes avec un dénommé Tommy Talbot. Oubliés les monsieur et madame Sullivan chevauchant, éperdument amoureux, dans le désert.

— « Terry Talbot ». Je t'ai dit que je n'aimais pas ce nom de Sullivan.

— Alors, comme ça, tu divorces, sans rien dire ? L'institution du mariage ne signifie-t-elle donc rien pour toi ?

— Je n'ai pas div…

— Je ne vois pas ce que je vais pouvoir dire à tous ces amis qui sont venus au mariage. Et tout l'argent dépensé par mes parents. Tu crois qu'on peut rendre une robe de mariée quand elle n'a été portée qu'une fois ?

— Puis-je te rappeler qu'on n'est pas vraiment mariés ?

— Plus… apparemment, fit Strike avec une moue, le menton relevé.

— J'ai dû improviser, OK ? J'ai aussi dit que nous étions des défenseurs des arts, peu importe ce que ça veut dire. Je ne peux pas être tenu responsable du fait que cette jeune femme se trouve être impressionnée par mon physique.

— Oui, oui, je sais. Ton fameux charme voyou.

Storm porta son bandana à son visage pour éponger la sueur qui lui perlait au front et sur la lèvre.

— Écoute, on est là, OK ? Et, je ne sais pas si tu as remarqué, mais ça semble être la seule chose dans le rayon de la zone cible qui ne soit pas juste un tas de sable. Le prométhium pourrait très bien avoir été découvert ici.

— Par une bande d'archéologues ?

— Ou peut-être par ceux qui étaient là avant eux, je ne sais pas. Mais, comme tu le faisais si brillamment remarquer, il y a pas mal de fouilles en cours ici. Les gens qui creusent la terre ont tendance à y trouver des choses. Pourquoi pas du prométhium ?

Strike décroisa les bras, s'empara de la bouteille d'eau et but une gorgée. Storm voyait bien qu'elle se radoucissait.

— Écoute, si tu as une meilleure idée que de traîner ici, je suis tout ouïe, dit-il. Mais, en ce moment, je pense que c'est ce qu'on a de mieux à faire. Au moins, je suis sûr qu'on peut les protéger de ces soi-disant bandits qui rôdent aux alentours. Qui sait ? Peut-être que ce sont eux qui sont derrière tout ça. Ou peut-être qu'il y a des membres de la Société de Médine infiltrés ici, sur le site des fouilles, prétendant faire partie de l'expédition alors qu'en réalité ils sortent du prométhium en cachette chaque fois qu'ils retournent à la civilisation. Les possibilités ne manquent pas.

Strike tripota la bouteille d'eau.

— OK, que proposes-tu dans ce cas ?

— D'abord, on conserve notre couverture : on reste Talbot et Sullivan, de la Ligue internationale de protection des arts. Apparemment, il va se passer des tas de choses ce soir. Tu suis comme ton ombre le professeur Plumb...

— Professeur Raynes.

— Oui, peu importe. Comme je disais, tu lui colles aux basques, tu vois si tu peux user de ton charme auprès de lui pour comprendre ce qui se passe vraiment. Fais attention aux locaux, aussi. Ce sont eux qui se tapent le gros du travail, comme l'a fait remarquer Katie. Mais il semble que Raynes soit le grand chef du chantier ; alors, il est probablement au courant de tout ce qui se passe ici. De mon côté, je vais traîner avec le docteur Comely.

— Quel sens du sacrifice ! commenta Strike en plissant les yeux.

Storm s'efforça de prendre l'air angélique.

— Quoi, madame Sullivan ? Je ne vois absolument pas de quoi vous voulez parler.

Le féroce soleil avait enfin entamé la fin de sa course dans le ciel, et sa lumière rasante inondait le désert de rouges mystérieux et de jaunes complexes.

La chaleur s'évacuait du sable à la même vitesse qu'il l'avait absorbée le matin même. Sur le site des fouilles, l'équipe d'étudiants, de chercheurs, de professeurs et d'ouvriers locaux avait repris sa pleine activité.

— En gros, nous avons deux séances de travail par jour, expliquait Katie Comely à Storm, qui la suivait patiemment. On se lève avant l'aube pour profiter du petit matin. Ensuite, on fait une sieste au milieu de la journée et on reprend le soir, au moins quelques heures après le coucher du soleil.

— Quand les bandits frappent-ils ? s'enquit Storm.

— Le matin. On dirait presque qu'ils savent quand on a trouvé quelque chose de valeur. Je pense qu'un des ouvriers les tuyaute, probablement parce qu'on le paye pour ces informations. En revanche, j'ignore lequel, et, comme mon arabe reste très insuffisant, je progresse pour le moins difficilement.

— Et quand ils viennent, c'est... à dos de chameaux ? En buggy ? Ou quoi ?

— En pick-up. Ils ont besoin de camions pour embarquer tous nos trucs. On les voit arriver à des kilomètres à la ronde, mais on ne peut jamais rien faire pour se défendre. C'est si décourageant. Le professeur a embauché des gardes, mais ils tournent les talons et prennent la fuite sans tirer la moindre balle.

— Qui sont ces bandits ? Savez-vous quoi que ce soit à leur sujet ?

— Eh bien, ils ont le visage couvert, bien sûr. Ce ne sont que... des autochtones, je crois. Des autochtones désespérés. Compte tenu de toute cette instabilité politique en Égypte, l'économie locale est en pleine dégringolade. Le chômage ne cesse de grimper. Parfois, j'aimerais savoir mieux parler arabe pour pouvoir discuter avec eux. Il doit bien y avoir un moyen de les arrêter. Peut-être qu'on pourrait les embaucher pour qu'ils assurent notre sécurité, vous voyez ? On les paierait pour notre protection. Ou alors, peut-être que je parviendrais à les convaincre de, je ne sais pas, trouver quelqu'un d'autre à voler.

Katie l'avait conduit à l'entrée de la tombe et elle allait s'engager sous terre lorsqu'elle marqua une pause.

— Mon Dieu, vous entendez ça ? fit-elle.

Storm s'arrêta derrière elle et tendit l'oreille. Un doux gazouillis lui parvint, un son à la fois angélique et curieusement exaltant ; Storm n'avait jamais rien entendu de pareil.

— Qu'est-ce que c'est ? demanda-t-il alors qu'il parvenait enfin à localiser le petit oiseau rouge qui émettait ce chant.

— Ça, déclara Katie, c'est quelque chose qu'on a très rarement l'occasion de voir. C'est une amarante de Jameson.

— C'est magnifique.

— Pour les Égyptiens, cela porte extraordinairement bonheur d'en voir une. C'est un peu l'équivalent de la patte de lapin, du fer à cheval et du trèfle à quatre feuilles tout à la fois, expliqua-t-elle. Si vous voyez une amarante de Jameson, c'est qu'il va vous arriver quelque chose de très heureux. À l'origine, cet oiseau répondait à divers noms. Personne ne semblait pouvoir tomber d'accord sur une appellation. Par ailleurs, les pharaons en avaient toujours dans leurs palais, car ils aimaient leur chant. On en a trouvé des momifiés dans le tombeau de pharaons qui ne pouvaient supporter l'idée de partir dans l'au-delà sans leur titi favori.

— Pauvre oiseau.

— À vrai dire, ce qui en fait un pauvre oiseau, c'est surtout qu'il a risqué l'extinction à force d'être chassé. Cette espèce suit un chemin migratoire très étroit et ne s'arrête qu'en très peu d'endroits entre la pointe de l'Afrique du Sud et l'Égypte. Chaque année, elle fait une cible facile pour les braconniers. Heureusement, Jameson Rook, le célèbre journaliste, a publié un grand article sur le sujet dans un magazine en expliquant que cet oiseau allait connaître le même sort que le pigeon voyageur si personne n'intervenait. Plusieurs gouvernements d'Afrique, de pays qui ne s'accordent normalement jamais sur rien, même pas sur le nom à donner à ces oiseaux, ont interdit leur chasse et leur ont aussi aménagé des réserves. Du coup, leur nombre a crû de nouveau, au point même qu'ils ne sont plus considérés en danger, juste menacés. Les Égyptiens étaient tellement ravis de ne pas perdre cet oiseau qu'ils l'ont officiellement rebaptisé amarante de Jameson, en l'honneur de monsieur Rook.

Storm écouta l'oiseau chanter, puis l'imita. Les lèvres pincées, il répondit à son tour par un sifflement mélodieux.

— Oh ! oh ! voilà qui est plus qu'impressionnant ! s'exclama Katie. Peut-être que vous aussi, vous portez bonheur.

— Espérons-le, dit Storm.

Tandis qu'ils descendaient sous terre, le Dr Comely entreprit de raconter l'histoire des fouilles. Elle expliqua d'abord à son visiteur comment le site avait été découvert par le Pr Raynes, qui avait utilisé des techniques sismographiques de pointe. Ensuite, grâce à l'équipe d'archéologues qui s'étaient relayés, des tas de trésors avaient été mis au jour depuis un an. Enfin, elle raconta comment elle était tombée sur la pierre creuse et le tunnel caché dessous.

Storm n'écoutait que d'une oreille. Il restait attentif à tout ce qui pouvait sembler ne pas être à sa place, comme au moindre comportement étrange. Malgré ce qu'il avait affirmé à Strike, il n'était pas entièrement convaincu que les fouilles avaient quoi que ce soit à voir avec le prométhium. Cependant, autant agir comme si c'était le cas, car il n'y avait pas de mal à se tromper, mais de gros avantages à la clé pour son enquête s'il avait raison.

Aussi scrutait-il tout et tout le monde avec le plus grand soin. Même Katie Comely, car, si la Société de Médine était vraiment aussi futée que tout le monde avait l'air de le croire, elle pouvait très bien avoir pour agent une jeune Américaine propre sur elle.

Storm n'arrêtait pas de poser des questions en veillant à ne pas trahir sa couverture. Le passage le long duquel l'archéologue le guidait avait été élargi et étayé pour éviter qu'il s'effondre. Storm put marcher, en se baissant toutefois, jusqu'à la tombe la plus profonde. Une fois sur place, il se redressa. On avait installé un éclairage provisoire qui inondait la pièce de lumière.

— Il y a encore quelques jours, aucun être humain n'avait posé les yeux sur ces hiéroglyphes depuis cinq mille ans, expliqua Katie en montrant du doigt les murs. Et là, c'est la momie que j'ai baptisée « Bouchard », termina-t-elle. Voyez la manière dont ses bras sont croisés. Voyez la sophistication des bandages et le soin apporté au moindre détail. On n'en sera certains qu'une fois qu'on l'aura déballé, mais il est fort probable que nous découvrions un homme soigneusement embaumé. Il ne fait aucun doute dans mon esprit que nous avons affaire à un pharaon. Mais il faut que nous puissions le ramener au labo pour pouvoir l'cxaminer correctement.

Storm regarda Katie, puis le tas de chiffons à forme humaine devant lui, s'efforçant d'imaginer à quoi avait pu ressembler le monde de ce souverain et à quel genre de troubles il avait dû faire face. Qu'aurait-il pensé de la Société de Médine, d'un groupe qui croyait au meurtre et à la mutilation pour atteindre ses buts ? Sans doute n'aurait-il pas cillé. La brutalité était la norme à l'époque. Le pouvoir se prenait par la force. Les perdants étaient tués ou réduits en esclavage. C'était l'homme moderne qui était censé avoir évolué.

Katie évoquait les divers traitements scientifiques auxquels la momie serait bientôt soumise lorsque Storm l'interrompit.

— Vous êtes plutôt du genre calée pour tous ces trucs de l'ancienne Égypte, hcin ?

Elle s'interrompit, puis sourit.

— Oui, en effet.

— Comment se fait-il qu'unc fille du... Missouri, je dirais ?...

— Kansas, en fait. Mais vous n'êtes pas tombé loin. J'ai grandi dans une petite ville rurale où il ne se passait jamais rien et où tout le monde ne parlait que du temps, dc la météo du moment comparée à celle d'antan et des conséquences que cela risquait d'entraîner sur les récoltes. Oh ! et aussi du basket.

Elle rit d'elle-même et continua, tout en parcourant les murs du regard :

— À sept ans, mes parents m'ont emmenée voir une exposition itinérante sur les trésors égyptiens qui avait fini par atterrir on ne sait comment au musée de Kansas City. C'était la première fois que je me trouvais concrètement face à cette civilisation exceptionnelle créée par ce peuple qui avait vécu il y a très longtemps et très loin de chez moi, et inventé tant des choses que nous tenons pour acquises. Cela me semblait si exotique, si merveilleux, si étranger… au meilleur sens du terme… Ça a enflammé mon imagination. Alors, je me suis mise à étudier tout ce que je pouvais sur le sujet et je n'ai jamais vraiment cessé. Chaque fois que j'avais un exposé à faire à l'école, je trouvais le moyen de parler de l'Égypte. J'ai étudié l'archéologie, puis je me suis spécialisée dans la civilisation égyptienne et j'ai passé mon doctorat. Parfois, plus j'en apprends, plus j'ai envie d'en savoir et je... Désolée. Tout ça doit être terriblement rasoir, non ?

— Non, pas du tout, insista Storm. L'une des raisons qui m'ont décidé à venir travailler pour l'i-apple, c'est la passion que les gens comme vous, les artistes, les archéologues, les conservateurs de musée, ont pour leur job. Autrement, je serais devenu un mercenaire, un homme de main qui proposerait ses services au plus offrant. Au moins, de cette manière, je travaille pour des gens qui œuvrent à une plus noble cause.

Même si Storm disait cela pour les besoins de sa couverture, ces mots cachaient une part de vérité.

Katie se retourna et le regarda de ses deux grands yeux bleus.

— Vous allez vraiment nous aider, n'est-ce pas ?

— Je vais m'y employer, en tout cas, assura-t-il.

Elle le serra fort dans ses bras.

— Merci, dit-elle. Merci mille fois.

En lui rendant son accolade, il sentit le contraste entre ses muscles durcis par le travail et les parties de sa morphologie ayant conservé tout leur moelleux. Leurs deux corps semblaient s'emboîter à la perfection. Il n'avait pas vraiment l'impression d'avoir affaire à une terroriste.

Ce qui aurait justement fait d'elle un modèle en la matière.

20

Dans une pièce sécurisée

William McRae se réveillait lentement. Il était en proie au même sentiment de terreur qu'il éprouvait chaque matin depuis, quoi, trois semaines maintenant ? Quatre ? Il commençait à perdre le fil. Au début de son enlèvement, après avoir été kidnappé par un groupe mené par un homme avec une tache de vin sur le visage et une arme sur la hanche, McRae avait cru que sa captivité serait brève. Il pensait qu'il serait tué ou que sa rançon serait versée et qu'on le relâcherait.

Au lieu de cela, ils l'avaient drogué et maintenu dans cet état de stupeur narcotique pendant plusieurs jours. Il avait la sensation d'avoir été en déplacement constant, comme si on le transportait quelque part. Parfois, le mouvement s'arrêtait et il se disait : *Bon, eh bien, voilà, c'est la fin.* Puis le mouvement reprenait. Souvent, il entendait un moteur. Peut-être s'agissait-il d'un générateur, songeait-il. Peut-être étaient-ils quelque part où il n'y avait pas d'électricité, et ce moteur leur fournissait l'énergie dont ils avaient besoin. Ou peut-être était-il à bord d'un poids lourd. Il était totalement désorienté.

Une fois qu'il s'était remis des effets des sédatifs, on l'avait mis au travail en insistant sur le fait qu'il souffrirait au moindre refus. Il n'avait pas encore essayé de voir si ses ravisseurs iraient jusqu'à exécuter cette menace.

Jamais il n'aurait pensé que sa captivité se prolongerait si longtemps, pas en tout cas au point de perdre la notion du temps et de ne plus savoir quel jour de la semaine on était. Ses anciens repères (son emploi du temps chargé de retraité aux multiples activités bénévoles, le rythme hebdomadaire des choses qu'il faisait avec Alida, le calendrier dans son bureau et le téléphone portable dans sa poche), tout cela lui avait été enlevé. En vérité, il n'était pas mal traité.

D'un certain point de vue, sa tanière était d'ailleurs confortable. Il disposait d'un lit doté d'un surmatelas et de beaux draps propres qu'on lui changeait régulièrement. Certes, sa « cellule » était une pièce borgne, mais le sol était recouvert d'une épaisse moquette et il jouissait d'une salle de bain privée avec douche, lavabo et toilettes. Il y avait aussi un petit coin salle à manger où il prenait tous ses repas.

On lui avait fourni des vêtements qui lui allaient et, s'il avait besoin de quoi que ce soit, un interphone lui permettait de joindre ses gardes à tout moment pour les informer de ce qu'il lui fallait, et quelqu'un satisfaisait à sa demande. Lorsqu'il avait découvert que l'un de ses oreillers lui déclenchait une légère allergie, on le lui avait retiré et il avait aussitôt obtenu un traitement médical adéquat pour soulager son inconfort. Il était bien nourri, de plats délicieux et roboratifs, souvent trop copieux même.

Le revers de la médaille, c'était le travail non-stop. Chaque jour après le petit-déjeuner, on le faisait sortir de sa chambre, traverser le couloir et tourner à gauche pour rejoindre son atelier. Lui non plus ne possédait pas de fenêtre. Il travaillait sous bonne garde toute la journée et jusque dans la soirée.

Lorsqu'il avait achevé la construction du premier laser, McRae pensait que c'en était fait de lui. Il avait même un peu levé le pied tellement il était persuadé qu'une fois qu'il en aurait terminé, tout serait fini pour lui.

Or ils étaient revenus lui dire qu'il devait en construire un autre. Puis un autre. Au début, le scientifique en lui se passionnait pour ce travail. Il s'était toujours cru capable de fabriquer le plus puissant laser que le monde ait jamais connu si on lui fournissait assez de prométhium.

Mais, comme cette terre rare n'existait qu'en très faible quantité, sans espoir de pouvoir un jour s'en procurer davantage, tout cela restait du domaine théorique.

Il était agréable de pouvoir mettre ses idées en pratique, même s'il s'inquiétait de savoir ce qu'ils comptaient faire de ces armes. Il ne cessait de penser qu'ils manqueraient bientôt de prométhium. Où parvenaient-ils à s'en procurer autant, d'ailleurs ? À ce moment-là, il pourrait se reposer.

Cela commençait en effet à faire beaucoup. Il n'était plus un jeune homme. Ils avaient fait venir du monde pour l'aider aux tâches les plus physiques, mais d'autres restaient à sa charge. Ses mains, déjà sujettes à l'arthrose, étaient mises à mal. Chaque jour, il travaillait bien au-delà de la limite où ses doigts le faisaient littéralement souffrir. Tout son corps était détraqué. Sa course quotidienne lui manquait, non seulement pour la détente physique que cela lui procurait, mais aussi sur le plan moral, car le jogging l'aidait à rester centré, à s'apaiser, à se sentir en forme grâce aux merveilleuses endorphines que cela libérait dans l'organisme.

Le fait de ne plus courir provoquait d'importants chamboulements. Il ne dormait plus aussi bien la nuit. Il était plus ombrageux. L'absence de fenêtres lui tapait sur les nerfs. Son corps réclamait de l'air frais et il lui tardait de revoir la lumière du jour. Mais, surtout, Alida lui manquait. Sa compagnie, sa perpétuelle bonne humeur, ses rires, son sourire lui manquaient. Son odeur, ce mélange de terre et de sueur, lorsqu'elle rentrait de jardiner lui manquait. Il regrettait de ne pouvoir lui parler de son travail, une habitude qui s'était installée entre eux depuis si longtemps qu'elle faisait partie intégrante de leur mariage. Il se surprenait maintenant à faire semblant de converser avec elle, comme s'il ne pouvait pas réfléchir sans penser à la manière dont il lui aurait exposé son raisonnement. Alida ne l'aidait pas uniquement à rédiger ses articles. Elle était sa muse.

Certains couples tiennent leur relation pour acquise, surtout au bout de plusieurs décennies de mariage, d'autres se comportent misérablement l'un envers l'autre, négligent les petites attentions qu'ils accorderaient à de parfaits étrangers. William et Alida McRae n'avaient jamais fonctionné ainsi, de sorte que leur relation s'était au contraire renforcée au fil du temps, et leur amour n'avait cessé de croître au lieu de se flétrir. Être séparé d'elle était pour lui sans aucun doute la pire torture dans ce calvaire. Jamais de toute leur vie conjugale, qui durait depuis quarante-cinq ans, ils n'avaient été séparés plus de deux ou trois nuits, lorsqu'il se rendait à un colloque sur la côte est pour présenter un article. Sinon, ils étaient inséparables. Il s'inquiétait de savoir comment elle tenait le coup sans lui. Il s'inquiétait de la savoir inquiète. Il s'inquiétait de l'effet de sa détresse sur sa santé.

Il avait supplié ses ravisseurs de le laisser l'appeler pour lui dire qu'il était encore en vie. Ils avaient refusé. Un e-mail, alors ? Une lettre ? Non, rien à faire.

Pendant tout ce temps, ils n'avaient cessé de le faire travailler. Et maintenant, il était fatigué : il n'en pouvait plus de trimer comme un âne pour ces hommes, de ses doigts qui le faisaient souffrir, de ce sang d'encre qu'il se faisait à l'idée de ce qu'ils tramaient avec les armes qu'il fabriquait, de l'absence d'Alida. Il se retourna dans son lit, bien qu'il eût aimé pouvoir s'en abstenir, car ils le surveillaient, il le savait. Or, en général, ils venaient le chercher dès qu'ils le voyaient se réveiller. Dernièrement, il avait pris l'habitude de ne pas bouger trop tôt le matin, afin de gagner quelques minutes de plus au lit. Mais, compte tenu de son âge, il lui était extrêmement difficile de conserver la même position trop longtemps.

Alors, il bougea. Peu après, l'un des ravisseurs entra. Ils étaient cinq en tout. McRae avait attribué à chacun une lettre grecque correspondant à la place qu'il devait occuper dans la hiérarchie. Celui-là était Delta.

— Bonjour, fit l'homme d'un ton bourru. Que souhaitez-vous pour le petit-déjeuner ?

— Rien, répondit McRae en se tournant de l'autre côté.

Delta marqua une pause. Comme il était plus jeune que ses acolytes, McRae le considérait comme un subordonné. Pas plus que les autres, il ne se donnait la peine de cacher son visage, ce qui inquiétait fortement le scientifique, car cela signifiait qu'aucun d'eux ne se souciait du fait qu'il puisse les identifier. Il y avait par conséquent peu de chances qu'ils comptent le laisser en vie.

— Allons, docteur McRae, il faut manger.

— Pas question. J'en ai marre de travailler pour vous.

Cela lui avait échappé sans qu'il eût vraiment réfléchi aux conséquences. L'homme se contenta de quitter la pièce sans répondre. McRae entendit le clic dans la serrure de la porte, comme toujours. Ses ravisseurs ne laissaient rien au hasard. McRae se demandait s'il saurait même quoi faire si la porte n'était pas verrouillée. Il espérait avoir un jour la chance de le découvrir.

Trois minutes plus tard, un homme immense entra à son tour. C'était Alpha. McRae avait décidé qu'il était le chef en raison de sa taille, mais aussi de la déférence que lui témoignaient les autres. Il faut dire qu'Alpha en imposait, car il mesurait près de deux mètres et dépassait largement les cent trente-cinq kilos – du muscle pour l'essentiel. Les cheveux blonds et les yeux bleus, on aurait dit un Viking des temps modernes. Il portait une enveloppe brune sous le bras.

— Docteur McRae, il paraît que nous avons un petit problème ce matin.

McRae resta allongé sans mot dire. C'en était assez. Peu importait qu'ils lui fassent du mal, il n'était plus question de leur construire le moindre laser.

— Très bien, si c'est comme ça que vous le prenez, soupira Alpha comme s'il ne s'agissait que d'une broutille.

Il ouvrit l'enveloppe et en sortit des photos grand format sur papier glacé qu'il étala au pied du lit. McRae n'y jeta pas un seul regard. C'était probablement d'atroces clichés de quelqu'un qu'ils avaient mutilé. C'était le premier degré de coercition. Peut-être la vraie torture n'allait-elle pas tarder à commencer. McRae pariait cependant que non, car, finalement, s'ils l'abîmaient, il ne pourrait plus travailler pour eux. C'était son atout et il était enfin décidé à le jouer.

C'est alors que, du coin de l'œil, il aperçut l'un des clichés que son ravisseur posait sur son lit.

Il ne s'agissait pas du tout de l'image violente d'un prisonnier au visage tordu par l'angoisse.

C'était Alida. Qui jardinait.

McRae s'assit sur son séant, le cœur battant comme un tambour dans sa poitrine.

— Jolie prise de vue, n'est-ce pas ? fit Alpha. On y retrouve vraiment le soin qu'elle met dans son travail.

Alpha s'empara d'une autre photo. Cette fois, Alida remontait vers la maison, le journal à la main.

— Celle-ci me plaît beaucoup, aussi. Prise en pleine action. Et si vous regardez bien, vous constaterez que la date indique qu'il s'agit du journal d'hier. C'est donc très récent.

McRae avait la bouche sèche. Il ne trouvait plus ses mots.

— Laissez-moi vous expliquer, monsieur McRae, au cas où vous ne comprendriez pas bien où je veux en venir. Nous avons posté un de nos hommes devant chez vous pour surveiller les moindres faits et gestes de votre chère et tendre. Si vous refusez de travailler pour nous, nous ne toucherons pas à un seul de vos cheveux. Votre petite tête nous est beaucoup trop précieuse. Nous nous en prendrons simplement à Alida. C'est clair ?

McRae acquiesça de la tête.

— Il va falloir me faire entendre le son de votre voix, monsieur McRae. Est-ce bien clair ?

— Oui, répondit McRae d'une voix rauque.

— Très bien, conclut Alpha. Maintenant – et cette fois, je vous suggère de répondre – que souhaitez-vous pour le petit-déjeuner ?

21

À l'ouest de Louxor, Égypte

Ils avaient sorti Bouchard la veille au soir, puis l'avaient emballé dans une caisse avec le plus grand soin avant de préparer l'expédition de la momie et de quelques autres objets mis au jour lors des fouilles.

Storm avait gardé les yeux ouverts tout au long de la soirée, car il demeurait convaincu que ce site archéologique ne renfermait pas que de simples ossements.

Même s'il n'avait rien remarqué de notable, il n'en démordait pas. C'était comme les hiéroglyphes sur les murs : pendant des années, personne n'avait su ce qu'ils voulaient dire, jusqu'au jour où l'autre Bouchard, ce bon vieux Pierre-François-Xavier, était tombé sur cette fameuse pierre.

Alors, tout était devenu clair. Parfois, dans une enquête comme dans la vie, il suffisait d'avoir la patience d'attendre le coup de veine.

En attendant, Storm s'immergeait dans son rôle de protecteur de la LIPA. Il avait insisté pour quitter les lieux au milieu de la nuit, afin de traverser le désert à la lueur des étoiles. Finalement, pourquoi attendre, si les bandits avaient plutôt tendance à attaquer le matin ?

Néanmoins, le Pr Raynes avait rejeté l'idée. Il n'y avait aucune route pour aller là où ils se rendaient et on risquait davantage de s'ensabler la nuit. S'ils se retrouvaient coincés, cela pouvait se révéler désastreux.

De plus, les chameaux n'aimaient pas qu'on les prive de sommeil. Connaissant les complications que pouvait poser un chameau contrarié, Storm s'était rallié à son avis. Ils avaient donc prévu de prendre le départ avant l'aube, et les premiers rayons du soleil commençaient à briller à l'horizon lorsque Raynes donna l'ordre de se mettre en route.

Leur caravane se composait de huit chameaux et de trois camions de six mètres de long, dont l'un avait la seule charge de Bouchard. Les deux autres transportaient bien davantage de matériel. Storm n'avait pas personnellement supervisé le chargement, car, à ses yeux, mieux valait laisser cette tâche aux professionnels.

En revanche, il avait fait valoir son savoir-faire pour l'organisation du convoi. Au milieu, il avait placé les camions que conduisaient les étudiants.

Avec le professeur, il ouvrirait la voie à dos de chameaux. Les quatre gardes se répartiraient sur les deux flancs tandis que Strike et le Dr Comely fermeraient la marche.

Tant qu'ils étaient dans le désert, ils ne pouvaient franchir les dunes qu'à faible allure, car leur cargaison était trop fragile et trop précieuse pour risquer les moindres soubresauts. Il suffisait d'une bosse prise un peu trop vite pour provoquer une catastrophe.

En conséquence, les camions ne devaient en aucun cas dépasser la vitesse de huit kilomètres à l'heure. À cette lenteur, il fallait même retenir les chameaux. La route bitumée la plus proche se trouvait à vingt-cinq kilomètres de là. Une fois qu'ils auraient retrouvé la relative sécurité du réseau autoroutier égyptien, ils pourraient mettre les chameaux à l'écurie et accélérer le pas pour le reste du voyage.

Il n'en restait pas moins vingt-cinq kilomètres à parcourir à huit kilomètres à l'heure. Inutile d'être un génie pour calculer qu'il leur faudrait trois heures, un long laps de temps pendant lequel ils seraient totalement exposés à la vue de quiconque souhaiterait s'en prendre à eux ou à leurs précieuses marchandises.

Les deux imposteurs de la Ligue internationale de protection des arts étaient plus que prêts à affronter n'importe quel hors-la-loi qui tenterait le diable. Storm avait remonté son CheyTac et le portait en bandoulière dans le dos. Strike avait également de quoi voir venir avec son M16.

Rien qu'avec ces deux armes, et grâce à la maîtrise qu'ils avaient de leur usage, ils étaient en mesure de repousser d'importantes forces assaillantes.

— Alors, monsieur Talbot, comment en êtes-vous arrivé à travailler pour la Ligue internationale de protection des arts ? demanda Raynes au bout d'un moment.

— J'ai été recommandé par l'ami d'un ami. En fait, ils m'ont embauché aussitôt, mentit Storm de façon éhontée.

— Sans entretien préalable ?

— J'imagine que mon physique a joué en ma faveur, dit Storm.

Antoine ponctua les fanfaronnades de son cavalier d'une forte éructation. Ce matin, le chameau ne se montrait guère moins revêche qu'à son habitude, mais, au moins, il n'avait pas tenté de s'accoupler avec qui que ce soit.

— Et depuis combien de temps y travaillez-vous, monsieur Talbot ? s'enquit le professeur.

— Environ deux ans maintenant. Mais je vous en prie, appelez-moi Terry.

Deux ans. Impressionnant, commenta Raynes. Auriez-vous par hasard croisé un dénommé Ramon Russo ?

Storm conserva un visage parfaitement impassible. Sans accès à Internet, il n'avait pu effectuer aucune recherche sur la Ligue internationale de protection des arts. Cependant, ses diverses infiltrations l'avaient amené à simuler bon nombre de fois dans les conversations. Il suffisait de répondre à la question sans y répondre vraiment, autrement dit de noyer le poisson, un art que les hommes politiques parviennent en général à maîtriser avant la fin de leur première campagne électorale. Les espions n'ont pas grand-chose à leur envier dans ce domaine.

— Vous savez, chaque fois que j'entends prononcer le nom de Ramon Russo, ça me fait penser au type qui jouait le sportif dans *2 Cool for School* dans les années 1990, s'esclaffa Storm. Vous aussi, vous regardiez cette sitcom ?

— Pas vraiment.

— Oh ! c'était super drôle. Chaque fois que ce personnage voyait une jolie fille, il faisait : « Houba-houba. » Alors, quand vous avez mentionné le nom de Ramon Russo, ça m'a fait penser à « houba-houba ».

Storm rit de bon cœur.

— Classique. Tellement classique, s'esclaffa-t-il. Houba-houba ! Tiens, vous voulez pas qu'on joue aux répliques de film ? C'est super pour passer le temps. Je vous donne la réplique, et vous, vous trouvez le film. Allez, c'est parti : « Fini ? Tu crois peut-être que c'était fini quand les Allemands ont bombardé Pearl Harbor ? Rien n'est fini tant qu'on ne l'a pas dit ! » Alors, c'est dans quel film ? Allez, c'est facile, là.

Storm surprit le regard de dédain que lui adressait Raynes et continua pendant plus d'une heure. Sans laisser la moindre opportunité à son interlocuteur de couper court à son épreuve, il passa en revue tout le catalogue des *American College*, *Le Golf en folie*, *Bonjour les vacances* et autres comédies du genre.

Il allait en venir à *Mon cousin Vinny* quand il aperçut un nuage de poussière s'élever au loin. Il s'interrompit au moment où Joe Pesci pousse son coup de gueule au sujet de l'horloge biologique.

— On dirait qu'on a de la compagnie.

Storm fit grimper le convoi au sommet d'une dune pour bénéficier d'un meilleur point de vue et d'un avantage tactique, puis il fit signe à tout le monde de s'arrêter. Il descendit vivement de son chameau, escalada l'une des cabines de camion, saisit son CheyTac et entreprit de l'installer sur le toit.

Compte tenu de la lâcheté des gardes engagés par Raynes, ces bandits, à supposer qu'il s'agît des mêmes, n'avaient jamais rencontré la moindre résistance. Ils avaient simplement pris ce qu'ils voulaient les doigts dans le nez. Les choses allaient changer.

Ce n'était pas son combat, au sens le plus vrai du terme. Ce n'était certainement pas pour cela qu'il était venu dans le désert, mais le principe sur lequel reposait cette confrontation heurtait son sens de la décence : les forts s'attaquaient aux faibles. Pour un homme comme Derrick Storm, ce combat-là méritait toujours d'être mené.

— Que faites-vous ? s'inquiéta Raynes.

— D'après mon expérience, les petites brutes sont partout pareilles, répliqua Storm tout en poursuivant ses préparatifs. Que ce soit dans la cour de récréation d'une école américaine ou au beau milieu du Sahara, il faut toujours frapper là où ça fait mal pour qu'on vous prenne au sérieux.

Les bandits continuaient leur approche. Storm se voyait presque à la place du chimiste qui se livre à des essais pour identifier un élément inconnu. La présente analyse impliquait de faire exploser la tête d'un bandit comme la pastèque dont on se servait aux exercices de tir sur cible. Alors, il saurait vraiment ce que ces assaillants avaient dans le ventre.

Il était assez bon tireur pour être à peu près certain, même si les attaquants arrivaient à quatre-vingts kilomètres à l'heure, d'abattre l'un d'entre eux à cinq cents mètres. Il pourrait même viser de nouveau et en descendre un autre le temps qu'ils arrivent dans les trois cents mètres.

On verrait bien alors à quel point ils étaient courageux.

Son fusil prêt, Storm entama un exercice de respiration profonde destiné à ralentir son pouls. C'était l'une des premières choses qu'apprenait un tireur d'élite : il fallait appuyer sur la détente entre deux battements de cœur. Plus il battait lentement, meilleure était la fenêtre de tir.

Rapidement, Storm parvint à obtenir un intervalle d'au moins une seconde entre chaque battement. Il décida de choisir sa première cible dans la voiture de tête, celle qui se trouvait à la pointe de la formation en « v » adoptée par les bandits.

Storm visa l'homme à la tête. Certes, c'était plus difficile que de viser la masse au centre, mais l'effet n'en serait que plus spectaculaire, car les tirs dans la tête sont plus sanglants, plus surprenants et ne laissent place à aucune ambiguïté.

Un type qui s'effondre parce qu'il a été frappé à la poitrine peut avoir été victime d'une chute. Cela n'effraie personne. Devant le même type qui perd sa cervelle avant de tomber, ses petits camarades ont davantage tendance à déguerpir au plus vite.

Il n'y avait pas de vent : cela faciliterait les choses. Storm effectua un rapide calcul pour évaluer l'endroit où se logerait la balle. Il visa juste au-dessus de la tête de sa cible, sachant que, compte tenu de la force de gravité, la balle le frapperait pile entre les yeux. Il posa le doigt sur la détente et écouta son pouls. C'était une question de rythme. Storm aimait appuyer sur la détente après le troisième battement. Toujours. Poum, pause, poum, pause, poum...

— Attendez ! Ne tirez pas ! s'écria Raynes.

— Pourquoi ? demanda Storm sans bouger.

— Parce que, comme je soupçonnais qu'il nous arrive ce genre de choses, j'ai demandé aux ouvriers de remplacer toutes les découvertes de valeur par n'importe quoi, expliqua-t-il.

— Bouchard aussi ?

— Surtout Bouchard. Il n'y a en fait qu'une caisse de sable dans ce camion. Rien de valeur à protéger. On n'a qu'à la leur donner. On sortira la momie par un autre moyen.

Storm releva la tête. Les bandits se rapprochaient. Ils n'étaient plus qu'à quatre cents mètres maintenant. L'avantage dont Storm bénéficiait pour les dégommer à distance n'allait pas durer. Selon Katie, les bandits étaient munis de kalachnikovs. C'était une arme dont l'efficacité augmentait considérablement à courte distance.

— Je me fous de ce qu'il y a dans ces camions, dit Storm. Il faut leur envoyer un message.

Storm colla de nouveau son œil à sa lunette.

— Non ! Avec tout le respect que je vous dois, Terry, nous sommes une expédition archéologique venue vénérer la grande histoire de ce pays, pas une bande de hors-la-loi. Nous sommes invités par le Conseil suprême des Antiquités égyptiennes. Dans l'accord que nous avons signé avec les autorités, il est stipulé que nous respecterons la loi et ne troublerons pas l'ordre public. Nous ne sommes même pas censés posséder des armes à feu. S'il vous plaît ! Ça ne rime à rien de verser le sang juste pour protéger un tas de sable. Laissez-moi leur parler.

Le professeur exhorta son chameau à prendre la direction des bandits. Il leva les mains en l'air tandis que sa monture ralentissait le pas.

— Ça ne me dit rien qui vaille, avoua Storm à Strike, venue de l'arrière avec Cléopâtre, Katie sur ses talons.

— Ce n'est pas toi le chef, Storm, le tança-t-elle à voix basse. Et n'oublie pas que nous ne sommes pas vraiment là pour protéger les œuvres d'art. Pourrais-tu ne serait-ce qu'essayer de faire profil bas et ne pas tirer sur des civils ? Si le docteur Dolittle pense pouvoir communiquer avec ces animaux, laissons-le tenter le coup.

Raynes et les pilleurs s'arrêtèrent à une cinquantaine de mètres de là. L'ennemi disposait de quatre pick-up avec sept hommes armés debout à l'arrière. Le professeur garda les mains en l'air et se mit à discuter en arabe avec l'homme qui semblait être à la tête des bandits. À en croire le ton et les gestes, la conversation était pour le moins tendue.

Jusqu'à ce que Storm se concentre sur ce qui se disait vraiment.

— Crie-moi après, braque ton arme sur moi et prends un ton vraiment furieux, dictait le professeur dans un arabe parfaitement maîtrisé, sans se douter que le balourd qui citait Ferris Bueller juste avant le parlait couramment aussi.

Conformément aux instructions du professeur, le chef des bandits, un homme grand au nez proéminent, leva le canon de son arme et cria que le professeur ferait mieux d'arrêter ses petits jeux, ou un truc du genre, assez fort pour que tout le monde entende.

— Très bien, dit le professeur calmement. Maintenant, donne-moi un grand coup de crosse avec ton fusil. Mais, pour l'amour du ciel, Ahmed, ne fais pas semblant de me rater cette fois ! Ça m'a fait un mal de chien la dernière fois.

Le chef des bandits, qui s'appelait apparemment Ahmed, lança une nouvelle salve de propos injurieux, qu'il ponctua d'un grand mouvement de balancier avec son fusil et stoppa à cinq centimètres de sa tête.

Strike, qui parlait aussi arabe, se tourna vers Storm.

— Tu as saisi ?

Storm acquiesça de la tête. Il voulait voir la suite. De nouveau, il tendit l'oreille.

— OK, merci, dit le professeur, les mains toujours en l'air. Maintenant, je vais te le donner au même prix que la dernière fois, mais, la prochaine, le prix augmentera, compris ?

— On verra, rétorqua Ahmed. Pour l'instant, occupons-nous de cette fois.

— Très bien. Mais il faudra qu'on parle de la prochaine fois, persista le professeur. En attendant, ce que tu es venu chercher se trouve dans le second camion. Tu vas devoir faire semblant de t'en emparer de force, bien sûr. Fais bien attention au grand type sur le toit de la cabine, là-bas. Garde une arme braquée sur lui, au cas où il tenterait quoi que ce soit. Descends-le si tu veux. Mais, sinon, tu trouveras tout bien enveloppé et prêt pour toi.

Ahmed dit quelque chose que Storm ne parvint pas à distinguer, car son accent était plus prononcé que celui du professeur. Néanmoins, à ce stade, Storm n'avait plus besoin d'en entendre davantage.

— Katie, j'ai de mauvaises nouvelles pour vous, annonça-t-il. Ce à quoi nous assistons n'est pas un braquage. C'est plutôt une négociation. Le professeur Raynes est en train de vous vendre.

— Quoi ? s'exclama Katie.

— Lui et les bandits sont de mèche. Désolé.

Sous le choc, Katie eut d'abord du mal à former une phrase.

— Que voulez-vous... ? Il est... Mais ce n'est pas..., balbutia-t-elle.

— Katie, à qui appartient le fruit de vos fouilles ? demanda Strike.

— Eh bien, au final, aux Égyptiens, répondit l'archéologue. Ça fait partie de l'accord qu'on a signé avec le Conseil suprême des Antiquités.

— Voilà pourquoi il vous vend, conclut Strike. Il ne verra pas la couleur d'un centime si ces pièces finissent quelque part dans un musée, mais je parie que ces bandits lui versent un joli pourcentage de ce qu'ils touchent sur la vente de toutes ces choses au marché noir.

— Que faire, alors ? demanda Katie.

Storm ne répondit pas. Il avait déjà repris position devant le CheyTac, où il se mit à compter les battements de son cœur.

Il ne visa pas la tête.

Il visa les épaules. L'épaule droite, plus précisément. Storm savait que la main gauche est considérée comme impropre dans la culture musulmane. Il pariait donc que les sept hommes armés devant lui tiraient avec la droite.

À moins qu'ils ne soient touchés avant. Être blessé à l'épaule droite ne tuerait aucun de ces hommes. Sincèrement, ils ne méritaient pas de mourir pour le seul crime d'être de pauvres bandits aux abois ; néanmoins, cela les empêcherait de riposter.

Storm braqua son viseur sur Ahmed et appuya sur la détente. Le chef des bandits s'écroula en se tenant l'épaule droite. Aussitôt, Storm visa le sbire à côté de lui. Poum, pause, poum, pause, poum, pan ! Le sbire rejoignit son patron dans la souffrance.

À ce stade, les autres bandits se mirent à jeter des regards affolés autour d'eux dans l'espoir de localiser la provenance des coups de feu.

En dépit de toute l'hostilité dont ils prétendaient faire preuve, ils n'avaient pas anticipé la moindre résistance de la part de cette bande de scientifiques hétéroclite. Surtout qu'ils devaient tous probablement savoir que cette attaque était en fait organisée à l'avance.

Cette fois, Storm profita de la confusion pour tirer sa troisième balle. Trois des hommes avaient maintenant pris refuge dans les pick-up. L'un n'était toutefois pas totalement à l'abri. Storm lui logea une balle dans le biceps. Techniquement, il avait raté son coup, mais cela ferait l'affaire.

Le professeur avait baissé les mains et reprit les rênes de son chameau, qui courait maintenant de manière totalement désordonnée en blatérant à tout va.

Les bandits, dont les cris trahissaient le désarroi, cédaient eux aussi à la panique. Storm voyait bien, grâce à cet instinct qu'il avait, que leur principale préoccupation maintenant était de savoir comment ils allaient pouvoir se sortir de là.

Il lui suffisait de donner un petit coup de pouce supplémentaire aux chauffeurs des pick-up. Aussi changea-t-il de cible pour viser les pare-brise, une cible beaucoup plus facile que les épaules.

À cinquante mètres à peine, face à une surface aussi large, il ne prit pas la peine de compter les battements de son cœur. Il prit juste soin de ne blesser personne derrière le pare-brise, puis se mit à tirer en rafales.

Le premier vola en éclats. Puis le deuxième. Au moment où il visait le troisième, les camions se mettaient déjà en marche, envoyant gicler le sable dans leur hâte. Juste pour souligner son propos, et pour donner un peu plus de travail au garage qui s'occuperait des réparations, Storm fit encore une fois résonner le CheyTac.

Lorsque les bandits eurent battu en retraite, il sauta du toit de la cabine et se dirigea vers l'arrière du camion. Katie, qui était descendue de chameau, semblait plus sous le choc qu'autre chose. Strike avait bien du mal à tenir Cléopâtre, dont le caractère calme n'appréciait pas les coups de feu. Antoine, qui faisait preuve d'une inhabituelle sérénité au milieu de toute cette agitation, était peut-être la seule créature vivante à demeurer totalement imperturbable.

— Bonté divine ! s'exclama Raynes en revenant avec son chameau vers son groupe. C'était incroyable ! Vous avez vu ça ? Vous aviez raison, monsieur Talbot. Il faut toujours frapper là où ça fait mal avec les petites brutes !

Storm l'ignora totalement. Il déverrouilla la porte de la remorque au milieu du camion censé transporter Bouchard, ou des cailloux désormais. D'un bond, le faux M. Talbot fut à l'intérieur, où il ramassa un marteau abandonné par terre pour ouvrir la caisse.

— Je ne sais pas si je dois vous maudire ou vous remercier, braillait le professeur, qui avait mis pied à terre à côté de Katie. Mais, apparemment, on n'a plus aucun souci à se faire au sujet de ces voyous. Alors, ce sera merci.

Le couvercle était maintenant enlevé. Or la caisse ne renfermait pas du sable, mais un long coffre en métal muni de fermoirs sur les côtés. Storm les défit, souleva le couvercle, puis regarda à l'intérieur.

Il y avait un gros tas de poudre blanche.

Une poudre blanche granuleuse, qui correspondait exactement à la description du prométhium brut avant raffinage donnée par Alida McRae.

Un compteur Geiger le confirmerait, mais Storm n'avait pas besoin d'un instrument pour comprendre la situation. Les fouilles archéologiques n'étaient qu'une façade. En réalité, le professeur dirigeait l'extraction du prométhium. Les hommes sur lesquels Storm venait de tirer n'étaient pas des bandits, mais des terroristes venus l'acheter.

— Je vais devoir adresser mes louanges à la Ligue internationale de protection des arts pour votre performance ici aujourd'hui, reprit Raynes.

Storm sauta du camion et en fit le tour pour venir se confronter à Raynes.

— Cessons cette comédie, professeur, dit-il. La Ligue internationale de protection des arts n'existe pas. Vous l'avez su dès que ma collègue et moi sommes arrivés au camp. Je l'ai compris quand vous m'avez laissé citer des films pendant une heure au lieu de me presser de questions pour obtenir davantage de détails sur mon emploi.

Storm bascula en arabe.

— En plus, j'ai entendu tout ce que vous venez de dire et je sais exactement ce qui se passe ici. Vous vendez du prométhium à des terroristes.

Au mot « prométhium », Strike tourna vivement la tête dans la direction de Storm. Même Katie Comely, avec ses notions d'arabe limitées, semblait comprendre.

Le visage de Raynes se crispa. Puis, à une vitesse qui surprit Storm, il sortit un petit pistolet des plis de sa djellaba et le braqua sur la tête de Katie à bout portant.

— Pas un geste, dit-il d'une voix dangereusement calme. Si vous tentez quoi que ce soit, je la tue.

22

Panama

Carlos Villante engagea sa Cadillac dans le parking au sous-sol du gratte-ciel dans lequel étaient installés les bureaux de l'Autoridad del Canal de Panama. À son emplacement réservé, marqué C. VILLANTE, ADMINISTRATEUR ADJOINT, il se gara. De sa télécommande électrique, il ferma la voiture alors qu'il s'éloignait en s'autorisant un dernier petit sourire satisfait avant de pénétrer dans l'ascenseur.

Il était prêt pour une nouvelle journée de contrebande de bicyclettes. S'il se considérait d'abord et avant tout au service de l'État américain (c'était en tout cas de là qu'il tirait l'essentiel de son revenu), la réalité quotidienne consistait pour lui à maintenir l'image d'un haut fonctionnaire panaméen, employé par l'organisme de gestion du canal.

Ce n'était pas une sinécure. À vrai dire, cela représentait même beaucoup de travail : d'interminables réunions, des visites sur site, des contrats à étudier de près, des détails à vérifier. Et, même s'il ne voulait pas trop bien faire, de peur qu'on ne décide de le promouvoir administrateur de l'autorité, il lui fallait tout de même éviter de se faire tirer les oreilles. Ce matin-là, cela signifiait arriver une heure à l'avance afin de se réunir avec son patron, Nico Serrano, l'administrateur de l'autorité, qui lui avait envoyé un texto la veille au soir pour lui dire qu'il leur fallait se voir à la première heure.

Je vous croyais toujours à Washington, avait répondu Villante également par SMS. *Je viens d'atterrir.* Tel le prévenant bureaucrate qu'il était, Villante avait demandé : *Souhaitez-vous que je prépare quelque chose pour cette réunion ?* Serrano avait répondu : *Non. Mais tenez-vous prêt, car j'ai une mauvaise nouvelle à vous apprendre.*

Dans l'ascenseur qu'il partagea avec tous ces hommes et ces femmes qui se préparaient à une nouvelle journée de diligent brassage de papier, Villante effaça le sourire qu'il avait sur les lèvres. Il déposa sa mallette dans son bureau, se prépara une tasse de café, puis se dirigea vers le bureau d'angle. Serrano était déjà là.

Villante frappa au chambranle de la porte ouverte.

— Voulez-vous qu'on se voie maintenant ? demanda-t-il.

Serrano leva les yeux de l'écran de son ordinateur. Il avait des cernes noirs sous les yeux. Les rides sur son visage semblaient s'être creusées depuis leur dernière entrevue, alors qu'elle remontait à guère plus d'une semaine.

— Oui, entrez, répondit Serrano en se frottant les yeux.

— Souhaitez-vous d'abord un café ? Vous avez l'air d'en avoir besoin.

— Merci, mais j'en ai déjà bu trois tasses. Asseyez-vous, s'il vous plaît.

Tandis que Villante obtempérait, Serrano demanda :

— Comment ça va ?

Villante n'avait aucune raison de mentir.

— Pas très bien. Je suis allé rendre visite à Parades hier, dit-il en parlant de l'un de ses entrepreneurs, un homme que Serrano connaissait bien. D'après lui, si le financement du projet d'expansion ne reprend pas, il va se trouver en défaut de paiement pour son plus gros emprunt. Cela entraînera probablement sa faillite. Serrano baissa la tête et plissa le front, comme si cette nouvelle avait amplifié un mal de tête déjà présent. C'était à des hommes comme Parades que le Panama devait la vague de prospérité qui l'avait transformé. On pouvait dire sans exagération que c'était de mauvais augure pour le pays que de voir des hommes comme lui avoir des ennuis.

— Je présume qu'il n'est pas le seul ? demanda Serrano.

— J'ai bien peur que non. Grupa de 2000, la société d'Eusebio de Rivera, se débat aussi. La plupart des entreprises auxquelles j'ai affaire sont au bord de la ruine en ce moment, Nico. Elles sont toutes dans la même situation. Elles comptent sur nous pour remettre ce financement en selle. Désolé de n'avoir à vous annoncer que des choses que vous savez déjà.

— Oui, dit-il. Mais je garde l'espoir de voir tout cela changer.

— Je croyais que notre situation allait s'améliorer avec les Américains.

— Moi aussi, dit Serrano, mais j'ai vu le député Jared Stack en personne pendant mon séjour à Washington. Je lui ai, bien sûr, fait part de nos condoléances pour la mort de son prédécesseur, le membre du Congrès Vaughn. Et je lui ai exprimé notre indignation face à ces attaques. Je voulais l'assurer que personne au Panama ne se réjouissait en aucune manière de la stupidité de cet acte terroriste.

— Bien sûr.

— Mais ensuite la conversation s'est engagée et je lui ai rappelé l'importance du canal pour le commerce des États-Unis. J'ai sorti tous les rapports que nous avions préparés pour montrer que l'élargissement du canal serait une manne financière pour tout le monde. Je lui ai rappelé les difficultés que nous éprouvons ici en matière de financement, et vous savez ce qu'il m'a répondu ?

Serrano hocha la tête et continua.

— Il a dit que lui et Vaughn étaient des amis intimes et que, même s'ils ne partageaient pas toujours le même point de vue, ce serait déshonorer sa mémoire que de financer l'expansion du canal alors que le député en était un fervent opposant.

— Mais c'est..., c'est absurde ! explosa Villante, avec une indignation authentique, elle, si son identité ne l'était pas. Les Américains scient la branche sur laquelle ils sont assis.

— Je croyais que le bon sens triompherait une fois Vaughn

parti. Nous le croyions tous. Mais, apparemment, ce n'est pas le cas. Le bon sens ne semble pas être le fort de cette ville.

Villante serra les poings, puis les relâcha. Là non plus, il ne jouait pas la comédie. Il était sincèrement contrarié par la stupidité de son gouvernement et aurait aimé pouvoir exprimer sa colère à quelqu'un qui fût en mesure de faire quelque chose. Encore fallait-il qu'une telle personne existât.

— Que puis-je donc faire ? demanda-t-il.

— Ça va finir par se savoir. Comme toujours. Quand ce sera chose faite, ce sera le désespoir ici. Je vous en prie, demandez simplement à Parades et Rivera de tenir bon et de ne pas perdre espoir. Si les entreprises comme les leurs commencent à déposer le bilan, notre économie en sera terriblement perturbée. Il faut leur dire que nous trouverons l'argent. Cela prendra juste un peu plus de temps.

— Vous avez un plan, Nico ?

— Oui.

— Lequel ?

— Mieux vaut que je ne vous l'expose pas. Tout ce que vous avez besoin de savoir, c'est que nous ne sommes pas encore totalement à court d'options. J'ai une autre carte à jouer.

— Bien, mon ami. Je vais délivrer votre message d'espoir, déclara Villante.

L'administrateur adjoint se leva et prit congé de Serrano. Tandis qu'il rejoignait son propre bureau, il se demanda s'il devait ou non rapporter ces propos à Jones, à Langley. Durant toutes ces années passées à établir la couverture la plus crédible possible pour son opération d'infiltration profonde, il arrivait souvent à ce pion du renseignement américain d'entendre des informations dont il ne savait trop que faire. Constamment, il devait mettre en balance la valeur du renseignement et le risque de se faire découvrir par inadvertance en le transmettant. En l'occurrence, Carlos Villante décida qu'il n'avait rien d'assez concret pour le signaler. Mieux valait continuer d'abord à fouiner un peu, garder ses oreilles ouvertes et laisser venir.

23

À l'ouest de Louxor, Égypte

L'arme était petite et vieille. Il fallut un moment à Storm pour reconnaître un Colt Pocket Police, un modèle très apprécié des passionnés de la guerre de Sécession parce que les généraux des deux côtés en portaient.

Malgré son caractère antique, ce revolver n'en demeurait pas moins fatal à bout portant. L'arme appuyée sur la tempe de Katie, Raynes se servait du Dr Comely comme d'un bouclier humain face au reste du groupe.

— Les mains en l'air, ordonna le professeur. Tout le monde. Pas de geste inconsidéré ou elle meurt.

Storm, les trois étudiants qui conduisaient les camions et les quatre gardes s'exécutèrent lentement. Strike fut la seule à ne pas obéir. À une dizaine de mètres de là, elle avait épaulé son M16 et visait Raynes.

— Je l'ai dans ma ligne de mire, Storm, dit-elle calmement.

— Ne tire pas, répondit Storm.

— Je peux l'éliminer, insista-t-elle.

— Non ! Bon sang, tu es montée sur un chameau et cette arme est bloquée en automatique. Tu n'arriveras jamais à contrôler ta visée ni à gérer le soulèvement du canon. Il y a trop de risques que tu les touches tous les deux.

— Vous feriez mieux d'écouter votre petit ami, madame Sullivan, ou quel que soit votre nom, dit Raynes, qui se cacha davantage derrière la chercheuse terrifiée.

— Je l'ai… dans… ma ligne… de mire, répéta Strike sans baisser son arme.

— Et Katie a de la famille au Kansas, rétorqua Storm.

— Baissez votre arme ! Baissez la, immédiatement ! criait Raynes en même temps, appuyant davantage le canon du Pocket Police contre la tempe de son otage.

Storm aurait voulu pouvoir s'interposer entre Strike et sa cible, mais elle était en position trop élevée sur son chameau. Tout ce qui lui restait, c'étaient les mots. Il les choisit avec précaution.

— Clara. S'il te plaît. Pas pour elle. Pour moi.

Strike prit une profonde inspiration, dégagea son doigt de la détente, saisit son fusil... et le jeta dans le sable aux pieds de sa monture.

— Merde ! lâcha-t-elle.

— Très bien, gardez les mains en l'air. Pendant que vous y êtes, débarrassez-vous de vos autres armes, aussi. J'ai vu ce que vous portiez dans votre holster. Allez-y doucement, tout doucement. Si j'ai ne serait-ce que l'impression que vous allez dégainer, je tire d'abord et je pose les questions après.

Storm et Strike retirèrent lentement leurs armes de poing, avec des gestes circonspects afin qu'ils ne puissent pas être mal interprétés.

— OK, vous tous, venez par là, écartez-vous des camions ! aboya Raynes. C'est ça. Et gardez les mains en l'air.

Storm, Strike et les autres se regroupèrent à quelque distance de Raynes, dont l'arme était toujours braquée sur la tempe de Katie.

Lorsqu'il eut le sentiment que le groupe se trouvait à une distance suffisante, Raynes s'écarta légèrement de Katie.

— Maintenant vous allez vous asseoir, mais gardez les mains en l'air.

Après avoir échangé quelques regards, les neuf personnes

tenues en joue en arrivèrent à la conclusion qu'elles n'avaient aucun autre choix que de s'asseoir par terre sur le sable.

— Très bien, dit Raynes. Katie, il y a un rouleau de corde dans le camion. Allez la chercher pour attacher tout ce beau monde. Vous commencerez par monsieur Talbot, là. Et madame Sullivan ensuite. Et vous avez intérêt à bien serrer.

Raynes ne lâcha pas le Dr Comely des yeux le temps qu'elle se rende au camion, récupère la corde et se mette à ligoter ses amis et collègues. Il resta à quelques mètres d'elle sans jamais baisser son arme. Storm et Strike se contentèrent de communiquer du regard jusqu'à ce que Storm, comme s'il répondait à une suggestion de Strike, acquiesce de la tête.

— Ça va aller, dit-il.

— Pas de bavardage ! hurla Raynes. Et gardez les mains en l'air.

— Mais j'ai mal aux bras, se plaignit l'un des étudiants.

— Vous préférez une plaie par balle ? grogna Raynes.

Katie, qui se remettait enfin du choc, se mit à fulminer.

— C'était vous depuis le début. C'est vous qui renseigniez les bandits, qui leur racontiez ce qu'on avait trouvé et leur disiez quand venir nous attaquer. Tout ça pour vendre ce..., ce prométhium, ou que sais-je ? Comment avez-vous pu nous faire ça ?

— Vous êtes trop naïve, Katie. Tout cet équipement… Toutes ces provisions… Tous ces ouvriers… Vous croyez peut-être que l'université a de quoi payer tout ça ? Je vous en prie.

— Mais... pourquoi ces fouilles, si c'est pour en abandonner les découvertes à quelqu'un d'autre ?

— Parce que, si ces gens ne s'en emparaient pas, ce serait l'État égyptien. De toute façon, je n'en verrais pas la couleur.

— Et le mérite de la découverte !?

— Oh ! génial, le mérite, se moqua Raynes tandis que Katie poursuivait son ouvrage. Je vais vous expliquer, moi, comment ça fonctionne dans la vraie vie, jeune chercheuse. Vous faites des tas de découvertes formidables. Vous publiez, comme un bon universitaire. Vous en retirez tout le « mérite ».

Et puis le président de l'université vient vous dire : « C'est formidable, professeur. Félicitations, mais, désolé, nous devons suspendre votre financement. » Et puis il y a les fondations. Oh ! je vais vous expliquer. Elles vous font venir à l'autre bout du monde pour lécher les pieds de leurs conseils d'administration tout-puissants, vous disent combien vous êtes fantastique… Et puis, unc semaine plus tard, le directeur vous appelle pour vous dire : « Désolé, notre portefeuille n'a pas réalisé les performances que nous avions espérées cette année. Mais nous financerons vos fouilles dans deux ans, n'ayez crainte. En attendant, bonne continuation. »

Raynes ponctua son discours de quelques mots interdits à l'antenne.

— Alors, voilà, je sombrais lentement en regardant mon budget et mon équipe se réduire peu à peu à néant. Un jour, alors que je perdais tout ce pour quoi j'avais travaillé, j'ai remarqué une curieuse formation géologique sur l'un de mes sismogrammes. En creusant un peu, j'ai découvert une grotte dans laquelle il ne s'était pas déposé que du calcaire. J'ai fait analyser cette substance et, surprise, il s'agissait de prométhium, la plus rare des terres rares. Un truc qui se vend trois mille dollars l'once. Alors, que pouvais-je faire ? Si j'en avais informé le gouvernement égyptien, il aurait immédiatement revendiqué ses droits dessus et aurait tout gardé pour lui. Pas question.

Katie avait des larmes de rage qui lui coulaient le long des joues.

— Vous êtes un monstre, cracha-t-elle.

— Vraiment ? Je ne vous ai pourtant pas entendue vous plaindre quand vous êtes venue toucher votre bourse d'études et étoffer votre curriculum vitae pour obtenir un poste de titulaire à votre retour aux États-Unis. D'où venait cet argent, à votre avis ?

Katie ne répondit rien. Raynes se dirigea vers elle et lui saisit la nuque.

— Ne me touchez pas, se défendit-elle en se dégageant vivement.

— J'aurais laissé passer Bouchard. Vous le savez, non ? Toutes les découvertes vraiment importantes sont passées. Je voulais simplement... J'avais besoin de ces bandits pour ma couverture. Je ne pouvais pas risquer de vendre le prométhium sur le marché public. J'aurais tout perdu et nous aurions dû fermer les fouilles.

— Alors, vous avez préféré le vendre à des terroristes, dit Storm.

— Bouclez-la ! rétorqua Raynes en braquant brièvement son arme dans la direction de Storm. Je l'ai vendu à un dénommé Ahmed. Ce qu'il en fait ne me regarde pas.

— Il s'en sert pour fabriquer une arme qui fait exploser en l'air des avions de ligne avec des innocents à bord, lui exposa Storm. Mais qu'est-ce que ça peut bien vous faire, hein ? Vous avez des fouilles à financer…

Raynes ne lui prêta aucune attention. Katie avait achevé d'attacher les neuf autres membres de l'expédition.

— Très bien. Maintenant, montez dans ce camion, commanda-t-il en montrant du doigt celui du milieu, celui à l'arrière duquel se trouvait encore le prométhium.

— Je ne viendrai pas avec vous, affirma-t-elle sur un ton indigné.

— Oh ! mais bien sûr que si. Vous êtes ma police d'assurance au cas où il prendrait l'idée à quelqu'un ici de jouer les héros. En fait, désolé, vous n'êtes que le second volet de cette police. En voici le premier.

Il rejoignit l'avant du premier camion, visa le pneu avant gauche avec son Pocket Police et tira. Le camion s'affaissa. Dans la foulée, il neutralisa également le pneu avant droit. Puis il gagna l'arrière et acheva le travail de deux coups de feu bien ajustés. Raynes rejoignit alors Katie, qu'il fallut un peu aider à accepter de grimper sur le siège passager du camion avec lequel il comptait partir. Le professeur s'installa ensuite à la place du conducteur, mit le moteur en marche, puis baissa sa vitre. Avant de démarrer pour s'éloigner, il proféra une dernière menace :

— Si l'un d'entre vous songeait à nous suivre, sachez qu'il en coûterait la vie au docteur Comely.

Storm attendit que le camion ait disparu parmi les dunes, puis il bondit sur ses pieds. Il courut vers l'un des camions restants et entreprit de cisailler la corde qui le ligotait en la frottant à l'angle de la remorque sans se soucier du fait que, chaque fois qu'il dérapait, c'était son bras qu'il entaillait.

— Seigneur, Storm. Ralentis. Pourquoi es-tu si pressé ? demanda Strike.

— J'ai une égyptologue à sauver.

— Laisse-la partir. Tu n'as pas voulu que je tire quand j'en avais la possibilité. Pourquoi la mettre en danger maintenant ?

— Tu n'as pas remarqué ? demanda Storm tandis que la corde s'effilochait.

— Remarqué quoi ?

— Son revolver. C'est un Colt Pocket Police. Ce modèle en série se distingue des autres par ses quatre barillets. Si on tient compte de ça et de la balle engagée dans la chambre, ça veut dire qu'il n'avait que cinq coups. Comme il a déjà utilisé quatre balles pour les camions, il ne lui en reste qu'une.

— Et alors ?

— Alors, s'il l'utilise pour descendre Katie, c'est en gros une invitation pour moi à le tuer. Et, sans réfléchir, il me vient à l'idée une bonne dizaine de manières différentes de m'y prendre.

— Oui, mais s'il utilise cette balle pour te buter ?

— Je cours le risque, affirma Storm, dont les liens étaient maintenant assez lâches pour qu'il puisse se libérer.

— Storm, sérieusement, tu n'arriveras jamais à les rattraper.

Storm se précipita vers Dirty Harry, qu'il ramassa et rengaina, puis il courut vers Antoine et bondit en selle.

— Tu paries ? fit-il en retirant de son sac la cravache qu'il brandit en l'air. Hue !

Storm n'eut même pas à frapper le chameau. Dès qu'il

aperçut du coin de l'œil le bout de la cravache, Antoine émit un bruyant beuglement. Puis il se mit à courir. Comme le vent… avant la tempête. Comme Pégase prenant son envol. Comme aucun autre chameau.

Au début, Storm dut carrément se cramponner. Jamais il n'aurait deviné qu'on pouvait être soumis à pareille force à dos de chameau. Néanmoins, il parvint bientôt à se coucher sur sa selle et à se pencher en avant pour permettre à Antoine, les oreilles collées par le vent, d'atteindre sa vitesse maximale.

— Hue, hue ! hurlait-il, la cravache brandie pour que le chameau puisse la voir.

Le camion, qu'il ne tarda pas à apercevoir au loin, avait huit cents mètres à un kilomètre d'avance. Soulagé de ne pas avoir à prétendre transporter des objets précieux à l'arrière, Raynes poussait le poids lourd à rouler le plus vite possible, ce qui ne représentait pas plus de cinquante kilomètres à l'heure compte tenu du terrain accidenté. Malheureusement pour lui, un chameau de course peut atteindre les soixante à l'heure, surtout un champion. Et, contrairement à un camion, le chameau est né pour courir dans le désert.

Antoine comblait rapidement son écart. En une minute, il avait réduit d'un tiers la distance qui le séparait du camion. Deux minutes plus tard, il était à moins de trois cents mètres. Et, au bout de trois minutes, il n'était plus qu'à trois mètres.

Le professeur commençait à tenter diverses manœuvres pour essayer d'échapper à son poursuivant, mais sans grand effet. Outre le fait d'être plus rapide que le camion, Antoine était aussi beaucoup plus agile. Storm n'avait aucune difficulté à contrer les futiles efforts de Raynes et il continuait de se rapprocher de la remorque. C'est alors, évidemment, que le chameau décida que la poursuite de ce stupide camion ne l'intéressait plus beaucoup. Storm sentit l'animal ralentir.

— Allons, Antoine, hue ! Hue !

Storm tendit la cravache sous le nez du chameau, et l'animal eut un dernier élan de vitesse. Storm sauta sur le camion au moment où Antoine décidait de laisser tomber pour de bon. Tout à trac, le chameau arrêta sa course pour se mettre au pas, puis s'assit quelques mètres plus loin.

À l'arrivée du nouveau passager, Raynes donna plusieurs coups de volant pour essayer de le faire tomber du toit, mais Storm n'eut aucun mal à résister. Il y avait belle lurette qu'il avait appris à pratiquer le surf urbain dans la banlieue de Washington. Il n'y avait aucun défi que ce camion puisse lui lancer qu'il n'ait déjà relevé depuis longtemps avec ses amis casse-cou. Une fois qu'il se fut assuré sur la remorque, Storm entreprit de ramper jusqu'à la cabine. Il commençait à progresser lorsque Raynes pila. Storm se cramponna au toit afin d'éviter d'être projeté en avant et de tomber par-dessus l'avant du camion… si telle était l'intention de Raynes.

Mais, non, le professeur avait une autre idée en tête. Dès que le camion fut arrêté, Katie sortit précipitamment du côté passager comme si elle en avait été éjectée. Raynes dégringola à sa suite et reprit la position qu'il semblait affectionner : en repli derrière le Dr Comely. Storm, qui avait déjà dégainé son arme, était allongé à plat ventre sur le toit du camion, de manière à rester hors de portée de l'arme de son adversaire.

— Je vous avais prévenu de ne pas nous suivre ! cria Raynes.

À sa voix, Storm constata qu'il était essoufflé. Katie poussa un gémissement, mais il ne put voir quelle en était la cause.

— Oui, et vous avez déjà tiré quatre de vos cinq balles pour faire éclater nos pneus, rappela Storm d'une voix ferme. Ce qui vous place devant un dilemme intéressant, je dois dire. Si vous l'utilisez pour abattre Katie, je vous aurai tué avant qu'elle ne touche le sol. Mais si vous essayez de l'utiliser contre moi, vous risquez de me rater. Ou si vous me touchez, vous ne parviendrez pas à me mettre hors d'état de nuire avec cette simple pétoire. Et je peux vous assurer que, dans un cas comme dans l'autre, ça ne se terminera pas bien pour vous.

— Ah oui, mais vous aussi êtes confronté à un dilemme,

monsieur Talbot. Tant que je tiens Katie en joue, vous n'oserez rien contre moi. Parce que, sinon, vous aurez sa mort sur la conscience.

— C'est vrai, dit Storm. Alors, nous voilà dans une impasse, semble-t-il ?

— En effet.

— Dans ce cas, je vous propose un marché.

— J'écoute.

— C'est très simple, professeur. Vous me laissez Katie et je vous laisse partir, exposa Storm. Vous ne pourrez plus jamais travailler dans le domaine universitaire, bien sûr. Et les autorités égyptiennes pourraient vous chercher des noises si elles vous mettent un jour le grappin dessus. Il serait dans votre intérêt de quitter le pays immédiatement et de vous trouver un endroit qui n'ait aucun accord d'extradition avec l'Égypte parce que, croyez-moi, je ne me priverai pas de leur dire que vous leur avez volé des antiquités et du prométhium extrait en toute illégalité. Je m'assurerai également qu'elles gardent cette région à l'œil, car je sais que, sinon, vous tenterez de revenir pour poursuivre cette exploitation minière. Alors, tout est fini pour vous ici. Vous pouvez me faire confiance, c'est terminé. Mais, le bon côté des choses, c'est que vous restez en vie et que vous conservez tout le prométhium à l'arrière de ce camion. Il y en a combien, cent cinquante…, deux cents kilos ? Vous n'obtiendrez peut-être pas le meilleur taux au marché noir, mais je parie que vous pouvez encore tabler sur mille dollars l'once au bas mot. Ça vous fait, disons, dans les cinq ou six millions de dollars… C'est plutôt un beau cadeau pour votre retraite, non ? De quoi vivre confortablement le reste de vos misérables jours, il me semble.

— Qu'est-ce qui me prouve que vous ne reviendrez pas à mes trousses si je la lâche ?

— Nous sommes à pied. Vous, vous avez le camion. On ne pourra pas vous rattraper.

— Balivernes. Il vous suffit de remonter sur ce chameau qui se prend pour Fangio.

Storm éclata de rire.

— Vous voyez mon Fangio de chameau en ce moment ?

— Oui, très bien, là-bas au loin.

— Alors, vous voyez comme moi qu'il est assis. Si vous connaissez les chameaux en général, ou le mien en particulier, vous savez qu'ils ne s'assoient que s'ils sont sexuellement excités ou s'ils ont décidé qu'ils n'iraient plus nulle part. Quoi qu'il en soit, vous aurez amplement le temps de vous enfuir.

— Et si je refuse de conclure ce marché ?

Storm s'avança légèrement en rampant, juste de quoi laisser Dirty Harry dépasser du toit.

— Dans ce cas, nous restons dans l'impasse : je vous tiens en joue et votre arme est pointée sur le docteur Comely. Toutefois, le temps joue en ma faveur, professeur, car il ne faudra pas des lustres à ma collègue, madame Sullivan, pour retourner à la civilisation. Ils ne tarderont pas à organiser une gigantesque opération de recherche pour nous retrouver. Nous ne faisons peut-être pas partie de la Ligue internationale de protection des arts, parce que ça n'existe pas, mais nous appartenons à une institution qui dispose de tous les moyens nécessaires pour pister et cueillir ce camion dans le désert.

— OK, marché conclu, concéda Raynes. Je remonte dans le camion, mais je garde Katie avec moi. Une fois que je serai au volant, je veux que vous jetiez votre arme le plus loin possible. Quand ce sera fait, je relâcherai le docteur Comely.

— Très bien, acquiesça Storm.

D'un bond, il descendit du camion du côté opposé à celui où se trouvait Raynes. Aussitôt, en veillant à ce que le professeur ne le voie pas, Storm colla son téléphone satellite à l'intérieur de l'une des roues du véhicule.

— Voici mon arme, dit Storm en lançant son Stealth Hunter au loin.

Peu après qu'il fut descendu de son perchoir, Storm entendit le moteur vrombir. Au moment où le camion démarra, Katie sauta et tomba par terre. Sa chute se termina par une roulade. Même s'il doutait que Raynes tente un dernier coup de feu avant de partir, Storm ne lâcha pas des yeux son angle mort, juste au cas où. Puis il se dirigea vers Katie, qui s'était déjà relevée et époussetait le sable de son pantalon.

— J'imagine qu'un simple merci ne suffira pas ? fit-elle.

— Bien sûr que si.

— Je vous promets de faire mieux plus tard, renchérit-elle.

Storm se contenta de sourire.

Égal à lui-même, Antoine avait dépensé toute son énergie dans sa course effrénée, de sorte qu'il était impossible de le convaincre d'accepter de nouveau des passagers sans qu'il s'évertue à essayer de les mordre. Le Dr Comely et Storm durent par conséquent se résoudre à parcourir les cinq kilomètres de retour pour rejoindre les autres en menant le chameau par la bride. Katie était demeurée silencieuse durant toute la première partie du trajet. Storm l'avait laissée à ses pensées.

— J'aurais dû m'en douter, dit-elle finalement.

— Non, certainement pas. Si vous viviez en soupçonnant tout le monde d'être capable d'un diabolisme pareil, vous deviendriez paranoïaque.

— Mais j'aurais dû voir les signes, protesta-t-elle. D'abord, c'est vrai qu'il semblait avoir un peu trop d'argent. Dans la plupart des sites de fouilles, on doit se contenter de nouilles toutes prêtes et de gâteaux secs. On en tire presque de la fierté de devoir vivre ainsi à la dure. Mais avec Raynes, on avait tous les produits frais qu'on voulait. Et l'air conditionné. Et des générateurs. Et des planchers en bois sous les tentes. Et il suffisait de demander s'il vous manquait quelque chose.

— N'empêche que vous n'avez pas à vous blâmer, maintint Storm.

— Non, mais ce n'est pas tout. Tous les deux ou trois jours, il partait se promener en fin d'après-midi, juste quand il commençait à faire un peu moins chaud. Il partait plein est avec un sac à dos. Et il revenait deux heures plus tard, comme si de rien n'était. Un jour, je l'ai questionné, mais il m'a simplement répondu qu'il lui fallait un peu d'exercice et qu'il aimait bien marcher. Mais, franchement, qui part marcher dans le désert pendant deux heures sans raison ?

— Oui, mais, comme a dit un jour un sage : « Avec le recul, on a cinquante-cinquante d'acuité visuelle. »

— Vous voulez dire « dix-dix », rectifia-t-elle.

— Non, « cinquante-cinquante ». C'est pour ça que c'est sage. Aucune autre expression ne traduit mieux la nature arbitraire, aléatoire de l'univers que ce « cinquante-cinquante ». Cela veut dire qu'on a autant de chances d'avoir raison que d'avoir tort, de gagner ou de perdre. Rien ne vaut le « cinquante-cinquante ». En plus, on ne peut pas le critiquer après coup puisqu'on ne peut pas anticiper le tour que prendront les choses. C'est là toute la sagesse de la maxime. Cela signifie qu'on ne peut pas revenir en arrière pour s'autoflageller à cause d'un résultat qui semble seulement prédestiné qu'une fois qu'il est survenu.

— Vous êtes sûr de ne pas être resté au soleil trop longtemps ? demanda Katie.

Storm éclata de rire. Ils arrivaient en vue des camions en panne.

— Alors, comme ça, la Ligue internationale de protection des arts n'existe vraiment pas ? demanda Katie.

— Non, mais on vous a quand même protégés. C'est ce qu'on appelle l'ironie du sort, au cas où vous vous poseriez des questions.

— Qui êtes-vous dans ce cas ?

La réponse resta en suspens, car Strike venait de se rendre compte de leur arrivée et elle se dirigeait à leur rencontre.

— Où est le prométhium ? demanda-t-elle.

Storm prit bonne note de la question. Ce n'était pas : « Où est le professeur ? » ni « Comment ça va ? » ni « Comment as-tu fait pour la libérer ? » Elle s'inquiétait de savoir où était le prométhium. Au moins, il savait quelles étaient, une fois de plus, les priorités de Jones… et, partant, de Strike.

— Il est à l'arrière du camion, pour autant que je sache, déclara Storm.

— Bien. Et où est le camion ?

Storm consulta sa montre.

— À l'heure qu'il est ? Probablement sur l'autoroute.

— Quoi ? Tu l'as laissé partir ?

— C'était le seul moyen de l'obliger à libérer le docteur Comely.

Storm connaissait suffisamment Clara Strike pour savoir lire en elle comme dans un livre ouvert. En surface, elle semblait donner peu de signes d'activité, hormis peut-être une légère dilatation des narines et, plus imperceptible, des pupilles. À l'intérieur, on sentait que cela bouillait ferme.

— Tu as laissé filer le prométhium juste pour sauver un joli petit cul ? demanda-t-elle d'une voix très posée.

Katie en resta bouche bée. Storm ne céda pas une once de terrain.

— Je ne sais pas si tu as remarqué, mais ce petit cul appartient à une personne.

— Nos ordres étaient d'arrêter les terroristes et de mettre le prométhium à l'abri.

— Non, tes ordres, à toi, étaient de récupérer le prométhium. Je ne veux absolument pas être mêlé à cette chasse au trésor, même s'il est assez clair que, tout ce qui compte finalement pour Jones, c'est de récupérer cette terre rare.

— C'est absurde. Il veut la tête de ces terroristes sur un plateau. Si tu l'avais entendu après les Trois de Pennsylvanie…

— Vraiment ? Tu trouves ça ridicule ? Sérieusement, s'il fallait choisir au final entre mettre les terroristes en prison ou accroître l'arsenal militaire des États-Unis, que choisirait Jones à ton avis ?

— Ce n'est pas si simple, objecta Strike. Ce n'est pas ou l'un ou l'autre. Si on fait notre boulot correctement, on fait les deux.

— Je te parie, ici et maintenant, que Jones laisserait les

terroristes échapper à la justice en échange d'une cargaison de prométhium.

— Je ne vais pas me lancer dans un débat théorique avec toi, Storm.

— Il pourrait bien venir un moment où ce ne sera plus de la théorie. Et là, ce sera quoi ? La justice pour tous ou les armes pour ces messieurs les généraux ?

— Ça... Peu importe. On a des ordres et on doit les suivre.

— Des ordres, se moqua Storm. Tu vas te cacher derrière les ordres, maintenant ?

— Je ne me cache pas. Je fais mon boulot, rétorqua-t-elle. Mais j'imagine que tu vas encore en profiter pour me rappeler que tu ne travailles pas vraiment pour la CIA.

Ce n'était pas la première fois qu'ils se querellaient à ce sujet. Pourtant, Storm se sentit retomber dans son rôle habituel.

— Eh bien, puisque tu en parles...

— Et c'est là, bien sûr, que tu vas me démontrer, comme d'habitude, que ce que je veux n'est pas tout à fait conciliable avec ce que toi, tu veux.

— Il n'est pas question de nous. Arrête de faire comme s'il s'agissait de nous. Ce sont nos objectifs de mission dont il est question.

— Peut-être que, pour toi, il ne s'agit pas de nous, reprit Strike, mais, pour moi, il s'agit toujours de nous. C'est ce que tu sembles ne jamais vouloir comprendre. Alors, laisse-moi te le dire clairement : il est question de nous. Est-ce que tu vas m'aider, oui ou non ?

S'agissait-il vraiment d'eux ? Ou était-ce une manière de le manipuler encore, comme elle l'avait fait tant de fois par le passé ? Storm soutint son regard furieux sans mot dire.

Strike tourna les talons et partit la mine dégoûtée. Sa colère n'était pas feinte. Storm ne pouvait s'empêcher de se demander si la raison de ce courroux, en revanche, l'était.

24

Hercules, Californie

L'homme à la tache de vin aimait son travail, essentiellement parce qu'il était payé à l'heure.

Maintenant quatre semaines que cela durait. Un mois de surveillance vingt-quatre heures sur vingt-quatre, sept jours sur sept, qu'il facturait cent vingt-cinq dollars de l'heure, somme que son employeur lui versait sans broncher.

L'argent était déposé sur son compte chaque semaine, sans la moindre hésitation et sans le moindre signe de cessation.

Certes, c'était un peu barbant de surveiller les faits et gestes de cette vieille dame, Alida McJenesaisquoi. Mais, compte tenu de la compensation, il s'en fichait.

Si seulement ce job pouvait ne jamais s'arrêter. Tant qu'aucun agent immobilier ne décidait de faire visiter la maison vide qu'il occupait, il pouvait rester là indéfiniment.

Il avait sorti son poignard et s'en servait pour se nettoyer les ongles. C'était le plus gros travail auquel l'arme ait jamais servi.

Le jour où ça s'arrêterait (toutes les bonnes choses avaient une fin, non ?), il irait s'acheter un tout nouveau pick-up. Son modèle actuel n'était pas mal, mais il manquait un peu de caractère. Il voulait quelque chose de plus gros. Quelque chose de joli. D'au moins une demi-tonne, en tout cas. Voire trois quarts de tonne. Avec des sièges en cuir. Et une stéréo qui déchire.

Bon sang, si ça continuait, il pourrait avoir le pick-up de ses rêves. Il pourrait même rehausser la suspension et...

Son téléphone sonnait dans sa poche. Il le sortit et regarda qui l'appclait. C'était son employeur, l'homme que William McRae appelait « Alpha ».

— Salut, fit l'homme à la tache de vin.

— Rien à signaler ?

— Pas vraiment. Elle vit sa vie. Elle se couche toujours à la même heure, se réveille à la même heure et sort dans le jardin. La routine. Le plus passionnant pour l'instant, ç'a été sa virée à l'épicerie.

— Avez-vous revu le grand visiteur ?

— Non. Il n'est pas revenu.

— Bien. D'autres signes des forces de l'ordre ?

— Aucun. Elle n'est pas retournée voir la police depuis quelques jours.

— Excellent, conclut Alpha. A-t-elle conscience de votre présence ?

— Non, non. Je n'ai pas eu à quitter la maison. Mais, la plupart du temps, elle a l'air tellement à l'ouest qu'elle va finir par revenir par l'est.

— Ah ! vous et vos expressions, vous me faites toujours marrer. Mais ce n'est pas le cas de ce qui m'arrive : le docteur McRae se fait un peu grincheux. Il commence à rechigner au travail, il nous donne du fil à retordre.

— Ah oui ? fit l'homme à la tache de vin en se redressant sur son siège.

C'était le truc le plus intéressant depuis le départ du grand type.

— Vous voulez que..., je ne sais pas..., je la brutalise un peu ? Que je lui fasse peur ?

Il lança un regard au Bushmaster posé contre le mur. Le .45 était dans son étui. Non qu'il eût réellement besoin de ce genre de puissance de feu pour effrayer une vieille dame. Il suffisait de la bousculer, de lui planter le couteau sous le nez, d'en rajouter un peu.

— Non, mieux vaut éviter d'établir le contact avant que ce ne soit indispensable. Elle pourrait essayer de s'enfuir si elle se sait surveillée. Ou attirer l'attention de la police.

— OK.

— À ce stade, il nous faudrait juste quelques photos supplémentaires, dit Alpha. Au cas où il viendrait d'autres idées au docteur McRae.

— C'est tout, vous êtes sûr ? demanda-t-il. Je pourrais la marquer un peu et prendre des photos ensuite. Faire d'une pierre deux coups, vous voyez ?

Alpha marqua une pause comme s'il réfléchissait à cette proposition.

— Non, finit-il par dire. Juste des photos pour l'instant.

— Très bien, dit l'homme à la tache de vin. Je vous en télécharge quelques-unes sans tarder. Elle ne ferme pas ses volets la nuit. Je pourrai la prendre pendant son dîner. Si j'ai le bon angle, on verra un calendrier en arrière-plan indiquant la date.

— Parfait. Je vous rappelle bientôt.

L'homme à la tache de vin rangea son téléphone dans sa poche, souleva son objectif de trois cents millimètres et se mit au travail.

25

À l'ouest de Louxor, Égypte

L'hélicoptère arriva pour prendre Strike une heure plus tard. Son pilote eut la délicatesse de se poser juste à l'extérieur du camp, afin que le sable soulevé par les rotors ne s'abatte pas sur tout le monde. En revanche, personne, ni lui ou un autre, n'aurait rien pu faire pour épargner à Storm le serrement au cœur que suscitait en lui le départ de Clara.

Il en allait toujours ainsi entre eux, il le savait. Quelle qu'eût pu être leur intimité l'autre soir à l'hôtel à Louxor, quel que fût son désir d'être avec elle, aussi forts ses sentiments fussent-ils pour elle, il arrivait toujours un nouveau cataclysme pour tout faire capoter.

Un jour, ils se retrouveraient. Peut-être. Et Storm se demanderait toujours si leurs retrouvailles étaient motivées par des sentiments personnels ou par une nécessité professionnelle.

Storm regarda l'hélicoptère s'envoler. Tandis qu'il s'éloignait, il prit conscience de la présence de Katie Comely derrière lui. Elle lui posa une main légère dans le dos.

— Vous allez bien ? demanda-t-elle.

Il se tourna vers elle. La chaleur était écrasante. Il devait faire au moins cinquante degrés, mais ses yeux bleus avaient une fraîcheur qu'il trouva engageante. Son sourire hésitant faisait ressortir les taches de rousseur sur ses joues.

— Oui. Très bien, dit-il.

Autour d'eux, on commençait à démonter le camp. La nouvelle s'était répandue que le professeur s'était fait la malle. Les ouvriers s'étaient rendus à l'évidence : ils n'allaient plus être payés. Aussi se hâtaient-ils de partir. Les universitaires, quant à eux, se morfondaient par petits groupes. Inquiets de ce qui allait leur arriver maintenant qu'ils n'avaient plus de financement, ils cancanaient et se lamentaient sur leur sort.

— Cela ne me regarde pas, bien sûr, mais vous êtes ensemble, tous les deux ? demanda-t-elle en désignant l'hélicoptère du regard. À votre arrivée, je vous croyais juste collègues, mais, à la manière dont elle a réagi en me voyant tout à l'heure, euh, je crois pouvoir dire qu'il y avait des sentiments en jeu. Il est rare qu'une femme en traite une autre de « joli petit cul », sauf quand… vous savez.

— Oui, c'était juste que..., en fait, je ne sais pas exactement comment décrire la situation. Et je ne suis pas sûr de savoir comment répondre à votre question non plus. On a été ensemble par le passé. Je crois que c'est évident. Mais ce n'est pas le cas en ce moment.

— Et à l'avenir ?

— Coincé, avoua Storm très honnêtement.

— En tout cas, vous pouvez rester tant que vous voulez. J'ai l'impression que personne ne compte occuper la tente du professeur Raynes. Et cela nous aiderait bien d'avoir quelqu'un comme vous.

— Nous ? insista Storm.

Elle s'avança d'un pas.

— Euh, moi seulement, peut-être.

Storm prit une profonde inspiration, puis expira lentement.

— Voilà une proposition formidable, vraiment, docteur Comely. Et, dans des circonstances différentes, je serais ravi de l'accepter.

— Mais ? s'enquit la jolie frimousse aux taches de rousseur, dont le sourire s'estompa très légèrement.

— Mais je suis venu ici accomplir un travail, et ma tâche est terminée maintenant.

— Je comprends. Vraiment, mais...

Elle baissa les yeux vers le sable un instant, puis releva la tête vers lui.

— Voudriez-vous venir avec moi dans ma tente, là, maintenant ? lâcha-t-elle.

Elle sembla si surprise d'elle-même qu'elle s'empressa d'ajouter :

— Enfin, je ne voudrais pas que vous pensiez que je suis... Je n'ai pas l'habitude de faire ce genre de choses. C'est juste que je... Le fait d'avoir cette arme braquée sur ma tête... Je ne sais pas...

Storm se pencha et l'embrassa. Sur la joue.

— Ça aussi, c'est une offre formidable, dit-il.

— Mais ? fit-elle timidement.

— Oui. Il y a un « mais ».

— OK. Je comprends.

Storm recula, mais Katie s'avança vers lui et, dressée sur la pointe des pieds, l'embrassa. Sur la bouche.

En psychologie, des études contrôlées, menées en double aveugle, ont scientifiquement prouvé que le fait d'avoir survécu à une expérience traumatisante exacerbe le désir. Storm n'avait pas besoin de lire les résultats de ces travaux. Il en avait la confirmation en direct.

— Merci, dit-elle ensuite.

— Merci, répondit-il à son tour. Maintenant, il faut que j'y aille parce qu'il va me devenir de plus en plus difficile de faire ce que j'ai à faire.

Il lui fallut mobiliser jusqu'à la dernière once de sang-froid qu'il possédait pour se détourner et s'éloigner.

Storm évita à dessein de prolonger les adieux en quittant le camp. Il veilla simplement à ce qu'Antoine soit nourri et abreuvé, le chargea de provisions, en quantité suffisante, espérait-il, et sauta en selle.

— Attendez ! Où allez-vous ? demanda Katie en le voyant se diriger vers la sortie.

— Plein est, dit-il.

Elle eut l'air un instant perplexe ; puis Storm vit la compréhension se peindre sur son visage.

— Bonne chance, dit-elle.

— Je peux vous demander deux faveurs ?

— Bien sûr.

— D'abord, il serait bon de prendre contact avec le Conseil suprême des Antiquités. Il faut le mettre au courant des événements, afin qu'il puisse prendre les mesures appropriées, lancer un mandat d'arrêt contre Raynes. Il pourrait même vous venir en aide pour Bouchard.

— C'est une bonne idée. Quelle est la seconde faveur ?

— Curieuse question, mais : combien coûte un chameau ?

De nouveau, elle eut l'air perplexe.

— Je ne sais pas. Oh ! je dirais dix mille livres, peut-être ?

— OK.

Storm fouilla dans son portefeuille et en sortit le double en billets verts, le dollar étant toujours une monnaie très appréciée en Égypte. Il tendit la liasse à Katie.

— Pourriez-vous, s'il vous plaît, faire parvenir cette somme à un loueur de chameaux appelé Massri ? J'ai comme dans l'idée que je ne pourrai pas lui rendre ses bêtes et je ne voudrais pas le laisser en rade.

— Je m'en occupe, assura-t-elle en acceptant l'argent, le sourire de nouveau aux lèvres.

Storm lui envoya un baiser de la main, puis exhorta Antoine à se mettre en route. Il partit sans se retourner. Il était venu dans le désert pour chercher la source du prométhium ; il n'était pas question qu'il reparte sans l'avoir trouvée.

D'une certaine façon, sa tâche s'était un peu allégée puisqu'au moins, il savait maintenant ce qu'il cherchait :

une sorte d'accès à une grotte calcaire souterraine. Elle n'en restait pas moins redoutable, car l'entrée de cette caverne était peut-être juste assez grande pour qu'un homme puisse se faufiler à l'intérieur. Et le désert n'était pas moins vaste qu'avant.

Alors que le camp n'avait pas encore disparu à l'horizon, Storm regrettait déjà la climatisation – et de plus en plus son refus face à la proposition de Katie. Dans cette chaleur de plomb, il avait la sensation de perdre des litres d'eau, et tout ce qu'il transpirait semblait s'évaporer sur-le-champ.

Pourtant, à sa manière, le soleil était son ami, car il avait besoin de lui pour avoir une chance de trouver cette grotte. Il n'aurait pas le luxe de travailler de nuit, comme les archéologues.

Tout en poursuivant sa route, il se mit à réfléchir. Selon Katie, le Pr Raynes disparaissait pendant deux heures tous les deux ou trois jours. Il marchait donc sans doute un peu moins d'une heure pour rejoindre la grotte, où il recueillait autant de prométhium qu'il pouvait en transporter, ce qui ne devait pas lui prendre très longtemps, puis il rentrait.

En marchant d'un bon pas, avec de longues jambes et une forme correcte, quelqu'un comme Raynes pouvait parcourir six kilomètres et demi en une heure. Enfin, sur l'asphalte. Le sable devait le ralentir. Monter et descendre les dunes aussi.

Aussi Storm décida-t-il, de manière assez arbitraire, que la bonne distance devait se situer aux alentours des cinq kilomètres. Cinq kilomètres parcourus en cinquante minutes. Vingt minutes passées à ramasser le prométhium. Cinq kilomètres de trajet pour le retour. Ça paraissait logique.

Sans se presser, Antoine couvrit les cinq kilomètres de trajet en beaucoup moins de temps qu'il n'en fallait à un être humain. Lorsque son GPS lui indiqua qu'ils avaient parcouru cinq kilomètres plein est, Storm s'arrêta et scruta les alentours.

Ils étaient de retour dans la zone cible que les petits génies avaient signalée à l'origine à Storm, mais qui n'avait pas moins l'air désolée et vide. Les dunes s'étendaient à perte de vue dans toutes les directions. À part quelques plantes rabougries, il n'y avait aucun signe de vie.

Storm décida de délimiter un carré de recherches d'un kilomètre six cents de côté autour de sa position actuelle. Dans son esprit, il découpa la zone en bandes d'une soixantaine de mètres, ce qui devait lui permettre de ne jamais passer à plus d'une trentaine de mètres de chaque centimètre carré de désert. Il restait à espérer que cela suffise pour repérer cette entrée de grotte qui risquait d'être assez petite.

À dire vrai, c'était Antoine qui faisait le plus dur. Le découpage de ce carré en lignes de plus de quarante kilomètres de long signifiait un parcours de près de quarante-cinq kilomètres en tout pour le chameau. Mais ces animaux étaient faits pour ce genre de choses, et Antoine, ni plus ni moins désagréable qu'à son habitude, blatérait à qui mieux mieux, mais continuait quand même.

Au bout de quinze kilomètres d'allers et retours, Storm aperçut enfin la lumière au bout du tunnel. Il y avait un affleurement rocheux devant lequel ils étaient déjà passés deux ou trois fois. Chaque fois, Storm avait voulu interrompre son parcours pour l'explorer de plus près, mais il s'était conformé à la discipline qu'il s'était fixée.

Finalement, à son dernier passage, une chose qui n'avait pas sa place à cet endroit attira son attention. Il s'agissait d'un panneau de contreplaqué directement fixé à la paroi rocheuse. Le contreplaqué était à peu près de la même couleur que la roche. Un camouflage rudimentaire, mais efficace. En tout cas, on ne voyait certainement rien d'un satellite, surtout compte tenu de l'angle de vision.

Storm mit pied à terre et chercha où attacher Antoine. Il n'y avait rien, du moins rien qui empêcherait le chameau de faire ce qui lui plairait s'il lui prenait l'envie de décamper.

— Ne bouge pas, lui intima Storm.

Antoine éructa à son adresse.

— Brave bête, dit Storm.

Il s'approcha lentement du panneau de contreplaqué. Trois charnières le retenaient à la roche par le haut. Il tira sur le bas. Le bois se souleva d'un ou deux centimètres.

Storm fronça les sourcils une seconde, puis comprit pourquoi il n'allait pas plus loin : la plaque était maintenue en place par un verrou dont le pêne glissait dans un trou percé dans la roche. Le verrou avait été peint couleur sable, comme le cadenas de sécurité.

C'était un système qui pouvait peut-être décourager un nomade du désert, mais pas un homme de la trempe de Storm. Le verrou était un modèle de série bon marché. Storm envisagea de le faire sauter d'un coup de feu (deux balles auraient fait l'affaire), mais il préféra une approche plus élégante.

Il colla son oreille contre le cadenas et en tourna lentement le cadran jusqu'à ce qu'il entende la première clavette tomber dans sa rainure. Sur un modèle plus onéreux, le bruit est amorti justement pour éviter ce qu'il était en train de faire. Sur cette marque, il était aussi discret qu'un coup de tonnerre. Lorsqu'il eut obtenu le troisième numéro, Storm composa rapidement la combinaison entière.

Le verrou s'ouvrit facilement. Storm souleva la porte et découvrit l'ouverture de la caverne.

Il retourna alors auprès d'Antoine pour récupérer sa lampe de poche dans son sac. Adéquatement armé, il revint vers le panneau de contreplaqué et le souleva de nouveau. Puis il braqua le faisceau de sa lampe dans l'obscurité.

L'entrée n'était que légèrement plus petite que le panneau de contreplaqué. Dans le sable, il distingua des empreintes de pas, sans doute celles de Raynes.

Storm suivit les traces dans le tunnel, dont le diamètre était relativement étroit pour un homme de sa corpulence. Raynes était grand, comme Storm, mais beaucoup plus mince. Bientôt, Storm dut se mettre de biais pour continuer d'avancer.

Le tunnel se mit à descendre peu à peu et à s'élargir. Rien qu'à l'écho de ses pas, Storm comprit qu'il y avait un vaste espace ouvert quelque part devant. Il braqua sa lampe de poche dans cette direction.

Pendant un moment, le faisceau se refléta simplement sur les parois du tunnel. Puis, subitement, il disparut dans le noir. Storm accéléra le pas et éclaira bientôt une vaste caverne aux contours irréguliers, d'environ huit mètres au plus haut sur vingt-cinq mètres au plus large.

Storm inspecta les murs de calcaire. Alors que le tunnel avait été taillé par Raynes à l'aide d'un instrument de fortune, ces parois étaient différentes.

Elles étaient lisses, comme modelées par l'eau dans une ère lointaine, à une époque climatique différente, où le Sahara recevait davantage de pluies.

Le sol était couvert d'une fine couche de terre et de sable dans ses parties les plus plates. Par endroits, il était intact. À d'autres, il était piétiné. Distinguant aisément le chemin que Raynes avait régulièrement emprunté, Storm continua de le suivre.

Les traces le menèrent à l'autre bout de la grotte, jusqu'à une paroi comme Storm n'en avait jamais vu. D'un blanc pur, elle s'étendait sur quatre mètres cinquante et disparaissait au-dessus de sa tête selon un angle à soixante-quinze degrés. Storm, qui avait déjà entendu des mineurs évoquer la découverte de filons pouvant courir en dents de scie dans des couches d'autres types de roche, se rendit compte qu'il avait une de ces veines sous les yeux.

Il se trouvait qu'elle se composait de prométhium pur. Cette substance, qui formait un genre de sel, présentait une consistance presque crayeuse. Un tas de flocons s'était formé au pied de la paroi. Storm se rendit compte que le précédent échantillon qu'il avait vu était du prométhium déjà moulu, peut-être parce qu'il était plus facile à transporter ainsi.

D'un doigt tendu, il toucha la paroi. Elle était dure. Néanmoins, s'il glissait les ongles sous les parties qui se détachaient, il parvenait à en casser des morceaux à mains nues. Raynes devait utiliser un petit pic. Il ne devait pas falloir très longtemps pour récolter, disons, une vingtaine de kilos, ce qui était sans doute le poids que Raynes pouvait confortablement transporter dans un sac à dos sur cinq kilomètres dans le désert.

À mille dollars l'once, cela portait la balade à quelque huit cent mille dollars. Et il en restait tout un stock.

Storm repéra un endroit où Raynes avait creusé dans l'épaisseur de la veine. Derrière, il y avait une substance d'une consistance légèrement différente. Ce devait être du prométhium dégradé. Ou peut-être était-ce le précurseur du prométhium.

Quoi qu'il en soit, cette paroi représentait une curiosité géologique d'une incroyable rareté, peut-être même unique. C'était du prométhium à l'état naturel : une chose dont McRae et ses collègues chercheurs pensaient qu'elle n'existait pas. En fait, ils avaient simplement manqué de patience.

Ou de chance. Ou peut-être de malchance. Pourtant, il y avait bel et bien eu un bref instant pendant lequel ce minerai avait pris la forme du prométhium.

N'oubliant pas le caractère légèrement radioactif de cette substance, Storm s'en écarta. Il l'éclaira de sa lampe de poche une dernière fois, puis retourna vers l'entrée de la grotte en revenant sur ses pas.

Une fois de retour sous le soleil de plomb, dont la lumière lui parut éblouissante après son séjour sous terre, Storm referma soigneusement la porte. Puis il prit note de sa position précise sur son GPS et imprima les coordonnées dans son esprit.

Peu après, il chevauchait de nouveau Antoine en direction de l'autoroute.

Il avait des terroristes à retrouver. Et si son téléphone était encore là où il l'avait collé, le Pr Raynes allait le mener droit à eux.

26

Quelque part au Moyen-Orient

Il n'avait pas l'adresse. Il n'avait pas de carte. Il se fiait plus ou moins à son intuition, convaincu à chaque bifurcation que le trajet pour lequel il avait opté lui paraissait familier. Le seul avantage dont bénéficiait le professeur était le réservoir plein du camion et le fait qu'il était déjà allé par deux fois chez Ahmed.

L'essence était une bonne chose, car sa carte de crédit n'était déjà plus acceptée. Apparemment, les autorités égyptiennes déjà à ses trousses prenaient des mesures pour lui compliquer la vie.

Le fait qu'il reconnaisse vaguement la route à suivre n'était pas une mauvaise chose non plus, car il n'avait pas de temps à perdre. Lorsque Talbot ou quel que soit son nom l'avait laissé filer, Raynes en avait conclu que c'était en fait quelqu'un de bien. Le prométhium à l'arrière constituait un excellent plan de retraite. Une fois qu'il aurait touché son argent, il ne lui resterait plus qu'à disparaître quelque part où personne ne viendrait le chercher. Peut-être en Méditerranée. Sur l'île d'Elbe, par exemple. Si c'était assez bien pour Napoléon, cela lui conviendrait parfaitement.

Le Pr Raynes sentait cependant l'angoisse monter, car le temps passait et il n'arrivait toujours pas. Il était sûr de s'être perdu au moins deux fois avant de reconnaître un nouveau repère lui indiquant qu'il était sur la bonne route.

Enfin, alors que le soleil commençait à baisser et que les lumières du quartier de banlieue dans lequel il avançait au pas s'allumèrent, il retrouva la ruelle étroite menant à l'enceinte dans laquelle Ahmed gérait ses affaires.

Devant le portail de l'entrée, gardé par une guérite, il reconnut l'enseigne familière qui disait en arabe AHMED MÉTAL GÉNÉRATION. Il fut accueilli par un homme dont la kalachnikov pendait en bandoulière devant lui.

Raynes se présenta et annonça vouloir parler à Ahmed. Le garde transmit sa demande par talkie-walkie. Raynes perçut le ton furieux de la réponse. Le nom de Stanford Raynes n'était plus très populaire en ces lieux.

— OK. Venez, finit par dire l'homme au fusil.

Il sortit de sa guérite, ouvrit le portail et fit signe à Raynes d'avancer jusqu'à un emplacement situé un peu à l'écart de l'allée privée, non loin de la maison, à l'ombre d'un gros eucalyptus.

— Attendez dans le camion. On va venir vous chercher, déclara le garde avant de retourner dans sa guérite en refermant le portail derrière lui.

Raynes s'exécuta et coupa le moteur. Il jeta un regard circulaire à l'intérieur de l'enceinte. Des tas de ferraille s'oxydaient lentement un peu partout à l'air libre.

L'un des monticules était uniquement formé de voitures mises au rebut. Un autre se composait essentiellement de réfrigérateurs et autres appareils électroménagers abandonnés. Dans un autre encore s'enchevêtraient des fils de fer de divers diamètres.

Raynes n'avait jamais beaucoup réfléchi à qui était Ahmed ni à ce qu'il faisait du prométhium. De manière assez simple, il supposait qu'Ahmed n'était rien d'autre que le propriétaire de l'entreprise Ahmed Métal Génération. Était-ce vraiment un terroriste, comme disait Talbot ? Ou Talbot avait-il uniquement dit cela pour désarçonner Raynes ?

De toute façon, le professeur n'en avait cure. Il avait travaillé trop dur tout au long de sa vie pour finir sans le sou et en prison. Il aurait vendu son âme au diable. Et si c'était déjà fait ? Tant pis.

Au bout de cinq minutes environ, un homme apparut. C'était l'un de ceux qui avaient participé à l'échange saboté du prométhium un peu plus tôt dans la journée.

Le pansement qu'il portait autour du biceps était taché de sang. Chaque pas lui arrachait une grimace, mais il ne lâchait pas Raynes du regard. Il n'y avait pas à se demander sur qui il rejetait la faute de sa blessure.

— Par ici, dit-il.

Raynes fut guidé jusqu'à la maison, puis dans le bureau d'Ahmed, où il avait déjà fait affaire avec le maître des lieux. Ahmed n'était pas encore là.

— Asseyez-vous, indiqua le blessé en quittant la pièce.

Raynes choisit l'un des deux fauteuils devant le bureau d'Ahmed. Dans l'angle, il y avait une télévision à écran plat branchée sur la chaîne Al Jazeera, le son coupé. Le regard du professeur se tourna vers un immense tableau qui couvrait la majeure partie du mur est de la pièce.

On y voyait un homme, un pêcheur apparemment, qui s'avançait dans l'eau d'une rivière pour récupérer un lourd coffre ornementé. C'était de toute évidence une scène tirée de la mythologie du Moyen-Orient, mais Raynes ne connaissait pas la fable ou le conte en question.

Deux minutes plus tard, Ahmed fit son entrée dans la pièce. Son épaule était bandée. Il ne s'assit pas, préférant garder une position dominante sur Raynes.

— Vous ne manquez pas d'audace de vous présenter ici.

— Ce n'est pas un homme à moi qui vous a tiré dessus et je suis désolé qu'il l'ait fait, répondit Raynes. Je lui avais spécifiquement demandé de n'en rien faire. Il a agi de son propre fait.

Ahmed plissa les yeux.

— Pourquoi devrais-je croire que ce n'était pas un piège ?

Que vous n'aviez pas l'intention de nous tuer tous pour me voler mon argent ?

— Parce que, croyez-moi, si cet homme avait voulu vous tuer, vous seriez mort à l'heure actuelle. Par ailleurs, je suis là maintenant.

— Uniquement parce que votre plan a échoué. Je devrais appeler l'un de mes hommes pour qu'il vous tire tout de suite une balle dans la tête.

— Du calme, doucement, fit Raynes d'une voix tranquille. Réfléchissez bien. Pourquoi vous voudrais-je du mal à vous ou à vos hommes ? Nous entretenons une collaboration très juteuse. Vous m'achetez mon prométhium à un très bon prix. À ma connaissance, vous êtes le seul qui dispose d'un marché aussi vaste pour cette marchandise en Égypte. Mais, en même temps, je suis votre unique source. Nous avons donc besoin l'un de l'autre.

Ahmed lança encore un regard noir à Raynes, puis contourna son bureau pour aller s'asseoir.

— Donc, vous êtes là, en effet. Pourquoi ?

— Parce que je veux conclure la transaction, dit Raynes.

— Très bien. Je vais demander à mes hommes de sortir le prométhium du camion et d'y déposer l'argent à la place. Les billets ne sont pas marqués, comme vous l'aviez demandé.

De la main gauche, la seule dont il pouvait vraiment se servir pour le moment, Ahmed saisit son talkie-walkie.

— Pas si vite, dit Raynes. Il m'en faut plus.

— Plus ? Plus de quoi ?

— D'argent.

Ahmed fronça le front.

— Ce n'est pas ce que nous avions conclu. Vous avez le toupet de tirer sur mes hommes et ensuite vous exigez plus d'argent ?

— Le prométhium se vend trois mille dollars l'once.

— Dans les réseaux publics, nuança Ahmed. Nous savons tous les deux que, sur le marché privé, c'est une autre histoire.

— Toujours est-il que je vous l'ai cédé à neuf cents. Je veux augmenter ma part.

— C'est-à-dire ?

— Mille huit cents.

— C'est exorbitant !

— C'est le prix maintenant, déclara Raynes en se calant dans son fauteuil.

Ahmed lui rendit son regard fixe et droit. Il n'avait plus la main posée sur son talkie-walkie ; il se caressait désormais la barbe d'un air pensif.

— Vous doublez le prix parce que c'est le dernier lot que vous nous livrerez, affirma-t-il.

— Non, non. Ce n'est pas ça. Je veux juste... Je pense qu'il serait plus juste que j'obtienne une plus grosse part du gâteau. Vous aurez quand même le prométhium que vous voulez.

Raynes se rendit compte que sa voix défaillait et s'en voulut.

— Jadis, mon père m'a appris à repérer les menteurs assis dans ce fauteuil. Et vous mentez, déclara Ahmed, de plus en plus sûr de lui. Cet homme qui nous a tiré dessus s'est maintenant rendu maître de votre campement. S'il a la mainmise sur votre campement, il s'est aussi approprié votre prométhium.

— C'est..., ce n'est pas vrai. Enfin, oui, j'ai perdu le chantier, mais le prométhium..., je peux le récupérer. L'homme qui vous a tiré dessus ne sait pas où il se trouve. L'endroit est soigneusement caché.

— Je ne vous crois pas, protesta Ahmed. Quoi qu'il en soit, je change les termes de notre accord. Aujourd'hui, je ne vous achète pas le prométhium. Vous me faites cadeau de la cargaison, en gage de votre bonne foi et en compensation pour les blessures subies par mes hommes et moi. Quand vous reviendrez avec une nouvelle cargaison, comme vous affirmez être en mesure de le faire, on pourra négocier un prix plus juste. Peut-être même une petite augmentation.

Mais, pour celle-là, « c'est la maison qui régale », comme vous dites en Amérique.

Raynes sentait la panique l'envahir. Il ne pouvait pas abandonner son plan de retraite. Sans lui, il n'avait plus rien. Sa carte de crédit était déjà bloquée. Ses comptes en banque, probablement aussi.

— Non. Certainement pas. D'accord, je..., j'accepte les neuf cents. Un marché est un marché.

Sous son turban, Ahmed souriait.

— Je regrette. Le marché a changé.

Raynes lança un regard appuyé à son interlocuteur, puis il fouilla dans les plis de sa djellaba et en sortit le Pocket Police. Ahmed ignorait qu'il ne lui restait qu'une seule balle. Raynes le visa à la tête.

— Je ne suis pas venu pour me faire bousculer, dit Raynes.

— À votre place, je ne ferais pas ça, dit Ahmed. Ce n'est pas bon pour les affaires.

— Ah oui ? Et vous comptez faire quoi ? demanda Raynes.

Ahmed leva deux doigts.

— Ceci, dit-il.

De sa cachette derrière le tableau du pêcheur, son cher *aman*, une seule balle vint assurer sa « protection ». Elle pénétra le crâne de Raynes par la gauche et en ressortit par la droite, suivie par un épais jet de sang mêlé de cervelle.

Au claquement de mains d'Ahmed, deux hommes apparurent.

— Nettoyez-moi ça, ordonna-t-il. Et emportez le corps à la fonderie. On le brûlera demain matin.

27

Assiout, Égypte

Ce n'était pas la première fois que Derrick Storm se félicitait d'avoir installé sur son mobile l'application « localiser mon téléphone ».

Souvent, elle ne le conduisait pas plus loin que les coussins de son canapé. Cette fois, il espérait qu'elle le mènerait directement à un endroit beaucoup plus exotique et infiniment plus dangereux : soit une cellule, soit le QG mondial de la Société de Médine.

Sa mission, une fois sur place, était de neutraliser la cellule et de recueillir le maximum d'informations sur le reste du réseau, afin de pouvoir le neutraliser à son tour.

Il avait sa petite idée quant à la manière d'y parvenir.

D'abord, il lui fallait s'équiper, ce qui lui prendrait le reste de l'après-midi, voire la soirée. Dans d'autres circonstances, il lui aurait suffi de sortir tant bien que mal du désert pour tomber dans les bras de l'agent de la CIA stationné le plus près, de prononcer le nom de Jedediah Jones et, en moins de quinze minutes, il aurait disposé d'une nouvelle voiture, de deux nouvelles armes et de trois nouveaux gadgets, dont au moins un permettant de visionner des images satellites assez précises pour dénombrer les follicules capillaires sur la tête de sa cible.

Cette fois, il devait se contenter d'agir comme un civil, sans les ressources de Jones. Appeler son patron à la rescousse représentait une alternative trop risquée, car au moins une cargaison de prométhium tomberait alors entre ses mains. Cette possibilité était exclue pour Storm.

Donc, à la dure comme à la dure. Il bazarda Antoine. Il en fit don à une famille, qui promit de ne pas en faire du ragoût de chameau, et changea de moyen de locomotion. Cette fois, il abandonna les ongulés au profit d'une voiture de location de facture américaine. Dans une agence du réseau Sixt, on lui proposa une Ford Mondeo, le modèle le plus proche de sa Taurus préférée. Même à la dure, il y avait des limites à ce qu'un homme pouvait endurer, et une voiture étrangère de faible puissance les dépassait haut la main.

L'étape suivante le conduisit dans un magasin de vêtements, où il troqua sa djellaba et son keffieh contre une tenue occidentale. Il opta pour un pantalon en coton noir, des chaussures noires et un tee-shirt noir moulant, non pas parce qu'il cherchait à mettre en avant son physique avantageux, mais parce que la taille extralarge égyptienne, la plus grande qu'il eût trouvée chez les hommes, équivalait à la taille moyenne aux États-Unis.

Une fois la question du transport et de l'habillement réglée, il entreprit d'améliorer ses ressources numériques. Dans une boutique d'électronique à la réputation peut-être douteuse, il acquit un iPad avec possibilité d'échange de données. En comparaison de la technologie à laquelle il était habitué, c'était peut-être à peine plus évolué que la pierre dont le premier primate s'était servi pour aplatir un morceau d'écorce d'arbre.

Quoi qu'il en soit, cela lui permit de se connecter à l'application de localisation de son téléphone et d'exploiter son service de détection. Il inséra les coordonnées ainsi obtenues dans l'application Google Maps qu'il venait d'installer. Puis il regarda l'adresse correspondante dans Google Earth. Là encore, en comparaison des joujoux de Jones, c'était comme naviguer à l'aide d'antiques cartes maritimes esquissées sur du papyrus.

Mais au moins Storm savait maintenant que son téléphone se trouvait à l'intérieur de ce qui semblait être une enceinte. Plusieurs bâtiments, dont une maison et diverses autres structures, étaient visibles sur la vue en plus gros plan de Google Earth. C'était une bonne nouvelle.

Cela signifiait que ce qu'il redoutait le plus, à savoir que son téléphone soit tombé du camion pendant le trajet et que la localisation ne le conduise finalement qu'à un vulgaire fossé sur le bord de la route, ne s'était pas produit.

Il se mit en route pour quitter Louxor en suivant à la fois le bord du Nil et le point bleu qui clignotait sur Google Maps. Tout en conduisant, il alluma la radio pour écouter les informations. Maintenant que la communication était coupée avec Jones, surtout si Strike avait cafté, Storm ne pouvait plus compter que sur les médias pour avoir des nouvelles.

Il n'y avait rien de nouveau concernant les attaques au laser. Il n'était quasiment question que d'un rare cyclone tropical qui menaçait l'est du bassin méditerranéen. Ce « médicane », comme les météorologues appelaient les ouragans en Méditerranée, menaçait déjà l'Italie avec des vents à cent trente kilomètres à l'heure et des vagues énormes.

Storm éteignit la radio à son arrivée dans la banlieue d'Assiout, une ville de taille moyenne située sur les rives du Nil, au cœur de l'Égypte. Il traversa un labyrinthe de rues tortueuses jusqu'à un mur de quatre mètres cinquante de haut surmonté de barbelés.

Le fil barbelé était un signe encourageant, car personne n'en utilisait à moins de vouloir tenir les autres à l'écart. Ou, parfois, à l'intérieur. D'un côté comme de l'autre, cela laissait supposer qu'il se passait des atrocités à l'intérieur. C'était bien ce que cherchait Storm. Après tout, il ne chassait pas le lapin, mais des terroristes.

Il gara sa Ford dans une ruelle secondaire et fit le tour du mur d'enceinte à pied. Ses soupçons se confirmèrent lorsqu'il aperçut l'enseigne au-dessus du portail de l'entrée principale. Il avait trouvé le bon endroit. « Ahmed Métal Génération », lut-il en arabe.

Storm se sentit plus que jamais résolu. Ça y était : il avait trouvé le repaire des terroristes. Peut-être était-ce le centre névralgique de la Société de Médine. Peut-être était-ce simplement une cellule parmi tant d'autres.

Quoi qu'il en soit, il était certain que le camion se trouvait à l'intérieur de ces murs, avec un peu de chance encore chargé de sa précieuse cargaison de prométhium.

Storm consulta l'heure sur son iPad. Il était vingt-deux heures dix. Il y avait encore de l'activité derrière les murs : des lumières allumées, des hommes parlant entre eux, des véhicules qui circulaient. Il tenta de compter le nombre de voix qu'il distinguait. Il y en avait peut-être huit.

Cela ne tenait pas compte des hommes qui se trouvaient encore à l'intérieur de la maison ou de l'un des autres bâtiments qu'il avait repérés sur Google Earth. Néanmoins, cela lui donnait une idée de la situation : ils étaient au moins huit contre un, probablement plutôt douze ou seize, car ils devaient être un certain nombre, avec les chefs, à l'intérieur.

Storm se tapit derrière un arbre près du mur, dans la rue où était situé le portail de l'entrée et d'où il pouvait voir sans être vu.

Il ne faisait aucun doute dans son esprit qu'il devait pénétrer dans l'enceinte avant le lever du jour. Certes, il aurait pu mieux planifier son opération après une journée de reconnaissance, mais accorder un jour de plus aux terroristes, c'était leur permettre de tenter de déplacer le prométhium, ou d'abattre de nouveaux avions, ou de semer une pagaille inimaginable, et il n'en était pas question.

Il lui faudrait faire avec ce qu'il avait, autrement dit pas grand-chose. Huit voix différentes. Une enceinte renfermant plusieurs bâtiments. Un lien à déterminer avec le grand réseau de la Société de Médine. Puis, de derrière son arbre, Storm aperçut une chose à laquelle il ne s'attendait pas :

ses chances s'amélioraient. Les heures passant, les hommes quittaient les lieux l'un après l'autre.

Certains faisaient partie de ceux sur qui il avait tiré un peu plus tôt dans la journée, cela se voyait à leurs épaules bandées. Les autres n'étaient pas blessés.

Quoi qu'il en soit, tous observaient plus ou moins la même routine. Ils se présentaient au portail et s'annonçaient au garde dans sa guérite. Celui-ci sortait avec un trousseau de clés à la main, il en choisissait une et ouvrait le portail, qui n'était pas automatisé. Il le leur tenait ouvert le temps qu'ils passent, puis il le refermait derrière eux.

Certains étaient à bicyclette. D'autres rejoignaient leur voiture garée dans le quartier. Storm avait l'impression d'assister à une sortie d'usine et de voir les ouvriers rentrer chez eux en fin de journée.

Peut-être était-ce une ruse de la part de la Société de Médine : ne jamais rester assemblé en grand nombre trop longtemps.

Il y en avait peut-être encore toute une horde terrée en silence à l'intérieur, et il ne voyait là qu'une infime partie de l'immense armée qu'il aurait bientôt à affronter.

À vingt-trois heures, il y eut un changement de garde. Le remplaçant reçut la kalachnikov comme s'il s'agissait d'un témoin de relais. Le remplacé se dirigea vers sa voiture et partit, comme les autres avant lui. Storm était maintenant certain d'assister à une routine.

À minuit, l'exode avait cessé. En tout, onze hommes étaient partis. Storm patienta encore une heure, juste pour voir. Rien. Le silence s'était installé dans l'enceinte.

Un peu après une heure du matin, alors qu'un croissant de lune se levait à l'horizon, Storm sortit de sa cachette et se prépara à l'assaut.

Il serait un contre..., euh, il verrait bien.

S'il y avait un certain nombre de points vulnérables autour de l'enceinte, pour l'essentiel les endroits où les arbres étaient assez hauts pour permettre d'escalader le mur facilement et où on pouvait couper les barbelés pour passer, Storm décida d'attaquer de front, derrière la guérite du garde.

Parce que c'était le plus logique. Tôt ou tard, il lui faudrait de toute façon affronter le garde : si ce n'était à l'entrée, en tout cas à la sortie. Il ne servait donc à rien de repousser l'inévitable.

Tout vêtu de noir, Storm se déplaçait dans l'obscurité en direction de la guérite, seulement éclairée par une ampoule de faible puissance, au plafond. La petite construction était surélevée par des blocs de béton et possédait une fenêtre coulissante, afin de permettre au garde d'être à hauteur d'yeux avec les chauffeurs de camion. À côté de la fenêtre, il y avait une porte fermée, desservie par quelques marches.

De l'intérieur parvenait le son d'une petite télévision. Malgré le faible volume, Storm comprit qu'on y passait de la publicité. Si ce n'était pas le meilleur remède contre l'insomnie... Il se trouvait pourtant que le garde ne dormait pas.

Son plan posait donc quelques problèmes. Storm ne pouvait pas risquer d'utiliser son arme. Le bruit alerterait les troupes à l'intérieur. Certes, il existait des moyens plus discrets de se débarrasser du garde, mais tous impliquaient un contact physique. Cette solution était impossible à envisager puisque l'homme était surélevé dans sa guérite et protégé par une porte certainement fermée à clé.

Storm se trouvait maintenant en face de la guérite, toujours à l'abri des arbres dans l'étroite ruelle. Derrière lui se dressait une maison neuve en construction, ce qui lui donna une idée. En se faufilant discrètement, il finit par trouver ce qu'il cherchait sur le chantier : un tasseau, d'un peu moins d'un mètre de long, qui ressemblait vaguement à une batte de base-ball.

Il ressortit par le côté de la maison, ce qui lui permit de se glisser derrière la guérite, où le garde ne pouvait pas le voir. Puis, sans bruit, il alla se poster au coin ; il inspira à pleins poumons et pinça les lèvres.

Il se lança alors dans sa plus belle imitation de l'insouciante amarante de Jameson. De son propre avis, sa simulation du chant mélodieux du petit oiseau rare était parfaite.

Il marqua une pause, reprit son souffle et poursuivit sa sérénade. Subitement, la télévision se tut à l'intérieur de la guérite. Storm sourit, puis se remit à siffler.

Un craquement se fit entendre à l'ouverture de la porte. Lorsqu'un pied se posa sur la première marche de l'escalier, Storm se mit à pépier telle la plus enjouée des amarantes de Jameson, puis s'interrompit.

Les pas descendirent alors la petite volée de marches et firent crisser la fine couche de sable sur le trottoir. Le garde avançait comme s'il cherchait l'oiseau partout : en haut, en bas, à gauche et à droite.

Storm lâcha un dernier gazouillis, afin de guider sa proie vers lui. Il saisit le tasseau à pleines mains et le ramena derrière son épaule droite. Le garde l'avait maintenant repéré, il arrivait au coin, certain de découvrir une amarante de Jameson qui lui porterait grand bonheur. Il en fut quitte pour un sacré mal de tête.

À l'instant où il surgit, Storm effectua un grand moulinet du bras pour frapper le garde de toutes ses forces. Le plat du tasseau le percuta juste au-dessus de l'oreille. Le type s'effondra comme une chiffe molle.

Storm était prêt à lui asséner encore un coup, mais ce ne fut pas nécessaire. Il était achevé. Storm lui arracha sa kalachnikov et se la mit en bandoulière autour du torse.

Puis il empoigna l'individu par les aisselles et se hâta de le rentrer à l'intérieur. Comme il n'y avait ni corde ni ruban adhésif dans la guérite, il arracha le cordon à l'arrière du téléviseur et s'en servit pour lui lier les poignets dans le dos.

Le garde portait un turban, que Storm s'empressa de défaire, révélant une épaisse chevelure noire et crépue. Ensuite, il déchira trois bandes d'étoffe qu'il utilisa pour bâillonner l'homme et le ficeler comme une dinde de Noël, les jambes et les mains ligotées ensemble.

Ce n'était sûrement pas sa plus belle réussite en la matière, mais il faudrait un certain temps à sa victime pour se libérer. Storm comptait bien être loin d'ici là.

En dernier lieu, il s'empara du trousseau de clés pendu à un crochet près de la porte avant de sortir. Il s'approcha du portail, dont les deux vantaux en fer forgé étaient aussi hauts que le mur. Il était fermé par un épais verrou de sol très profondément enfoncé.

Storm était impressionné. Seul un tank aurait pu le franchir, car aucun autre véhicule n'aurait pu prendre assez d'élan dans la rue, trop étroite, pour foncer dedans ou prendre le bon angle pour le heurter de plein fouet.

En revanche, le portail ne résisterait pas à la petite clé en métal que Storm tenait maintenant dans sa main. Il la glissa dans la serrure bien huilée et elle tourna aisément. Storm tourna la poignée, se faufila par l'étroite ouverture, puis laissa le portail entrebâillé, assez pour qu'il n'entrave pas sa sortie si elle devait être précipitée, mais pas trop pour qu'avec un peu de chance on ne le remarque pas de l'intérieur.

À sa connaissance, il était le premier Américain à pénétrer dans une cellule de la Société de Médine. Le plus inquiétant, du moins pour l'instant, c'était que ce n'était pas si difficile que cela.

En soi, c'était très bizarre.

Comme c'était la première occasion qu'il avait d'étudier l'intérieur de l'enceinte sur les lieux, et non plus juste sur Google Earth, Storm se glissa en hâte derrière un tas de ferraille à sa gauche.

De cet abri relatif, il évalua son environnement. Il y avait un vaste espace découvert entre le mur et ce qui semblait être la maison. Sauf que « découvert » était un terme inexact, car il était encombré de tas de ferraille de toutes parts, certains hauts de plusieurs étages. Dans la faible lueur émise par le croissant de lune, il était difficile de distinguer ce qui les composait réellement. En gros, Storm ne discernait que les contours de formes sombres qui dépassaient de certaines piles : des rectangles posés à des angles curieux, des cercles dressés vers le ciel, des triangles entassés sur des parallélogrammes. La Société de Médine s'était-elle servie de ces pièces de métal pour fabriquer le laser qui avait descendu les avions aux Émirats ?

À côté de certains tas se dressaient des grues ou des camions à benne. Son nez lui indiqua qu'il y avait une fonderie quelque part. Il sentait la légère odeur âcre, mais parfaitement reconnaissable et toujours présente de la forge, même lorsqu'elle n'était pas en activité. Storm se surprit à sourire en repensant au malin jeu de mots, peut-être intentionnel, du cri de ralliement « Ahmed Métal Génération ». Cette cellule ou ce camp d'entraînement de la Société de Médine, ou quelle que fût sa place au sein du réseau, était une casse où on générait en effet du métal toute la journée.

Sauf que là, au beau milieu de la nuit, ces montagnes de rebut faisaient partie des avantages tactiques que lui offrait le terrain. Si les quelques centaines de mètres qui séparaient le portail de la maison avaient réellement été à découvert, ç'aurait été du suicide de vouloir les franchir. Quiconque se trouvant à l'intérieur l'aurait repéré sans difficulté en regardant, ne serait-ce que par hasard, par la fenêtre.

Storm put donc avancer furtivement d'un monticule à l'autre en bénéficiant d'une relative sécurité. Il avait considérablement réduit la distance qui le séparait de la maison lorsqu'il atteignit la fonderie, un bâtiment en briquc plus ancien, surmonté d'une haute cheminée.

Il allait en repartir lorsqu'il trébucha sur quelque chose dans le noir. Du coin de l'œil, il se rendit compte qu'il s'agissait d'une jambe humaine. D'un mouvement brusque, il se retourna et dégaina Dirty Harry, prêt à faire feu au cas où il aurait dérangé un rebelle dans son sommeil.

Mais non, on lui avait déjà pris la vie, à ce mortel-là. Storm constata qu'il lui manquait un bon morceau de crâne au sommet de la tête.

Puis il vit ses yeux, sa bouche, son menton pointu. Il reconnut alors le Pr Stanford Raynes. Ou plutôt ce qu'il en restait après son apparente prise de bec avec Ahmed et ses hommes.

Storm ne prit aucun plaisir à la découverte de la mort de Raynes. Toutefois, elle apportait une solution à l'un de ses problèmes : il y avait de fortes chances qu'il ait emporté dans la tombe le secret de l'endroit d'où provenait le prométhium. Désormais, Storm était donc le seul à connaître ce secret et il n'avait aucune intention de le révéler.

Ayant délaissé le cadavre, Storm n'était plus qu'à une cinquantaine de mètres de la maison lorsqu'il aperçut le camion. Il était garé tout seul, juste à côté de l'allée privée, sous un immense eucalyptus.

D'un bond, Storm s'en rapprocha, au risque de se retrouver totalement à découvert pendant peut-être trois secondes, mais il compta sur le noir de sa tenue pour le dissimuler. Arrivé derrière le pare-chocs arrière, il remonta la main vers le loquet permettant d'ouvrir la porte de la remorque.

S'il pouvait sortir la caisse remplie de prométhium et la cacher quelque part, cela ne résoudrait sans doute pas le problème dans son entier, mais cela ferait une cargaison de moins pour construire une arme.

Cependant, la porte était cadenassée. Et, contrairement à l'antivol bon marché de la grotte que Raynes avait acheté dans le premier magasin de bricolage venu, ce dispositif paraissait nettement plus robuste. Les chiffres sur le cadran n'allaient pas seulement de un à quarante, mais jusqu'à cent. Storm y appliqua l'oreille et donna plusieurs tours dans chaque sens, mais pas une fois il n'entendit une clavette s'engager dans une rainure. C'était la marque d'un cadenas de qualité.

Toutes les autres stratégies qu'il aurait pu mettre en œuvre pour déjouer la serrure étaient bruyantes. Le bruit, à ce stade de sa mission, était son pire ennemi. Après tout, l'un des bâtiments qu'il avait vus était peut-être un baraquement rempli de terroristes à l'affût, tous ravis à l'idée de pouvoir brandir un agent américain comme trophée ou prêts à jouer les martyrs pour rejoindre les soixante-douze vierges qui les attendaient au paradis.

Le principal moyen de défense auquel Storm songeait, à savoir expliquer à ces jeunes esprits que les vierges étaient des partenaires sexuelles très surfaites, semblait un peu faible.

Aussi décida-t-il de rester discret. Il glissa la main sous la roue pour récupérer son téléphone là où il l'avait placé. Puis il passa du côté conducteur du camion et essaya la poignée. La portière était également fermée à clé. Il allait devoir s'en occuper, ainsi que de son chargement, plus tard.

Dans le pire des cas, il lui faudrait briser la vitre pour grimper à l'intérieur et démarrer en trafiquant les fils. Ou, au mieux, trouver un moyen de le faire sauter.

Une fois le camion sorti de son esprit, il se concentra sur la maison. C'était une assez vaste construction en adobe de plain-pied, qui avait l'air d'une ancienne ferme.

Storm se mit en quête de points d'accès, mais ne vit rien d'emballant. Comme bien des maisons sous ces latitudes, elle possédait de petites et hautes fenêtres. Pour ajouter à la difficulté, les barreaux métalliques entrelacés en guise de vitres étaient scellés dans les murs.

Impossible, donc, d'entrer par une fenêtre. Quant au toit, couvert de solides tuiles en terre cuite, ce n'était pas non plus une option envisageable. Il y avait bien une cheminée, mais elle était couverte et, de toute façon, Storm ne se sentait pas l'âme d'un père Noël.

Il ne restait que la véranda, tournée vers l'allée privée. C'était assez nouveau comme concept pour Storm que d'essayer de pénétrer dans une maison par la porte d'entrée. Mais, en cet instant, cela semblait être son meilleur (et unique) choix.

Il y avait en gros deux approches possibles : la lente ou la rapide. La lente avait pour avantage de lui laisser le temps d'étudier le terrain. Il serait aussi beaucoup moins repérable s'il se trouvait quelqu'un à l'intérieur de la maison. Néanmoins, la rapide lui permettrait d'en terminer plus vite. Et il ferait une cible plus difficile à atteindre.

Comme sa précédente course ne semblait pas avoir attiré l'attention, Storm prit ce pari.

Il y avait une trentaine de mètres à parcourir pour rejoindre la maison depuis l'avant du camion. Dans son sprint, Storm entendit le bruit du vent dans ses oreilles ; il s'arrêta à côté de l'escalier, où on ne pouvait pas le voir de l'intérieur.

Sa course folle ne suscita aucune réaction. La maison, comme l'ensemble de la propriété d'ailleurs, demeurait sombre et silencieuse. C'était tout de même très étrange que la garde soit si peu nombreuse à l'intérieur et qu'il rencontre si peu de résistance.

Storm marqua une pause et tendit l'oreille. Rien. Absolument rien.

Il gravit les marches sans bruit. La véranda n'était pas très bien rangée. Tant de choses en jonchaient le sol qu'on pouvait même dire qu'il y régnait le bazar. Quelques panneaux marqués AHMED MÉTAL GÉNÉRATION côtoyaient des chaises en métal, destinées ou pas à la fonderie, et à la porte se dressait une grande sculpture faite de bouts de ferraille grossièrement soudés ensemble. Aussitôt, Storm y vit le bûcheron en fer-blanc du *Magicien d'Oz*, bien qu'il doutât que ce conte occupe une place centrale dans le patrimoine culturel égyptien.

— Rien ne vaut son chez-soi, murmura Storm en traversant la véranda.

Entre-temps, il avait dégainé Dirty Harry, qu'il tenait maintenant le long de sa cuisse. Il était prêt à brandir son arme et à faire feu à la moindre provocation.

Mais il n'eut aucune raison de s'en servir. Il tendit la main vers la moustiquaire et l'ouvrit. Puis sa main se posa sur la poignée de la porte. Elle tourna sans problème. Allait-il vraiment pouvoir pénétrer dans un repaire de la Société de Médine aussi simplement, par la porte d'entrée ?

La porte, en bois, était très légèrement gonflée, de sorte que Storm dut la pousser un peu fort, mais elle s'ouvrit aisément.

C'est alors que, sans crier gare, le monde s'embrasa autour de lui.

Comme la lumière va plus vite que le son, Storm se rendit d'abord compte que toutes les lampes s'allumaient subitement dans la maison, y compris les projecteurs fixés sur le toit qu'il n'avait pas repérés avant.

Quelques nanosecondes plus tard, le bruit lui parvint : le gémissement strident d'une alarme, un son à vous déchirer les tympans.

Par réflexe, Storm empoigna le bûcheron en fer-blanc et le jeta en travers du seuil de la porte. Puis il se propulsa sur sa droite, traversa le bazar qui encombrait la véranda et sauta par-dessus la balustrade. Dirty Harry serré contre la poitrine, il s'aplatit contre le treillis à moitié cassé qui barrait le passage aux animaux.

Tandis que la sirène continuait à un volume à tirer un pharaon d'un sommeil de quatre mille ans, Storm resta tapi dans l'ombre. Il attendait l'arrivée de la cavalerie : des dizaines de futurs djihadistes surgissant en masse pour protéger le bastion de leur chef.

Personne ne vint. Au bout d'une minute ou deux, l'alarme fut coupée, mais l'éclairage, maintenu. Puis quelqu'un proféra un juron et écarta le bûcheron en fer-blanc. Storm osa un œil à travers les barreaux de la balustrade.

Dans la vive lumière qui brillait dans la maison, il vit alors l'un des hommes sur lesquels il avait tiré un peu plus tôt le jour même. C'était Ahmed, le chef de ce qu'il avait pris pour une simple bande hétéroclite de bandits du désert. Lorsque Storm avait entendu Raynes prononcer son nom, cela n'avait pas fait tilt, car Ahmed était un nom courant dans cette partie du monde. S'il avait su à qui il avait affaire, il se serait occupé de tout cela là-bas.

Comme quoi, le recul était bien une histoire de cinquante-cinquante. Ahmed s'avança d'un pas sur la véranda, mais pas davantage. Pieds et tête nus, il portait une chemise de nuit qui lui arrivait aux chevilles. Sans son habituel turban, il présentait une longue chevelure poivre et sel, grasse et hirsute. Il avait le bras droit en écharpe et tenait un fusil à canon scié dans le gauche.

L'arme brandie devant lui, il en balançait le canon de gauche à droite et de droite à gauche. Storm resta parfaitement immobile, car il se savait invisible dans l'ombre, à l'abri derrière le bazar de la véranda.

Ahmed s'avança jusqu'au bord de la véranda et balaya les environs du regard. Il porta surtout son attention en direction de la guérite, où il n'y avait aucune trace d'activité.

— Debout, espèce de gros fainéant ! hurla-t-il en arabe sans bien sûr obtenir de réponse. Tu es viré, ajouta-t-il sans plus d'effet.

En cet instant, il faisait une cible parfaite. Storm aurait pu facilement l'éliminer. Mais, s'il tuait Ahmed, il ne pourrait plus obtenir de renseignements sur la structure ou l'organisation de la Société de Médine et n'aurait en tout cas pas la moindre idée de la façon de stopper les plans en cours.

Aussi Storm se contenta-t-il de se terrer dans sa cachette. Ahmed marmonna quelques mots choisis, dont certaines descriptions peu flatteuses de la mère du garde. Puis il tourna les talons et rentra.

Storm finit par comprendre qu'il n'y avait personne d'autre à l'intérieur. Ni cavalerie ni vrais croyants avides de sang pour venir à la rescousse de leur chef. Il n'y avait que le garde, qui ne poserait aucun problème, et Ahmed.

Enfin, sans compter le bûcheron en fer-blanc. Mais, à son avis, celui-là ne lui opposerait guère de résistance. Il n'en aurait pas le cœur.

Décidément, Storm n'en revenait pas d'avoir autant de chance : un dirigeant de la Société de Médine, prêt à être cueilli.

Tout ce qu'il lui fallait, c'était un peu de patience.

De nouveau, il s'appuya contre le treillis et regarda les lumières de la maison s'éteindre l'une après l'autre. Puis ce fut le tour des projecteurs. Il se débarrassa de la kalachnikov qu'il portait dans le dos. Il n'aurait pas besoin d'autant de puissance de feu contre un seul homme.

Ses yeux se réhabituèrent lentement à l'obscurité, et il se mit à élaborer un plan. Convaincu que la fausse alerte avait été déclenchée par le bûcheron en fer-blanc, le chef finirait par se rendormir. Il suffirait alors à Storm de pénétrer dans la maison sans provoquer tout ce branle-bas de combat.

De quel genre de système s'agissait-il ? Le savoir était la clé pour le déjouer. À l'époque où il était privé, lorsqu'il avait du mal à réunir une clientèle suffisante pour couvrir le loyer du minuscule bureau qu'il louait dans un centre commercial, il proposait entre autres services ses connaissances en matière de systèmes d'alarme. Il pouvait aussi enseigner comment les déjouer afin de pouvoir espionner le domicile de ses cibles, mais ça, il n'en faisait pas la publicité dans ses brochures. Il n'était certes pas le plus grand expert du monde en la matière, mais il en savait assez pour se débrouiller. Dans son esprit, il se revit ouvrir la porte. Tout s'était passé très vite la première fois, mais, en se concentrant bien, il parvint à ralentir la scène, comme dans une forme d'autohypnose. À chaque reprise, il parvenait à la faire durer un peu plus longtemps. Des détails qu'il avait précédemment omis commencèrent à refaire surface.

Enfin, il trouva ce qu'il cherchait : il y avait deux capteurs de pression dans le chambranle de la porte, l'un environ à hauteur d'yeux, l'autre au niveau des tibias. Il connaissait bien le mode de fonctionnement de ce type de sonde.

Ce n'était rien de plus que de petits demi-cercles de plastique montés sur ressorts. Tant qu'ils demeuraient comprimés, le système d'alarme croyait la porte fermée. Dès que les ressorts se détendaient, le système savait que la porte s'était ouverte.

Il lui suffisait de les maintenir comprimés. À l'époque où il était privé, il se servait de chewing-gum, de ruban adhésif, de mastic ou ce qu'il avait sous la main. Néanmoins, il ne voyait rien de tout cela autour de lui.

Il se souvint de l'eucalyptus sous lequel le camion était garé. Toujours avec précaution, Storm contourna la véranda, puis il sprinta jusqu'à l'arbre sans s'arrêter.

Sur le tronc qui le dissimulait aux yeux de la maison, il se mit en quête d'égratignures. Parmi plusieurs blessures, il découvrit de la gomme durcie et se mit à tirer dessus. Il en fourra un morceau dans sa bouche, qu'il entreprit de mâcher pour l'assouplir. Le goût n'était pas terrible (la marque Wrigley n'avait rien à craindre), mais la consistance était bonne. Il attendit d'en avoir une quantité suffisante pour retourner vers la maison.

Tout était redevenu calme. Seul changement notable, le bûcheron en fer-blanc gisait maintenant tristement sur le flanc. Storm gravit les marches et traversa la véranda. Il ouvrit la moustiquaire, puis tourna la poignée de la porte.

Cette fois, il l'entrouvrit lentement du coude, puis la retint d'une main. De l'autre main, il coinça le capteur supérieur d'un morceau de gomme. Elle adhéra parfaitement.

Il répéta la manœuvre avec le capteur inférieur. Avec prudence, il ouvrit davantage la porte, de manière à dégager entièrement le montant.

Avec le reste de gomme qu'il avait dans la bouche, il recouvrit totalement les deux capteurs en appuyant bien pour que les ressorts ne risquent pas de se détendre au séchage.

Il ouvrit entièrement la porte. L'alarme ne se déclencha pas. Storm souffla. Il avança d'un pas à l'intérieur et referma la porte derrière lui.

Bien que ses yeux fussent déjà habitués à l'obscurité, il s'efforçait de scruter les recoins sombres de l'entrée lorsqu'il perçut un bruit reconnaissable entre tous, qui résonna directement dans la partie reptilienne de son cerveau : un clic autoritaire suivi d'un clac plus convaincant encore.

On venait d'armer un fusil à environ quatre mètres cinquante de lui.

Le fusil à canon scié est l'arme la plus efficace à bout portant jamais conçue par l'homme. Outre sa formidable puissance de feu, compte tenu de la multitude de projectiles qu'il répand, il ne nécessite pas une visée très précise. On ne survit pas à un coup tiré à bout portant sans être gravement ou plus sûrement fatalement blessé.

La seule chose qui sauva la vie à Derrick Storm fut le fait que l'armement de ce genre de fusil requiert deux bras valides. Ahmed, qui n'en avait qu'un, devait poser la crosse par terre pour ce faire.

Ce petit temps mort, qui ne dura pas plus de deux secondes, suffit à Storm. Tandis qu'Ahmed relevait son arme pour tirer, Storm plongea à droite. Les plombs sifflèrent au-dessus de sa tête à gauche, ne rencontrèrent que de l'air à l'endroit où il se tenait juste avant, et allèrent se ficher dans la porte derrière lui.

D'une roulade, Storm se redressa en dégainant Dirty Harry comme il s'était entraîné à le faire. À la lueur du croissant de lune qui filtrait par les lucarnes, il vit Ahmed éjecter une cartouche et recharger son fusil.

De nouveau, il lui fallut le poser par terre pour le réarmer. Storm ne lui laissa pas l'occasion de faire feu de nouveau. Il visa son épaule gauche et appuya sur la détente.

Sous l'impact de la balle, Ahmed tomba en arrière sur sa gauche et se cogna contre le mur avant de s'affaler par terre. Certes, il tenait toujours le fusil, mais il n'avait plus aucun bras pour s'en servir.

En trois enjambées, Storm fut sur lui. D'un coup de pied, il envoya promener le fusil à travers la pièce, puis se dirigea vers l'interrupteur pour allumer.

La pièce fut baignée d'un halo jaunâtre. Storm revint vers Ahmed, qui tentait désespérément de se redresser pour s'asseoir, chose difficile sans l'aide des bras. Malgré la douleur atroce que devait lui infliger sa blessure, l'homme n'émettait pas un son.

Sa chemise de nuit était déjà en sang. Ne serait-ce que pour activer les choses, Storm le souleva par les aisselles et le redressa contre le mur. Il poussa un cri déchirant.

Storm lui braqua l'arme sous le nez.

— S'il vous plaît, je vous en prie, non, gémit Ahmed avant de regarder enfin Storm. Mais vous..., vous êtes l'homme du désert. C'est vous qui avez tiré sur mes hommes aujourd'hui.

Storm ne répondit pas. Il lui attrapa le bras gauche et déchira sa manche pour examiner son épaule. Dirty Harry avait fait de sacrés dégâts.

— S'il vous plaît, monsieur, je vous en supplie, radotait Ahmed, les deux bras estropiés. Que voulez-vous exactement ? Le prométhium ? Il est à vous. Il est encore dans le camion. S'il vous plaît, monsieur, quoi que j'aie pu faire pour vous nuire, je vous supplie de me pardonner. Peut-être pourrait-on trouver un arrangement ? J'ai beaucoup d'argent. Il est à vous si vous le souhaitez. Vous n'avez qu'à demander. Mais, s'il vous plaît, laissez-moi la vie sauve.

Storm déchira deux longues bandes de tissu dans la manche.

— Vous avez l'artère ulnaire sectionnée, annonça-t-il calmement. Vous êtes déjà en état de choc. Si je n'arrête pas l'hémorragie, dans dix minutes, votre tension se mettra à chuter rapidement. Dans vingt, vous serez probablement mort. Je vais vous faire un garrot, mais, avant, vous allez me dire ce que je veux entendre.

À cette nouvelle, Ahmed éclata en sanglots.

— Oh ! Allah, ça fait un mal de chien. Je vous dirai tout ce que vous voulez.

— Très bien, dit Storm. Parlez-moi de la Société de Médine.

Ce n'était plus tant la souffrance que le trouble qui se lisait maintenant sur le visage d'Ahmed. La perplexité mêlée peut-être d'une pointe de désespoir.

— La Soci..., la Société de Médine ? Mais je ne... Je ne sais rien à ce suj...

— Il ne vous servira à rien de jouer les imbéciles avec moi, Ahmed. Et il vous reste peut-être moins de dix minutes avant que tout soit fini pour vous. C'était juste une estimation de ma part. Mais je ne suis pas médecin et vous perdez beaucoup de sang. Alors, encore une fois, parlez-moi de la Société de Médine.

En légère hyperventilation, il avait du mal à respirer, et son corps était parcouru de frissons, car sa température baissait sous l'effet de l'état de choc.

— D'accord, d'accord... La Société de Médine... C'est un groupe d'extrémistes qui veut ramener mon pays deux siècles en arrière... Ils... Ils n'ont pas l'air de beaucoup aimer les femmes... Ils font une très mauvaise réputation à l'islam, une religion pourtant pacifique et douce. Je ne sais pas, c'est ça que vous cherchez ?

— Vous n'avez vraiment plus le temps de jouer les malins avec moi, Ahmed. Je sais que vous croyez en cet instant que votre vie ne mérite peut-être pas d'être sauvée, mais, selon la qualité des renseignements que vous me donnerez et votre niveau de coopération, vous pourriez très bien faire une seconde carrière comme informateur. J'en sais déjà beaucoup. La Société de Médine se sert du prométhium pour construire des rayons laser à haute densité d'énergie et abattre des avions. Dites-moi seulement comment cette organisation est structurée et où se trouve son siège.

Les larmes d'Ahmed redoublèrent.

— Je vous en supplie, monsieur. Je n'essaie pas de faire le malin. C'est juste que je ne vois pas de quoi vous parlez. Je ne peux vous informer sur personne. Je ne suis qu'un ferrailleur. Je ne connais pas du tout ces terroristes.

— Alors, pourquoi il y a des pancartes AHMED MÉTAL GÉNÉRATION partout ? Je sais ce que ça veut dire.

— Je ne sais pas de quoi vous parlez. Je m'appelle Ahmed. Je génère du métal. Cela fait plusieurs générations que nous sommes ferrailleurs dans ma famille. Avant, nous étions agriculteurs. C'est tout.

— Oui, bien sûr. Alors, expliquez-moi comment ce camion rempli de prométhium s'est retrouvé chez vous ?

— Oui, oui, volontiers. C'est le professeur, le docteur Raynes, qui me le vend. Il m'en a vendu des centaines de kilos. Jc nc sais pas d'où il le sort, mais il en a trouvé de grandes quantités.

— Et qu'en faites-vous ?

— Je le revends avec une jolie marge, évidemment. J'ignorais que quelqu'un s'en servait pour descendre des avions. S'il vous plaît, monsieur, je vous dis la vérité. Je suis ferrailleur, c'est tout. Je vous en prie, monsieur. S'il vous plaît, aidez-moi.

Storm baissa les yeux vers la pathétique forme humaine affalée qu'il dominait. Autant il voulait se défendre de croire à ces mensonges, autant il ne pouvait s'en empêcher. Ce n'était pas tant à cause de ce qu'Ahmed disait qu'à cause de tout ce à quoi il avait assisté ces dernières heures.

Il avait été bien trop facile d'éliminer le garde. Bien trop facile de pénétrer dans l'enceinte. De s'introduire dans la maison malgré le petit contretemps dû au système de sécurité. D'éliminer Ahmed.

À chaque étape, il avait rencontré beaucoup trop peu de résistance. Sur le moment, il n'avait pas réussi à donner un sens à tout cela. Maintenant, si. Si la Société de Médine avait si bien réussi à éviter toute infiltration et de la puissante CIA et de l'armée américaine pendant plusieurs décennies, jamais Storm n'aurait pu entrer de manière aussi désinvolte et se rendre maître de l'une de ses cellules avec rien de plus qu'un iPad, un tasseau et un chewing-gum au goût douteux. Si c'était si simple, il y a longtemps qu'un groupe de bérets verts l'aurait fait. La vraie Société de Médine aurait défendu son territoire avec davantage de vigueur.

En outre, il y avait le comportement d'Ahmed. Si c'était vraiment un terroriste, serait-il en train de pleurnicher et de supplier ? Non, il prierait Allah et se réjouirait à la perspective des soixante-douze vierges qu'on lui promettait.

— Bien, si vous n'êtes qu'un ferrailleur, vous ne verrez aucun inconvénient à répondre à cette simple question : qui vous achète tout ce prométhium ?

— Je... Je ne sais pas exactement. Ils insistent toujours pour que je porte un bandeau.

— Il va falloir faire beaucoup mieux que ça, insista Storm.

— J'essaie..., j'essaie, je vous jure. Ils... Ce sont eux qui organisent toutes les réunions. Dans un endroit différent chaque fois. Je suis leurs instructions. On se téléphone. Quand il s'agit des livraisons, je parle à un homme. Mais, si c'est une question d'argent, je parle à une femme. J'ai l'impression que c'est elle la chef. L'acheteuse est une femme.

— Une femme. Voici donc le nombre des possibilités concernant l'identité de votre acheteur réduit de sept à trois virgule cinq milliards. Vous cherchez vraiment à vous vider de votre sang, pas vrai, Ahmed ?

Le blessé tremblait de plus en plus fort. Il avait le bas du corps trempé de sang, et une flaque se formait par terre.

— Non, non, s'il vous plaît. Attendez. C'était une femme et parfois elle se trouvait à l'extérieur quand elle téléphonait. Je crois qu'elle était sur un bateau. Un gros bateau. On entendait les vagues et le moteur. Une fois, j'ai entendu retentir une sorte de corne. C'était un son très particulier. Je lui ai demandé si c'était une trompette et elle m'a répondu que non, c'était le son du cor. Ensuite, elle m'a expliqué qu'elle appréciait beaucoup le son du cor.

Storm se figea un instant. Une femme à bord d'un gros bateau se signalant aux autres par un bruit de cor. Ahmed venait de réduire encore la liste des suspectes possibles ; de trois virgule cinq milliards, elle était passée à une seulement.

— Votre acheteuse est une splendide Suédoise très riche, qui se nomme Ingrid Karlsson, affirma Storm. Je... J'ai tout de même peine à le croire. À bord de l'un des avions qui ont été abattus dans les airs se trouvait Brigitte Bildt, sa maîtresse.

À ces mots, Ahmed fut transporté d'un élan d'enthousiasme.

— Oui, oui, dit-il. Une fois, elle m'a dit qu'elle devait prendre un appel sur une autre ligne. Elle croyait sans doute avoir coupé le son, mais j'ai assisté à sa conversation. Maintenant, je comprends mieux deux choses qui n'avaient aucun sens alors pour moi. La première, c'était à propos de Brigitte. Elle a dit qu'il lui fallait se débarrasser d'elle parce qu'elle se rendait aux États-Unis pour parler à un certain Jedediah, qui allait la démasquer. J'ignorais qui était Brigitte. J'ai pensé que c'était peut-être une employée qu'elle avait renvoyée. Mais peut-être était-ce la maîtresse qui était dans l'avion ?

Storm digéra l'information. Tout comme il n'y avait qu'une femme ayant un cor pour signal sur son yacht, il n'y avait qu'un homme prénommé Jedediah dans les hautes sphères des services secrets américains.

Brigitte Bildt se rendait-elle aux États-Unis pour révéler à Jones ce que sa patronne s'apprêtait à faire avec le laser ? Cela paraissait logique.

— Continuez, dit Storm. Quelle était l'autre chose ?

— Elle a dit qu'on allait s'occuper d'un certain Jared Stack. C'est tout ce que j'ai entendu. Sur le moment, je me suis senti coupable parce qu'il me semblait que ce Jared Stack allait avoir des ennuis. Mais je ne sais pas qui c'est.

Storm, si. Jared Stack était l'élu qui avait remplacé Erik Vaughn à la tête de la Commission des finances. À sa connaissance, le député Stack était encore en vie.

Mais peut-être n'était-ce que, si Ahmed disait la vérité, parce que la personne envoyée par Ingrid Karlsson pour le tuer avait échoué.

Il existait un moyen rapide de le vérifier. Storm sortit son téléphone et appela Javier Rodriguez au cagibi.

— Que se passe-t-il, vieux ? demanda l'agent. Tu es toujours avec Strike ?

— Je n'ai pas le temps de bavarder, dit Storm. Dis-moi, tu sais si quelqu'un aurait attenté à la vie de Jared Stack ? C'est un membre du Congrès.

— Attends, je vais me renseigner.

Storm mit le téléphone sur haut-parleur, puis le posa. Il prit la bande de tissu qu'il avait arrachée à la chemise de nuit d'Ahmed et la serra le plus possible autour de l'avant-bras du ferrailleur. Dans la salle de bain toute proche, il se hâta de ramasser plusieurs serviettes, assez propres d'aspect, pour essayer de contenir l'hémorragie.

— Merci, merci, marmonnait le blessé. Allah vous garde.

Storm achevait ces premiers soins rudimentaires lorsque Rodriguez revint en ligne.

— C'est zarb, vieux, fit-il. La police de Washington vient juste de retrouver Jared Stack, mort étranglé derrière une maison de crack à Southeast. Ils n'ont encore rien dit aux médias parce que c'est encore tout frais. Comment diable es-tu au courant ?

— C'est une longue histoire, dit Storm. Je te raconterai plus tard.

Il raccrocha, puis repensa à ce que son père avait dit l'autre soir, lorsqu'ils avaient discuté de William McRae et de ses travaux sur le prométhium. Comme Carl Storm l'avait souligné, les terroristes se présentaient sous les traits les plus variés. Parfois, ils ressemblaient à Oussama ben Laden, avait-il prévenu son fils, parfois à Ted Kaczynski.

Mais parfois aussi à Xena la guerrière.

28

Dans une pièce sécurisée

William McRae plia les doigts et grimaça en les entendant craquer.

L'orage devait menacer. Il fallait s'attendre à une véritable tempête de feu, s'il en jugeait à l'intensité de la souffrance, avec ses articulations aussi sensibles aux variations de pression atmosphérique qu'un baromètre. Il avait également noté une légère augmentation du taux d'humidité dans l'air, comme si le climat devenait plus tropical.

Il s'assit dans son lit, redoutant la journée de labeur qui l'attendait. Il ne cessait de penser que l'homme pour lequel il travaillait finirait par être à court de prométhium. C'était forcé ! Cet élément n'existait qu'à l'état de traces dans la nature.

Pourtant, tous les cinq à sept jours, on lui en fournissait, et McRae devait recommencer le processus, transformer la matière en cristaux, disposer les cristaux de manière à ce qu'ils fournissent la puissance nécessaire au laser.

La nouvelle cargaison n'était pas encore arrivée. Cela ne tarderait plus. Il lui restait suffisamment de prométhium pour s'occuper. Alpha lui avait montré une nouvelle série de photos d'Alida, la veille, pour qu'il ne perde pas sa motivation. C'étaient les photos habituelles : Alida se rendant à l'épicerie, relevant son courrier, accomplissant les minuscules tâches de routine qui lui manquaient désespérément, désormais.

Cela lui avait brisé le cœur de voir Alida dîner seule, le soir. Il se sentait triste pour elle, rien qu'à la regarder. Femme brillante et très sociable, elle estimait que le repas, le repas du soir surtout, était un moment privilégié pour la conversation et le partage. Il aurait aimé qu'elle puisse inviter des amis ; il ne supportait pas de la voir souffrir de la solitude.

Alpha s'était bien appliqué à montrer à William que, sur ce cliché, derrière Alida, le calendrier indiquait la date du jour. Cette photo aussi lui avait brisé le cœur, non seulement parce qu'elle prouvait qu'on surveillait toujours son épouse, mais aussi à cause de son contenu.

On y voyait un faux calendrier de citations philosophiques. Les maximes ressemblaient à Alida : intelligentes, impertinentes, irrévérencieuses, mais pleines d'humour. Celle du jour disait : *Pour certains, vous êtes intolérant, pour moi, vous êtes un connard de raciste !*

McRae sourit à cette pensée. C'était l'une des rares qui avaient illuminé son visage au cours du dernier mois. À présent qu'il s'était redressé et paraissait parfaitement éveillé sous l'œil des caméras, il ne fallut pas longtemps avant que l'un de ses ravisseurs n'apparaisse.

Cette fois, ce fut celui qu'il surnommait « Epsilon ». McRae lui avait assigné le rang le plus bas dans la hiérarchie, car il n'était pas aussi intelligent que les autres.

— Bonjour, docteur McRae, dit-il d'un ton solennel. Je suis venu prendre votre commande pour le petit-déjeuner.

McRae bâilla. Dernièrement, il s'était mis à demander des déjeuners plus élaborés, parce qu'il avait remarqué qu'on ne le forçait pas à travailler avant qu'il ait fini de manger. C'était une tactique un peu minable, mais c'était déjà une petite victoire.

— J'aimerais des gaufres, si votre chef sait les faire. Et des fruits aussi. Des fraises, peut-être. Ah oui, un pamplemousse ! Mais coupez-le en deux, cette fois. À moins que vous ne vouliez me donner un couteau, quelqu'un devra couper le pamplemousse pour moi.

— OK, dit Epsilon en tournant les talons.

McRae guetta le petit clic qui accompagnait toujours le départ du garde.

Ses oreilles le trahissaient-elles ? Cette fois, il n'avait rien entendu. Il balança les jambes à l'extérieur du lit et examina la porte. Elle s'était plaquée contre l'encadrement sans se fermer totalement. L'humidité avait dû gonfler le bois.

Il se traîna jusqu'à la chaise sur laquelle il avait posé son pantalon qu'il enfila avant de glisser les pieds dans ses chaussures. Il attendit trente secondes, pour s'assurer qu'Epsilon était bien parti, puis entrouvrit la porte prudemment.

Le couloir était vide. Tous les jours, on l'emmenait dans ce couloir, vers la gauche, vers son atelier, la seule pièce qu'il connaissait avec sa cellule.

Il se réjouissait d'avoir commandé des gaufres. Préparer les ingrédients secs, ajouter le lait, séparer les blancs d'œufs, les monter en neige bien ferme, puis mélanger le tout avant de mettre la pâte dans le gaufrier, cela prendrait bien quinze minutes. Vingt peut-être.

Pendant ce temps, personne ne le surveillerait. On penserait simplement qu'il s'attardait sous la douche. Il n'y avait pas de caméras dans la salle de bain.

C'était l'occasion ou jamais ! Il coinça la porte entrouverte avec une chaussette pour pouvoir se réfugier à l'intérieur en cas de nécessité et tourna vers la droite. Au bout du couloir, il tomba sur une porte métallique sur sa gauche.

De nouveau, avec de grandes précautions, il ouvrit. Elle donnait sur un escalier étroit qui montait. McRae monta les marches et se retrouva sur un petit palier, avec une autre porte.

Elle était dotée d'une fenêtre.

Pour la première fois depuis un mois, McRae voyait le monde extérieur, en dehors de sa prison, et il en croyait à peine ses yeux.

Il était entouré d'eau. Il se trouvait en mer. Sur un navire. Un énorme bâtiment.

Soudain, il comprenait : les mouvements qu'il croyait percevoir parfois (rarement néanmoins) provenaient des vagues lorsqu'ils se trouvaient assez loin des côtes pour que la houle soit perceptible sur un tel navire. Le ronronnement mécanique qu'il prenait pour un générateur était en fait le bruit des moteurs.

Il ouvrit grand la porte et se retrouva sur une coursive qui longeait le pont. D'un côté, il voyait la passerelle, de l'autre, les vagues, assez hautes pour faire danser le navire. Il se pencha par-dessus la rambarde. La hauteur était impressionnante, bien qu'il se trouvât sur un des ponts inférieurs. Il ne songea même pas à se jeter à l'eau. Il n'avait que peu de chances de survivre à un tel plongeon.

Que faire, alors ? Il ne savait pas où il se trouvait. Même si l'air était tiède, l'eau pouvait être glacée. On risquait de mourir d'hypothermie en quelques heures dans des océans relativement chauds.

Il apercevait la terre, mais à peine. Il devait se trouver à une dizaine de milles des côtes. Il n'était pas si bon nageur. Et l'orage menaçait… L'orage qu'il sentait jusque dans ses os. Il ne tiendrait jamais !

Il tomberait peut-être sur un canot de sauvetage. Ou un petit bateau attaché quelque part. Ces navires de luxe étaient toujours équipés de ces petites embarcations. Avec un peu de chance…

Il devait sans doute se résigner à rester prisonnier jusqu'à ce qu'on décide de le relâcher… Ou de le tuer, vraisemblablement.

McRae continua à avancer jusqu'à une autre porte par laquelle il entra. Le couloir était fort différent de celui qu'il venait de quitter. Celui qu'il traversait tous les jours depuis un mois était monotone, presque officiel, tant il manquait d'ornement. Celui-là, au contraire, était magnifiquement décoré : des peintures tous les mètres, des petites tables couvertes de lampes de chevet incrustées de pierres précieuses, de somptueuses boiseries aux moulures dorées.

Il tourna aveuglément vers une des portes du milieu. Elle donnait sur une cabine de luxe, une des nombreuses cabines, étant donné la taille du bâtiment. Il allait en sortir lorsqu'il remarqua un vieux téléphone à cadran sur un petit bureau.

Était-ce une simple décoration ou… ?

Un seul moyen de le savoir… Et, miracle, il obtint une tonalité. Il posa le doigt sur le zéro, le premier chiffre dont il avait besoin pour appeler le zéro-un-un à l'international, et tourna le cadran. Étonnamment, il n'entendit pas une série de clics, mais des petits bips, comme pour les téléphones modernes à fréquence vocale.

Pris de frénésie, dans sa hâte d'obtenir son interlocuteur, il continua à composer le numéro. Le numéro qu'il connaissait par cœur, qu'il avait composé des milliers de fois et qui lui permettrait d'entendre la voix la plus douce au monde…

La ligne resta silencieuse pendant que les lointains serveurs connectaient les deux lignes très éloignées l'une de l'autre. Après ce qui lui sembla être une éternité, il entendit la sonnerie.

— Allô ? demanda la plus douce des voix.

Alida. Submergé par l'émotion, il avait du mal à prononcer les mots.

— Chérie, c'est moi…

— Billy ? dit-elle, élevant la voix. Billy, c'est toi ? Oh ! mon Dieu ! Oh ! mon Dieu !

Alida pleurait. McRae aussi. Pendant leurs quarante-cinq ans de mariage, ils n'avaient jamais passé une journée sans se parler. À présent, au bout d'un mois de silence, ils étaient incapables de prononcer une syllabe.

Finalement, William réussit à dominer le nœud qui lui serrait la gorge et déversa un torrent de paroles.

— Je t'aime. Tu me manques et, quoi qu'il arrive, je veux que tu saches que tu as été la meilleure chose qui me soit jamais arrivée dans ma vie. Me marier avec toi est la meilleure décision que j'aie jamais prise. Si je ne reviens pas, je veux que tu saches que je t'ai aimée jusqu'à mon dernier souffle. Et, s'il y a un avenir après ça, je recommencerai à t'aimer comme avant. Tu m'entends, Alida May McRae ? Je t'aime.

Elle sanglotait. Malgré tous ses efforts, aucune réponse ne sortait de sa bouche.

— Et puis, je veux que tu te remaries. Je ne veux pas que tu sois une veuve attristée et solitaire. Range ma photo quelque part et regarde-la de temps en temps. Mais ne la pose pas sur ta table de chevet, tu m'entends ? Je ne veux pas que tu te morfondes pour ce vieux Billy McRae. J'ai eu une vie merveilleuse avec toi, et ça me suffit. Mais, si ma vie s'achève, tu dois continuer. Il te reste encore de belles années devant toi. Je veux que tu te trouves un bon mari qui prendra soin de toi, comme j'aurais dû le faire. Je suis désolé, Alida May. Je suis désolé que tout cela arrive. Tu me manques tellement ! Et rien qu'à penser que je ne te reverrai jamais…

— Billy, arrête ! dit Alida, enfin capable de contrôler sa respiration. Où es-tu ? On va te sortir de là !

— Je ne sais pas. Je suis sur un bateau, quelque part. Un énorme navire. Comme un bateau de croisière, mais sans passagers. Écoute, cela n'a pas d'importance. J'ai autre chose à dire de bien plus grave. Il faut que tu quittes la maison. Les hommes qui m'ont enlevé te surveillent nuit et jour. Ils prennent des photos. Ils menacent de te faire du mal si je ne fais pas ce qu'ils veulent. Alors, tu dois t'enfuir. Va au commissariat, va voir le FBI ou ce que tu veux. Assure-toi d'aller dans un endroit tranquille où personne ne te suivra, tu m'entends ?

— Oui, d'accord, Billy. Mais, toi, écoute-moi : un homme est venu me poser des questions. Il s'appelle Derrick Storm. Il dit qu'il est consultant pour le gouvernement, mais je crois qu'il y a autre chose. Il m'a promis de te retrouver. Alors, dis-moi où tu es et je le lui indiquerai. Il viendra à ton secours.

— Tu ne comprends pas… Ils m'ont enlevé pendant que je faisais mon jogging, ils m'ont drogué et m'ont emmené quelque part. Je suis enfermé dans une pièce sans fenêtre. J'ai réussi à m'échapper de ma cellule, mais je ne savais même pas que j'étais sur un bateau avant. Alors, je suis sur un bateau, en pleine mer, mais je ne peux même pas dire laquelle.

— S'il te plaît, Billy. Fais un effort. Tu vois la terre ? Il y a une ville, avcc une silhouette que tu reconnais ou des repères quelconques ?

William regarda par le hublot et scruta l'horizon. La terre était si lointaine qu'il ne distinguait aucune structure. Il y avait des falaises. Et des arbres à d'autres endroits. Il devinait la terre, plus qu'il ne la voyait. Cela pouvait être la Californie, l'Angleterre ou…

— Un instant…, dit-il, réprimant son envie de crier. Oui, je vois quelque chose… Mon Dieu… Je crois que c'est le rocher de Gibraltar ! Oui, oui, c'est ça. Je pourrais le jurer ! Je suis en Méditerranée, dans le détroit de Gibraltar, à une dizaine de milles de la côte ! Au sud de Gibraltar. Ça peut t'aider ?

— Et comment ! Oh ! Billy, on te fera revenir à la maison et, après, je te serrerai dans mes bras et je ne te laisserai plus jamais partir !

Il l'interrompit :

— J'entends quelqu'un. Je t'aime.

Il raccrocha. Il traversa la cabine, se cacha dans la salle de bain, mais la porte de la cabine s'ouvrait déjà. Comment avaient-ils su qu'il s'était réfugié dans celle-là, avec les milliers de cabines de ce navire ?

Les caméras. Ils avaient dû le voir sur un des écrans, si bien qu'ils savaient où chercher. Il espérait simplement qu'ils ne savaient pas qu'il en avait profité pour appeler Alida.

Il ne voulait pas la mettre en danger plus qu'elle ne l'était déjà.

Il tira le rideau et se dissimula dans la baignoire, la seule cachette possible. Il ralentit sa respiration, espérant contre tout espoir échapper à ses gardes.

Hélas, non. La lumière s'alluma. Le rideau s'ouvrit. McRae ferma les yeux, comme un enfant qui pense que, s'il ne voit pas les méchants, les méchants ne le voient pas.

— Ah ! vous voilà !

C'était Alpha. McRae ouvrit les yeux.

L'homme à l'allure de Viking le dominait de toute sa hauteur.

— On y va, docteur McRae. Vous êtes un vilain garçon et vous méritez une punition.

Alpha passa son énorme main dans le dos de McRae, attrapa une poignée de tissu de pyjama et s'en servit comme d'une anse pour extirper McRae de la baignoire. McRae se laissa raccompagner, traîner, plutôt, à sa chambre.

Pourtant, si désespéré fût-il que sa brève escapade ait pris fin, si terrifié fût-il par le châtiment qui l'attendait, cela en avait valu la peine.

Tout d'abord, il n'avait vu aucun endroit où dissimuler une caméra en retraversant la cabine précédente. Donc, ses ravisseurs ignoraient tout de son appel téléphonique.

De plus, il savait qu'à présent Alida serait en sécurité.

Il était simplement heureux d'avoir pu entendre cette voix si douce une dernière fois.

29

Le Caire, Égypte

Le pont du 6-Octobre, qui serpente de la rive ouest du Nil traverse l'île de Gezira et refranchit le fleuve avant d'arriver à l'aéroport, est considéré comme la « colonne vertébrale du Caire ».

Son tablier mesure quatorze kilomètres, et Derrick Storm attendit de se trouver au beau milieu avant de freiner et d'arrêter le camion sans s'occuper des coups de klaxon furieux des véhicules qui le suivaient.

C'était exactement l'endroit qu'il cherchait. Le fleuve y est profond, le courant, rapide.

La perfection.

Il avait roulé à toute allure pendant toute la nuit. Il n'avait quitté les lieux que quelques instants avant l'arrivée de l'ambulance qui allait se charger d'Ahmed, avait détaché le garde en chemin et s'était mis au volant du camion avec sa cargaison de prométhium, ce qui, il en avait convenu avec Ahmed, était la meilleure solution. Bon, c'était plus l'idée de Storm que celle d'Ahmed. Néanmoins, Ahmed n'était guère en position de négocier. Il ne protesta pas non plus lorsque Storm lui demanda d'envoyer quelqu'un restituer la voiture de location. Les hommes qui risquent de mourir d'une hémorragie massive ont tendance à se montrer conciliants.

La longue route vers le nord lui avait laissé le temps de penser à Ingrid Karlsson et de démêler le mélange d'idéologie et d'ambitions qui avait alimenté sa folie. Cette femme rejetait les croyances qui font que la violence de l'humanité se retourne contre elle-même. Cette « citoyenne du monde » honnissait le concept de frontières nationales, s'opposait à l'intervention du gouvernement sur les marchés et à tous ceux qui prétendaient vouloir imposer leur volonté aux autres.

Comme toutes les autres, cette doctrine avait ses propres paradoxes. Ingrid se montrait aussi agressive pour faire passer ses idées que les fanatiques religieux ou les nationalistes les plus chauvins. Avec son laser au prométhium, elle avait trouvé une arme qui lui permettait d'imposer son programme.

Comme un idiot, il lui avait fait confiance. Ingrid était la seule personne qui avait évoqué des relations entre Ahmed Métal Génération et la Société de Médine. En général, il se montrait plus circonspect face aux informations qui provenaient d'une source unique. Mais, comme Eusebio Rivera lui avait aussi parlé d'Ahmed Métal Génération à propos de la cargaison de prométhium qui devait traverser le canal de Panama, Storm avait cru disposer d'une seconde source.

Bien entendu, il n'avait pas vérifié les informations dont disposait la CIA, car la CIA ne savait pas grand-chose à propos de la Société de Médine ; de plus, il devait jouer très serré avec Jones.

C'était là sa plus grave erreur. À présent qu'il avait Karlsson dans sa ligne de mire, les pistes qui semblaient incohérentes commençaient à s'organiser. Les victimes des accidents d'avion, par exemple, ne semblaient plus dues au simple hasard.

À commencer par Erik Vaughn. L'homme était un ennemi juré de l'expansion du canal de Panama. Storm appela Carlos Villante. Il attrapa le prétendu directeur adjoint de l'Autoritad del Canal de Panama juste avant qu'il aille se coucher. Villante confirma que Karlsson Logistics empruntait plus souvent le canal que les autres compagnies maritimes et avait donc beaucoup à gagner de l'élargissement du canal.

Villante expliqua également que, pour Karlsson Logistics, le passage d'une petite compagnie suédoise à un géant international avait gravement creusé la dette de la compagnie. Sans aménagement du canal, la société aurait beaucoup de mal à maintenir la croissance nécessaire pour rembourser une série de dettes qui ne cessaient de croître.

Jared Stack, qui avait subitement repris la place de Vaughn pour étudier le financement des travaux, était lui aussi devenu l'ennemi d'Ingrid Karlsson. À présent, il était mort, apparemment victime de la conduite inappropriée d'un parlementaire, mort suspecte qui aurait sûrement fait l'objet d'une enquête si personne n'avait craint le scandale.

Au milieu du voyage, le téléphone de Storm avait sonné. En vérifiant l'identité de l'appelant, il s'aperçut qu'il était masqué. Le cagibi. Storm n'avait pas répondu et avait continué à réfléchir aux autres victimes et à découvrir des noms qui, en Pennsylvanie comme aux Émirats, auraient pu déclencher le courroux d'Ingrid Karlsson.

Viktor Schultz. En tant que directeur général de Coûts et Commerce pour l'Union européenne, il n'avait de cesse de faire augmenter les taxes douanières des produits importés. Ainsi, il était devenu le symbole de l'homme à abattre pour Karlsson, fanatique du libéralisme.

Gunther Neubauer aussi. L'homme de loi était traité de Ted Cruz allemand, tant il se montrait intransigeant sur les sujets qui lui semblaient importants.

Son programme était tout aussi réactionnaire : il prônait, par exemple, un retrait complet de l'Union européenne. Beaucoup estimaient que, s'il parvenait à ses fins, l'Europe éclaterait. Cela aurait porté un coup fatal à la vision du monde sans frontières de Karlsson.

D'autres victimes ne semblaient avoir aucune relation avec Karlsson, comme Pi, le chantre des fruitariens. Peu de monde pleurerait sa mort, néanmoins.

Mais c'était en partie ce qui rendait l'attaque de Karlsson si ingénieuse.

Il était presque impossible de faire la distinction entre véritables cibles et dommages collatéraux.

La manière dont elle avait pu savoir sur quels vols ils embarqueraient ne faisait pas grand mystère. Les autorités aéroportuaires possédaient les systèmes informatiques les plus vulnérables au monde. Et les compagnies aériennes ne valaient guère mieux. Croiser les listes de passagers et les plans de vol n'avait rien de bien sorcier, d'autant que les informations étaient entrées dans les bases de données longtemps à l'avance. Il était possible qu'Ingrid Karlsson ait une longue liste d'ennemis dans laquelle elle avait repéré quelques noms qui se trouvaient dans les airs les jours où elle avait décidé d'utiliser son rayon laser. Ce n'était peut-être que le début d'une vaste opération de nettoyage.

Tout en haut de la liste (cela lui sautait aux yeux, à présent), figurait le nom de Brigitte Bildt, la femme qui n'ignorait rien des projets de sa patronne, la femme qui était allée aux États-Unis pour tout révéler. Storm se demandait ce que savait Jones à propos de cette visite et ce qu'elle allait lui raconter à son arrivée. Toute la vérité, sans doute.

Lorsqu'il arriva au Caire, à l'heure du lever du soleil, il lui semblait avoir enfin tout compris. Pourtant, avant de se lancer à l'attaque du *Princesse guerrière,* il avait une dernière mission à accomplir.

C'était d'ailleurs pour cela qu'il s'était arrêté au milieu du pont du 6-Octobre. Il descendit rapidement de la cabine, fit le tour du camion qu'il avait déjà déverrouillé. La combinaison était la date de naissance d'Ahmed : vingt-trois-douze-soixante-quatorze.

Storm tira la boîte de métal qui contenait le prométhium de l'arrière du camion et la bascula pour la poser sur le macadam. Ses gestes étaient désormais accompagnés par le furieux concert de klaxons de la file de voitures coincées dans l'embouteillage. C'était, Storm le savait, le Code de la route de bien des pays du Moyen-Orient : le véhicule doté du klaxon le plus puissant avait la priorité.

Il les laissa enrager. De nouveau, le téléphone sonna. Il le laissa sonner. Il poussa le conteneur de métal sur un petit trottoir, le hissa sur la rambarde afin qu'il soit incliné à quatre-vingt-dix degrés. Il était déjà essoufflé par l'effort, mais cet exercice ne le dérangeait pas. Il y avait plusieurs jours qu'il n'avait pas eu l'occasion de pousser de la fonte. Cela compensait un peu.

Il ôta le couvercle qu'il rejeta sur le côté et bascula le fond pour que le récipient se retrouve parallèle au sol. Une des extrémités était toujours appuyée sur la rambarde pendant que Storm maintenait l'autre.

Puis, lentement, pour donner au puissant Nil toutes les chances de disperser le produit, il commença à verser le prométhium de l'autre côté du pont.

Il lui fallut un moment, mais Storm ne voulait pas se précipiter. Il tirait une sorte de plaisir pervers à observer le spectacle : cent soixante-quinze kilos de prométhium pur, d'une valeur marchande de dix-sept millions de dollars et d'une valeur militaire bien plus grande encore, qui se dispersaient dans le courant rapide, en contrebas.

La théorie du chaos étant ce qu'elle est, certaines molécules de prométhium sombreraient sur place, d'autres, un kilomètre plus loin, et d'autres encore poursuivraient leur chemin jusqu'à la mer.

L'essentiel était que personne ne retrouverait jamais rien. Tout sombrerait dans l'oubli. Ce qui, selon les Storm, qu'il s'agisse de Derrick ou de Carl, était sa véritable place.

Tandis que Storm remontait dans la cabine et reprenait la route, le téléphone sonna de nouveau. Il allait encore ignorer l'appel, mais cette fois il vit qu'il provenait de William McRae. Il décrocha à la seconde sonnerie.

— Derrick Storm.

— Monsieur Storm. C'est Alida McRae, la femme de…

— Oui. Je suis content d'avoir de vos nouvelles.

— Excusez-moi de vous importuner, mais je viens de recevoir un appel de Billy, et je pensais que vous aimeriez…

— Il a dit où il se trouvait ? l'interrompit Storm.

— Il est à bord d'un bateau. Un immense navire, de la taille d'un bateau de croisière.

Storm avait quitté le pont et se dirigeait vers l'aéroport. Il appuya sur l'accélérateur.

— Oui, c'est le *Princesse guerrière*, dit-il. Il appartient à une certaine Ingrid Karlsson.

— Ingrid Karlsson, de Karlsson Logistics ? Cette Ingrid Karlsson ?

— Exact.

— Mais pourquoi aurait-elle envie de fabriquer des rayons laser haute puissance et de faire tomber les avions et toute cette folie ?

— L'idéologie. Elle prétend n'en avoir aucune. Mais, en fait, elle en est prisonnière. Je vous expliquerai tout en détail un jour, si cela vous intéresse vraiment.

— Bof, j'imagine que je m'en moque. Je veux seulement revoir Billy. Juste avant que la conversation ne soit coupée, il m'a dit que le navire se trouvait dans le détroit de Gibraltar, à une dizaine de milles du rocher. Je sais que vous avez dit que vous travailliez pour le gouvernement et je me demandais si…

— Je m'en occupe.

— Comme ça ?

— Comme ça.

— Je peux vous aider ?

— Oui. Préparez un gâteau pour votre mari.

— Un gâteau ? Quel genre de gâteau ?

— À la crème à la banane.

— Pourquoi la banane ?

— Parce que c'est délicieux ! Mais c'est beaucoup moins important que ce que vous écrirez dessus. Écrivez BIENVE-

NUE À LA MAISON, WILLIAM. Il sera chez vous pour le manger dans quelques jours.

Alida se confondait en remerciements lorsque Storm lui coupa la parole pour la dernière fois.

— Madame McRae, j'apprécie votre gratitude, mais j'ai du travail qui m'attend. Faites cuire ce gâteau. Les hommes adorent les bons gâteaux.

Elle lui souhaita bonne chance et il raccrocha. Il quitta l'autoroute et entra dans un parking. Il sortit son iPad, content que l'aéroport soit de nouveau ouvert, et surtout que les crashs aient provoqué de nombreux désistements des voyageurs timorés. Le vol Le Caire-Tanger était donc à moitié vide. Il réserva une place.

Tanger se trouve de l'autre côté du mince détroit, face à Gibraltar. Il lui restait quelques fantômes là-bas, mais il avait encore au moins un ami qui pourrait l'aider.

Un ami qui avait besoin d'argent, de surcroît. Storm rédigea un bref courriel à Jean-François Vidal pour demander au directeur de la Société des bains de mer de Monaco de virer cent mille euros sur ses récents gains sur un compte au Maroc détenu par un certain Thami Harif.

Ensuite, il prévint son ami Tommy qu'il allait bientôt recevoir une visite.

Une fois cette tâche accomplie, Storm reprit le cours de ses affaires. Son vol décollait deux heures plus tard, mais il n'était qu'à quelques kilomètres de l'aéroport.

Il alluma la radio. La tempête méditerranéenne qui avait ravagé l'Italie reprendrait de la vigueur en passant sur les eaux tièdes de la Méditerranée occidentale.

Son téléphone vibra, lui signalant qu'il avait un appel. Il vérifia l'identité de son interlocuteur. Masqué. Le cagibi, encore. Storm décida qu'il était enfin temps de se débarrasser de cette corvée.

— Derrick Storm.

— Tu veux bien m'expliquer ce qui se passe ? demanda Jedediah Jones de sa voix habituelle, calme, mais insistante.

— Je ne sais pas très bien de quoi vous voulez parler, monsieur.

— Eh bien, commençons par Jared Stack. Comment es-tù au courant ?

— Jared Stack ?

— Ne fais pas l'imbécile. Ça ne te va pas. Rodriguez a essayé de te couvrir, mais j'ai écouté l'enregistrement de l'appel. Cette fois, tu ne t'en sortiras pas comme ça.

— Hum..., fut tout ce que Storm répondit en essayant d'élaborer un mensonge.

Il ne tenait pas du tout à ce que Jones apprenne l'existence d'Ahmed. Storm n'était vraiment pas certain qu'Ahmed connaisse la provenance exacte du prométhium. Il ne pensait pas non plus que l'homme disposait d'autres produits illicites... Sinon, dès qu'il aurait eu la main dessus, il aurait essayé de les vendre à Ingrid Karlsson.

De plus, Storm se conformait à sa règle habituelle en ce qui concernait l'échange d'informations avec Jones : moins il en disait, mieux c'était.

— Ah oui ! Jared Stack ! Excusez-moi, j'ai oublié pendant un instant. La mission que vous m'aviez confiée au Panama, Villante ? Il avait entendu dire que Jared Stack risquait d'avoir des ennuis et me l'avait fait savoir puisque je m'intéressais à l'affaire. Vous savez peut-être que Stack avait repris le poste d'Erik Vaughn et se retrouvait chargé de trouver des financements pour l'expansion du canal de Panama.

— Je vois, dit Jones. Bon, la suite. Strike m'a dit que vous aviez été obligés de vous séparer et qu'elle avait perdu le contact. Tu as progressé, tu as retrouvé la piste du prométhium volé dans le désert ?

Storm sourit. Finalement, Clara ne l'avait pas balancé. Elle était sans doute encore très fâchée contre lui, mais ce n'était pas la première fois et sans doute pas la dernière. Au moins, elle l'avait couvert aux yeux de Jones. Peut-être pour se couvrir elle-même. Peu importait, ça l'arrangeait.

— Non, monsieur. Je suis désolé, mais j'ai échoué.

Il passerait facilement le détecteur de mensonge avec cette réponse, car il ne savait vraiment pas sur quelle section du lit du fleuve le prométhium se retrouverait après avoir été emporté par le courant.

— Bon, d'une certaine manière, cela n'a plus d'importance. Strike a fait une découverte, un gros truc. Elle nous a dit que le prométhium venait du désert. L'un de nos ingénieurs a réussi à appliquer une version bêta d'un algorithme de tramage pour analyser les images satellites. L'ordinateur a pu décrypter les données et trouver la trace d'un ancien camion qui avait transporté le chargement. Il a réussi à remonter le parcours du véhicule du point de départ au point d'arrivée. Un sacré boulot, je peux te le dire. Très impressionnant.

Au ton de Jones, Storm comprit immédiatement qu'il racontait des bobards. Il en faisait trop pour vendre son histoire. Il révélait des détails qu'il aurait d'ordinaire passés sous silence et ressemblait plus à un conteur qu'à un agent endurci.

En fait, si efficace que fût la couverture satellite, elle n'enregistrait pas tous les centimètres carrés de terre en permanence. On devait diriger les caméras vers un endroit précis et, à moins qu'elles n'aient été braquées sur le site de fouilles archéologiques au moment dont il parlait, il n'existait aucune image d'archives.

— Quoi qu'il en soit, poursuivit Jones, on a suivi le chargement du camion tout au long de son trajet et… devine où cela nous a conduits. Au *Princesse guerrière* ! Il s'avère que toute cette machination a été montée par Ingrid Karlsson. On ne sait pas exactement ce qui lui est passé par la tête ni ce qu'elle cherche à obtenir, mais l'agent Bryan a épluché la liste des victimes et a confirmé qu'il y figurait un bon nombre de personnes qui entravaient les activités de madame Karlsson. Je suis sûr que t'en es le premier surpris.

Jones avait lâché cette dernière phrase sur un ton bizarre, comme s'il s'agissait d'une offre de paix. Les deux hommes savaient que l'autre mentait. C'était sa manière de dire : *Je sais que cela ne tient pas debout, mais faisons comme si on y croyait, ça nous permettra d'avancer.* Peut-être qu'un Derrick Storm plus jeune, celui qui n'avait pas encore été berné par l'assassinat de Clara Strike, auquel Jones lui avait fait croire dur comme fer, aurait accepté, bien qu'à contrecœur, ce rameau d'olivier en disant : « Effectivement, je n'en reviens pas ! »

Mais pas le Derrick Storm qu'il était devenu.

— Vous étiez au courant à propos de Brigitte Bildt, dit Storm d'un ton égal de manière à ne pas se laisser perturber par des questions. Elle vous avait confié les raisons de son voyage en Amérique. Dès qu'elle a été tuée, vous avez compris qu'Ingrid Karlsson était aux commandes. Si vous ne l'avez pas dit, ni à moi ni à personne, c'est parce qu'il vous importait moins de l'arrêter que de mettre la main sur le prométhium, car vous saviez que cela vous attirerait les faveurs de l'état-major et le gros budget qui va avec !

— Hum, dit Jones, marquant une pause lui aussi.

Finalement, il décida qu'il était inutile de chercher une quelconque explication.

— Bon, raconte-toi ce que tu veux, Storm. Ça te dépasse, de toute façon. Je t'appelais simplement pour te dire que ta mission était terminée. Tu as ordre de lâcher l'affaire. C'est bien compris ?

— Parfaitement.

— Donc, ce billet que tu viens de réserver pour le Maroc, tu ne l'utiliseras pas ?

— En fait, si, sans doute. J'ai un vieil ami à Tanger. J'en profiterai pour aller le voir. On s'est promis d'aller boire un verre ensemble, il y a quelque temps. Je crois que c'est le moment ou jamais de fêter une mission réussie. Ça pose un problème ?

— Je pense que non, dit Jones. Amuse-toi bien !

— Merci. Je boirai un verre en votre honneur.

Storm raccrocha et allait reprendre la route lorsqu'il vit

qu'un nouveau courriel était arrivé sur son iPad. Il était crypté et nécessitait un mot de passe.

Storm le regarda, interloqué. La personne qui le lui envoyait pensait qu'il devinerait le mot de passe, mais les possibilités restaient infinies. Il commença par les plus courants.

Un autre mail arriva ensuite. Et de qui venait-il, entre tous ? cstrike@cia.gov !

> *Le jeu que nous avons joué à Louxor, écrivait Clara, c'était amusant. J'espère que nous pourrons jouer à nouveau un jour. J'aime bien la façon dont ça s'est terminé.*

Storm le contempla un instant et retourna au courriel crypté. Il venait de Strike et elle avait essayé de lui donner un indice. *Le jeu que nous avons joué à Louxor.*

Il tapa *échecs* et appuya sur ENTRÉE. Rien. Il entra le nom de toutes les pièces de l'échiquier, du roi au pion. Toujours rien.

Il regarda de nouveau le courriel. *J'espère que nous pourrons jouer à nouveau un jour. J'aime bien la façon dont ça s'est terminé.*

Il sourit. Il l'avait à présent : *échec et mat* !

Le message s'ouvrit.

> *Tu avais raison pour Jones. Il a passé un genre d'accord avec Ingrid Karlsson : il lui a promis la liberté en échange du prométhium. Au moment où je t'écris, il réunit une équipe qui doit se lancer à l'abordage du Princesse guerrière. D'après ce que je sais, le seul moyen de l'arrêter, c'est que tu y ailles le premier. Bonne chance.*
>
> *Bises,*
> *Moi.*

30

Tanger, Maroc

L'annonce retentit dans les haut-parleurs moins de vingt minutes après l'atterrissage. Comme prévu, la tempête s'éloignait de la Côte d'Azur et faisait route vers le détroit de Gibraltar. L'œil du cyclone devrait effleurer Tanger. L'aéroport d'Ibn Battuta, qui venait tout juste d'ouvrir, fermerait à nouveau. Tous les vols au départ ou à l'arrivée seraient annulés jusqu'à nouvel ordre.

Si les passagers prêts à embarquer grommelèrent, Storm serra le poing, triomphant. L'équipe que Jones devait envoyer à bord du *Princesse guerrière* serait retardée jusqu'à la fin de la tempête. Il n'y avait aucune raison de prendre le risque de conduire cette mission en plein ouragan, puisque, de toute façon, Ingrid Karlsson et son navire seraient toujours en place une fois le calme revenu.

Cela laissait à Storm l'étroit couloir dont il avait besoin pour se rendre sur place, échapper aux défenses sophistiquées air-mer du bateau, dominer le personnel de sécurité bien entraîné, détruire le prométhium, exfiltrer le Dr McRae et le mettre en sécurité, puis arrêter Ingrid Karlsson pour qu'elle puisse être jugée pour ses crimes.

Le tout en plein cœur de la tempête ! Storm avait déjà accompli des missions bien plus invraisemblables, même si aucune ne lui revenait à l'esprit pour l'instant. Il avança rapidement jusqu'à la zone de restitution des bagages, n'arrivant toujours pas à croire qu'il se retrouvait à Tanger.

La ville qui avait longtemps été un havre de paix pour les espions, les écrivains et autres individus à la réputation sulfureuse, était sous contrôle marocain depuis plus de cinquante ans. Pourtant, elle avait gardé sa saveur internationale après être passée entre les mains de nombreux pouvoirs à travers les siècles. Port de commerce phénicien à l'origine, elle était devenue un comptoir carthaginois.

Ensuite, les Romains avaient repris les lieux, plantant le décor pour les conquêtes et les reconquêtes au fil des siècles : les Vandales, les Byzantins, les Arabes, les Portugais, les Espagnols, les Anglais et les Français avaient tous imprimé leur marque sur la ville et son histoire.

Et Storm y avait sa propre histoire, une histoire qu'il cherchait à oublier. Il sortit de l'aéroport pour aller dans la zone d'arrêts rapides. Malgré le passage couvert, balayée par le vent, une pluie cinglante s'infiltrait sous l'auvent.

Les prémices de l'orage pilonnaient déjà la région. Storm leva les yeux vers le ciel et ne vit que du gris. Il fourra les mains dans ses poches. Il portait toujours le tee-shirt et le pantalon noirs achetés à Asyut. Ils ne le protégeaient guère des bourrasques ni de la pluie.

Pourtant, l'humidité lui faisait du bien. Il la trouvait rafraîchissante, même. Il avait piqué un petit roupillon pendant le vol et appréciait que cette douche naturelle le réveille un peu.

Tandis qu'il observait les voitures qui avançaient sur la zone, il repéra un Hummer aux peintures de camouflage qui émergeait d'une rampe et se dirigeait vers lui. Il ralentit en approchant. La vitre du passager se baissa.

À l'intérieur, Storm apercevait déjà le chauffeur : Thami Harif. « Tommy », pour ses amis américains, avait une tignasse de cheveux blancs frisés, un teint mat et une cicatrice qui lui balafrait la joue gauche, souvenir d'un combat à l'arme blanche. Par son père, il avait des origines d'un mélange de Nord-Africains, d'Espagnols, de Français et de Portugais, et peut-être d'autres nationalités inconnues, tout comme la ville de Tanger elle-même. Sa mère était bibliothécaire à Bettendorf, dans l'Iowa, si bien que Tommy maîtrisait parfaitement l'anglais et toutes ses nuances.

Storm savait que Tommy ne conduirait que du pied gauche, ne serait-ce que parce qu'il n'avait plus le choix. Il avait perdu la jambe droite dans une explosion, longtemps auparavant. Il disposait de toute une sélection de prothèses qu'il utilisait selon son humeur et portait le plus souvent des shorts pour que tout le monde puisse en profiter.

Sa préférée restait un manchon de bois grossier qui ressemblait à une jambe de pirate. Ce n'était pas parce que Tommy Harif était un marchand d'armes un peu louche qu'il devait manquer d'humour ! Storm sourit et leva le pouce. La voix tonitruante de Tommy retentissait déjà par la fenêtre.

— J'ai reçu un avis de la banque ce matin m'annonçant que la somme de cent mille euros avait été virée sur un de mes comptes. J'ai fait ma petite enquête et j'ai appris que ça venait d'un certain Derrick Storm.

— Derrick Storm ? Impossible. Il est mort !

Le sourire de Storm s'élargit lorsque le Hummer s'arrêta près de lui.

— Eh bien, tant pis. J'ai déjà dépensé la moitié des cent mille balles en alcool et en putes. Le reste, je l'ai jeté par les fenêtres.

— Content de te voir, Tommy.

Storm passa la main par la vitre ouverte et échangea une vigoureuse poignée de main avec l'homme qui, au sens littéral, l'avait arraché à la porte de la mort.

— Monte ! Tu ne sais pas encore que la tempête menace ? On dit que ce sera une véritable tempête de feu.

Storm ouvrit la porte du passager et monta.

— Il paraît qu'il y a des gens qui apprécient le spectacle, dit-il.

— Moi, par exemple, dit Tommy.

— Tu m'as manqué, Tommy, dit Storm en lui donnant une tape sur l'épaule.

— Tu as l'air en bien meilleure forme que la dernière fois que je t'ai vu. Tu as moins de trous dans le buffet !

— Que veux-tu, on ne peut pas tous être des top models comme toi !

Son regard se dirigea vers la jambe gauche de son ami, un modèle utilitaire en titane. Tommy était concentré sur ses affaires, aujourd'hui.

— Pas de jambe de pirate ?

— Je sais qu'elle te plaît beaucoup, mais je perds l'équilibre avec cet engin, répondit-il d'un air morose. Ça ne vaut rien sous la pluie. En plus, ça s'enfonce dans la boue.

Ils gardèrent le silence un moment en réfléchissant à cette situation délicate.

— Qu'est-ce qui t'amène dans ma petite ville, à propos ? Une mission dangereuse dont tu ne peux me parler que si tu me tues avant ou un truc dans le genre ?

— Plus ou moins, dit Storm, tandis que Tommy redémarrait le Hummer. J'espérais que tu m'emmènerais faire un petit tour dans ton entrepôt : j'ai besoin de quelques bricoles.

Tommy ne répondit pas immédiatement, mais Storm savait que son ami l'observait du coin de l'œil.

— Tu me demandes ça dans le cadre d'une mission pour Jedediah Jones ? finit par demander Tommy.

— Pas exactement. En fait, pour Jones, tu ne m'as jamais vu.

— Compris. Donc, tu en as besoin dans le cadre de ton travail pour d'autres agences du gouvernement ?

— Je ne dirais pas ça non plus.

— Alors, pour qui tu travailles cette fois ?

— Voyons, Tommy, c'est pour la justice, bien entendu.

Storm prononça cette dernière phrase avec la même franchise étonnée à laquelle Tommy avait recouru autrefois, ce qui le fit éclater de rire.

— Je comprends, mon ami. Je suppose que je te demande si je peux compter sur une certaine discrétion de ta part lorsque le gouvernement des États-Unis est concerné. Oncle Sam… trouverait peut-être à redire en voyant certaines de mes possessions, dit Tom.

— Tu crois que tu as besoin de poser la question ?

— Lorsque Jedediah Jones est impliqué ? Oui.

— D'accord. Alors, je peux te confirmer que j'opère seul, sans le soutien et en dehors de l'autorité de la CIA ou d'une quelconque agence gouvernementale.

Satisfait, Tommy continua à rouler vers sa maison, un ancien château maure, situé sur une falaise en banlieue de Ceuta. Il se trouvait à une trentaine de kilomètres de Tanger à vol d'oiseau, un peu plus par la N16, la nationale qui longeait la côte du détroit de Gibraltar.

En chemin, Storm lui retraça les grandes lignes de ce qui s'était passé et lui confia la véritable nature de sa visite. S'il avait besoin de gagner la confiance de son ami, il avait encore plus besoin de sa participation. Tommy possédait une certaine expertise lorsqu'il s'agissait d'utiliser la force, brute ou plus subtile. Lorsqu'ils arrivèrent à destination, en milieu d'après-midi, le ciel n'était plus qu'une masse violette tourmentée. La pluie et le vent s'étaient lentement renforcés pendant la demi-heure de trajet. Storm voyait les immenses vagues de l'océan déferler sur la côte, en contrebas.

Storm ressentit un pincement au cœur, tandis que le Hummer montait l'allée de pierre qui menait à la résidence de Tommy. L'essentiel avait été bien entretenu. Certains des parapets et des balustrades s'étaient quelque peu effondrés depuis la dernière fois qu'il les avait vus (pendant ses jours de convalescence). Même si c'était une époque qu'il ne tenait pas à revivre, il éprouvait une certaine nostalgie.

Le repas que Tommy avait demandé de préparer à son cuisinier les attendait : un couscous mouton. Storm déclina l'offre, prétextant qu'il n'avait pas le temps, mais Tommy insista, disant qu'il fallait de toute façon attendre la nuit pour approcher le bateau. Storm capitula aisément. Cela ne renforçait pas sa volonté de n'avoir avalé que de la nourriture de compagnie aérienne et de saliver rien qu'à l'odeur du fumet !

Ils discutèrent pendant tout le repas et, comme s'ils venaient d'arriver à une conclusion, Tommy résuma tous les obstacles auxquels Storm devrait faire face.

— Si j'ai bien compris, il n'y a aucun moyen d'approcher ce navire par l'air ou par la mer, parce que tout ce qui dépasserait la taille d'un dauphin serait immédiatement repéré par les systèmes de détection. Même en s'approchant, monter à bord serait presque mission impossible, parce que le bateau serait ballotté par les vagues. Malgré cela, tu n'as pas le temps d'attendre que la tempête se calme, parce que les sbires de Jones arriveraient avant toi.

— Exact, dit Storm.

— Si finalement tu parviens à monter à bord, il y a un nombre indéterminé de gardes de sécurité très motivés qui patrouillent sur les ponts. Tu n'as pas la moindre idée de l'endroit où le prisonnier est retenu ni de celui où l'on cache la réserve de prométhium. Tu ne sais pas où se trouvent les quartiers personnels de madame Ingrid Karlsson et tu n'as aucune idée des mesures de sécurité qui la protègent. En fin de compte, si tu parviens à passer outre la sécurité, que tu maîtrises madame Karlsson, que tu détruis le prométhium et retrouves le prisonnier, il faudra que tu fasses débarquer tout le monde en un seul morceau.

— C'est à peu près ça. Des idées ?

— Oui, j'ai ma petite idée !

— Eh bien, je t'écoute.

— N'y va pas ! s'exclama Tommy. Reste ici avec moi. C'est de la pure folie, même pour quelqu'un de ton talent. Laissons passer l'orage en buvant un bon verre de vin et on ira à Tanger dans un jour ou deux pour dépenser ta petite fortune en grande classe. Tu es vraiment pressé de mettre le pied dans la tombe, cette fois. Oublie tout ce qui pourrait arriver une fois que tu seras monté à bord ; c'est du suicide rien que d'y penser.

— Au contraire, c'est le moment rêvé. Personne ne s'y attendra.

— Ce n'est pas le problème. Écoute, laisse donc Jones remporter la partie. Ouais, l'armée américaine disposera d'un nouveau jouet terrifiant, et Ingrid Karlsson s'en tirera. La belle affaire ! Quelle importance, pour toi ? Et ne me parle pas de cette connerie de justice. D'abord, c'est ma réplique, pas la tienne ! Tu ne peux pas lâcher prise ?

Storm poussa un os bien dépiauté sur le bord de ton assiette.

— Non, parce que les trois avions de Pennsylvanie étaient censés être quatre. J'étais à bord du quatrième, siège 2B. J'ai vu tous ces gens dans l'avion, les gens qu'elle allait tuer sans aucun scrupule. Ce n'étaient les ennemis de personne, Tommy. Peu leur importait la largeur du canal de Panama ou le taux des frais de douane sur les pièces détachées de voitures importées par l'Allemagne. Leur seul péché, c'était de vouloir rejoindre leur famille et de vouloir vivre heureux. Je suis sûr que, pour les passagers des autres vols, c'était la même chose, et aujourd'hui leurs proches enterrent les corps disloqués après ces crashs épouvantables. La femme qui a provoqué toutes ces souffrances doit en répondre devant la justice. On ne peut pas la laisser impunie parce qu'elle possède quelque chose que le chef de l'état-major veut lui prendre.

Tommy soupira.

— Bon, j'aurai essayé. Alors, qu'est-ce que je peux faire pour toi, mon ami, en dehors de programmer tes funérailles ?

— Eh bien, j'ai besoin d'une arme. D'explosifs. D'un couteau.

— Le minimum vital. Quoi d'autre ?

— Si on allait voir ce qu'on peut trouver dans ta réserve ? Je suppose que cent mille euros, ça m'ouvre une bonne petite ligne de crédit ?

— Oui, oui, ça peut le faire, ça peut le faire.

31

Méditerranée, au sud de Gibraltar

Les deux moteurs de deux cent vingt chevaux du bateau de plaisance de trente-cinq mètres de Thami Harif, baptisé le *Bandit cul-de-jatte,* en hommage à son handicap physique, n'avaient qu'une efficacité réduite avec la mer qui ne cessait de disparaître de dessous la coque, au passage de chaque vague.

De loin, Storm avait estimé les vagues à neuf mètres de haut. En mer, elles étaient plus proches de douze. Dans le creux de la vague, la hauteur de la suivante donnait l'impression qu'une petite montagne allait les engloutir.

Ils montaient à une hauteur vertigineuse avant de plonger de l'autre côté, ce qui donnait à Storm l'impression qu'ils allaient s'enfoncer jusqu'au lit de la mer.

Tommy avait fermé tout ce qui pouvait être fermé, jeté par-dessus bord l'équipement non indispensable, car il n'avait aucune envie de se faire avaler par les flots déchaînés, et le bateau avait besoin de la plus grande flottabilité possible. Toutes les vingtaines de vagues, une déferlante particulièrement impressionnante transformait un instant l'embarcation en sous-marin. La cabine était hermétique, si bien que Storm et Tommy voyaient les flots se refermer sur eux avant de les submerger.

Chaque fois, une petite voix inquiète murmurait à l'oreille de Storm que ce serait la dernière, que cette vague les submergerait, qu'elle noierait les moteurs, les rendant inutiles, et les ferait dériver au gré de l'océan avant de les engloutir sans pitié. Pourtant, chaque fois, le *Bandit cul-de-jatte* réussissait à remonter au sommet, et les moteurs continuaient à tourner malgré la fureur de la tempête. En dessous de lui, Storm entendait les énormes pompes qui travaillaient à plein régime pour expulser l'eau qui avait réussi à s'infiltrer dans la cale.

Tant bien que mal, Tommy s'accrochait à la barre, tirant au maximum sur ses vieux bras, sa jambe en titane coincée contre la coque, la jambe de chair enroulée autour de la chaise du capitaine.

Storm devait lui aussi faire appel à toute son énergie, rien que pour tenir debout dans ce manège digne des montagnes russes. Sa tâche était d'autant plus complexe qu'il s'était déjà harnaché de son équipement : un matériel de plongée sur le dos, une petite quantité de C-4, scotchée à l'intérieur de sa cuisse gauche, des détonateurs pyrotechniques, un petit détonateur électrique sans fil attaché à la jambe droite, un couteau Ka-bar dans son étui fixé à la cheville, un gilet pare-balles sur le torse, un anneau de menottes en plastique, un Sig Sauer P229 et assez de munitions pour éliminer le personnel hostile qu'il pourrait croiser à bord. Cela l'alourdissait, mais c'était une concession nécessaire. S'équiper sur un petit bateau au milieu d'un tel maelstrom aurait été impossible.

Sur une mer d'huile, le *Bandit cul-de-jatte* aurait couvert la distance en un petit quart d'heure. Dans ces conditions, il luttait déjà depuis deux heures sans promesse d'arriver à destination. Ils étaient partis en pensant arriver bien avant la tombée de la nuit. À présent, rien n'était moins sûr.

Les deux passagers n'échangeaient aucune parole. Chacun consacrait toute son énergie à résister à la vague suivante. De temps en temps, sur la crête d'une vague, les yeux de Storm se dirigeaient vers l'anémomètre du tableau de bord. Il n'avait pas encore eu l'occasion de voir la vitesse du vent descendre en dessous de soixante-dix nœuds. La plupart du temps, elle dépassait les quatre-vingts. L'appareil était limité à cent nœuds. Une ou deux rafales poussèrent l'aiguille au maximum. Le vacarme était assourdissant.

Finalement, au sommet d'une vague particulièrement gigantesque, Tommy cria par-dessus le brouhaha :

— Je crois l'avoir vu ! On se dirige droit sur lui. Regarde, à une heure.

Storm dut attendre sept autres vagues avant d'en trouver une assez haute pour apercevoir le bateau de croisière à un milliard de dollars d'Ingrid Karlsson. Il se trouvait encore à près de deux milles, ce qui était la limite de visibilité dans cette tempête.

— Tu crois qu'ils nous ont vus ? demanda Storm.

— J'espère que non. Ce truc n'est pas blindé contre les torpilles !

— Quel manque de prévoyance !

— Écoute, Storm, ce n'est pas que je ne m'amuse pas, mais je n'ai pas envie d'aller plus loin.

— Je comprends. Je vais te quitter là.

Ils glissèrent le long d'une pente vertigineuse et plongèrent sous l'eau pendant quelques secondes terrifiantes. Storm retint son souffle jusqu'à ce qu'ils ressortent de l'eau et donna deux petites tapes à Tommy sur l'épaule.

— Merci, mon pote. J'ai une dette envers toi. Une fois de plus.

— Tu ne me dois rien. Ou, du moins, rien que ces cent mille euros ne peuvent rembourser.

Storm ne put pas répondre. Il avait déjà ajusté son masque pour qu'il soit le plus hermétique possible. Il possédait un régulateur d'oxygène intégré. Storm tourna un bouton, et l'oxygène commença à entrer.

En se tenant d'une main, il détacha le propulseur de plongée de la paroi de la cabine. C'était le tout dernier modèle en matière de propulsion sous-marine individuelle, un petit modèle lisse étudié pour les besoins militaires, à la fois rapide et endurant, doté d'un système d'éclairage, d'appareils de navigation et d'autres gadgets indispensables. Storm ne voulait pas savoir comment Tommy se l'était procuré. Une fois l'appareil libéré de ses attaches, il le tint fermement.

Ensuite, il s'approcha de la porte de la cabine et calcula soigneusement le moment de sa sortie. S'il se ratait ou s'il manquait de précision et n'arrivait pas à refermer la porte à temps, la cabine serait inondée, avec Tommy à l'intérieur. Sans la flottabilité apportée par la cabine remplie d'air, le bateau risquait de ne pas remonter du creux d'une trop grosse lame. Storm attendit que le bateau ait passé un creux modéré avant de remonter vers la crête suivante. Au moment où il estimait que l'eau s'était retirée du pont, il ouvrit la porte et sortit avant de la refermer aussitôt de toutes ses forces.

Dès cet instant, la gravité se chargea du reste. La poupe était inclinée vers le bas à un angle de quarante-cinq degrés. Storm dégringola en une course involontaire et sauta pardessus bord une fois arrivé sur le plat-bord.

Immédiatement, il fut plongé dans l'obscurité presque totale. Pendant un instant de terreur, il crut que son propulseur lui avait échappé des mains sous la force du courant avant de comprendre qu'il le tenait toujours fermement.

En s'enfonçant sous l'eau, tout en respirant confortablement, il mit son autre main sur le propulseur et le démarra. Il laissa la ceinture lestée le faire descendre à quinze mètres sous le creux le plus profond, équilibrant ses oreilles tous les trois mètres environ, puis il régla son régulateur de flottabilité.

Il alluma sa lampe frontale et jeta un coup d'œil aux systèmes de navigation pour s'assurer qu'il se trouvait dans la bonne direction. Ensuite, il alluma les moteurs et commença son avancée vers le *Princesse guerrière.*

Conseil pour voyager pendant la tempête : rester sous les vagues est beaucoup plus facile qu'essayer de se débattre en surface.

À quinze mètres de fond, Storm était toujours vaguement conscient du bouillonnement d'écume blanche au-dessus de sa tête, même si cela n'entravait pas sa progression.

En approchant de sa cible, Storm commença à suivre une trajectoire plus erratique, volontairement, bien entendu. Pour l'immense variété de capteurs du *Princesse guerrière*, il préférait ressembler à un thon de deux mètres de long et cent kilos plutôt qu'à un homme préparant un abordage.

Il disposait de quatre-vingt-dix minutes d'oxygène. Il en utilisa soixante, sachant que cela suffirait pour que la nuit noire se soit installée. Sa combinaison de plongée lui tenait assez chaud, grâce à la pellicule d'air qui permettait à son corps de conserver sa chaleur et d'éviter toute hypothermie.

Au moment où il refit surface, à une trentaine de mètres du *Princesse guerrière,* les dernières traces du jour qui réussissaient à traverser les nuages avaient disparu. Il faisait nuit noire.

La coque du bateau était illuminée de la proue à la poupe. Seules quelques cabines étaient éclairées. Le navire n'était pas ballotté comme la petite embarcation de Tommy ; néanmoins, il subissait de plein fouet l'impact de ces vagues de douze mètres.

D'après ses caractéristiques techniques, le *Princesse guerrière* pouvait résister à un ouragan de force cinq. Cela ne signifiait pas pour autant que subir une tempête de catégorie un ou deux était une partie de plaisir. Pas pour celui qui se trouvait sur le pont supérieur à s'exercer au tir au pigeon !

Personne ne se trouvait sur le pont. Cela l'arrangeait bien. Il n'avait pas peur qu'on le repère. Dans l'eau, il n'était qu'un minuscule petit point qui flottait à la surface.

Mais il avait très peur qu'on le remarque à l'étape suivante. Il relâcha sa prise sur le propulseur et le laissa sombrer lentement au fond du détroit : un équipement militaire à trente mille dollars l'unité transformé en détritus sur le fond de la mer… Il nagea pour s'approcher à deux ou trois mètres de la coque. Les moteurs du *Princesse guerrière* étaient réglés pour que le bateau puisse tenir les vagues sans dériver, mais il n'allait nulle part. Ce fut donc assez facile de le rattraper (dans la mesure où il est facile de nager dans une tempête).

Plus Storm s'approchait, plus il était impressionné par la coque qui le dominait au milieu des vagues. Il avait du mal à ne pas s'imaginer que, dans cette mer démontée, le navire allait s'effondrer sur lui. Il finit par s'approcher suffisamment. Il régla ses régulateurs de flottabilité jusqu'à ce qu'ils lui servent de gilet de sauvetage et le fassent flotter comme un bouchon. Il ouvrit la fermeture de son sac hermétique et en sortit le premier de ses trésors : un lance-grappin.

Levant le crochet au-dessus de sa tête, il visa la rambarde du pont inférieur. Il tira trop haut, mais, lorsqu'il rentra la ligne, le crochet attrapa la rambarde en chemin. Il tira à plusieurs reprises. Il était bien accroché.

Storm appuya sur le bouton pour rentrer la ligne, ce qui le hissa doucement, jusqu'à ce que ses bottes effleurent la coque. Il commença à grimper. C'était un peu comme escalader une paroi des Alpes, sauf que c'était beaucoup plus humide et qu'il était attaqué par d'énormes déferlantes.

À mi-chemin, ses pieds glissèrent. Il continua le reste de la distance à la force des bras, processus beaucoup plus lent, d'autant qu'il était ralenti par vingt-cinq kilos de matériel de plongée. Arrivé au sommet, il se jeta de l'autre côté du platbord et s'accroupit. Il n'y avait toujours personne.

Aucun garde de sécurité ne faisait sa ronde, assumant sans doute que personne ne serait assez stupide pour se lancer à l'abordage pendant la tempête.

Storm se débarrassa rapidement de son matériel de plongée et le balança par-dessus bord : des déchets hors de prix. Il s'extirpa de sa combinaison qu'il jeta également. Il ne garda que son sac hermétique.

Vêtu de la même tenue noir sur noir qu'il portait en Égypte, il se dirigea vers le pont arrière et une petite porte spéciale, derrière laquelle il trouverait, espérait-il, l'assistance dont il aurait besoin pour réussir cette mission insensée. C'était la porte qui menait à la cabine de Tilda, la rousse qui avait dansé avec lui, qui l'avait drogué et qui, à présent, grâce à Dieu peut-être, lui prêterait main-forte.

Storm et Tommy avaient discuté de cette tactique et avaient convenu que la mission serait impossible sans un appui à l'intérieur. Après tout, Storm ne savait pas où le Dr William McRae était retenu, mais Tilda ne devait pas l'ignorer. Storm ne connaissait pas l'agencement des quartiers d'Ingrid Karlsson, mais Tilda, si. Tilda devait tout savoir sur le navire et ses failles de sécurité.

Elle avait dit qu'elle l'aiderait à sauver sa peau un jour. C'était l'occasion ou jamais de le prouver.

Le pari était risqué, effectivement. Mais il en était ainsi tous les matins. Storm n'aurait qu'à la convaincre que, toute plaisanterie avec Tommy mise à part, c'était pour la justice. Il avait senti une certaine bonté en elle. Il espérait ne pas se tromper.

La pluie qui tombait à verse ne tarda pas à le tremper. Il marchait normalement, essayant de paraître naturel. Il se doutait qu'il y avait des caméras partout.

Il imaginait que personne ne regardait très attentivement les écrans de surveillance en plein ouragan. Dans le cas contraire, il espérait passer pour un membre de l'équipage, même s'il ne portait pas d'uniforme.

Il arriva à la porte de Tilda et écouta un instant. C'était inutile. Le vent hurlait si fort qu'il occultait tous les bruits. Il n'y avait aucune fenêtre de ce côté de la cabine. Il avançait à l'aveugle.

La porte n'était pas verrouillée. Il tourna la poignée et déboula dans la pièce. Elle était vide. Pas de Tilda.

Il resta immobile un instant, à dégouliner sur le tapis. Cela ne faisait pas partie de son plan.

Puis, il perçut un faible sifflement venant de la salle de bain. Une douche coulait. Prendre une douche en pleine tempête : ça, c'était du luxe !

Storm posa son sac hermétique sur le lit, s'approcha de la porte de la salle de bain et l'entrouvrit. Tilda fredonnait une chanson qui ressemblait à un air de musique pop suédoise. Storm ouvrit la porte un peu plus grand pour jeter un coup d'œil à l'intérieur, mal à l'aise, comme s'il était un voyeur.

La douche était un grand cube dissimulé par une porte opaque, avec un léger espace en haut. De la vapeur s'en échappait. Il entra dans la salle de bain, attrapa une serviette. Tilda chantait toujours.

En un mouvement rapide, Storm ouvrit la porte de la douche, coupa le robinet enroula la serviette autour du corps de Tilda et lui mit la main devant la bouche pour étouffer le cri qui allait surgir moins d'une seconde plus tard.

De l'autre bras, il l'attrapa par l'épaule. Tilda était trop abasourdie pour se débattre. Instinctivement, elle avait attrapé la serviette pour la maintenir sans songer à s'attaquer à Storm. La pudeur était une force très puissante.

— Je vous en prie, dit Storm. Ne faites pas de bruit. Je ne veux pas vous faire de mal. Mais, si vous criez, vous ne me laisserez pas le choix. C'est compris ?

Elle hocha la tête.

— Pour l'instant, je vous demande juste de m'écouter. C'est possible ?

Nouveau hochement de tête. Il avait toujours la main sur sa bouche.

— Merci. Vous vous rappelez, sur la terrasse du toit à Monaco, quand on parlait du bien et du mal, d'Einstein et de ce genre de choses ?

Hochement de tête.

— Bon, vous allez être obligée de me croire sur parole, parce qu'il s'avère que votre patronne, madame Karlsson, fait partie des méchants. Vous avez sans doute remarqué que de gros objets étaient transportés par air, à plusieurs reprises au cours des dernières semaines.

Un moment d'hésitation. Puis, un hochement de tête.

— C'étaient des générateurs de rayon laser, à base d'une

substance très rare appelée « prométhium ». Elle a kidnappé un savant, l'a obligé à les fabriquer pour lui et s'en est servi pour abattre les avions... Vous en avez certainement entendu parler.

Elle parla dans sa main. La voix était trop étouffée pour que Storm puisse comprendre. Il écarta la main pour qu'elle puisse répéter.

— Qu'est-ce que vous dites ?

— J'ai dit, c'était Ingrid ?

— Oui, j'en ai bien peur.

— Mais... ce n'est pas... La seule chose dont elle parle, c'est d'instaurer la paix dans le monde...

— Et elle n'hésite pas à employer la force pour y arriver, si paradoxal que cela puisse paraître. Elle pense agir pour le bien de l'humanité, que l'humanité le veuille ou non. Je suis certain qu'elle pense que ses actions sont parfaitement justifiées.

— Mais comment savez-vous qu'Ingrid est derrière tout cela ?

— J'ai trouvé l'homme qui lui vend le prométhium. Et il s'avère que la personne pour laquelle je travaille était au courant depuis le début. Brigitte Bildt voulait se rendre aux États-Unis pour avertir mon gouvernement. Elle n'en a pas eu l'occasion. L'avion de Karlsson Logistics fut l'un des premiers à tomber.

— Elle s'en est prise à Brigitte exprès ?

— Oui.

Elle remonta la serviette sous ses bras. Il sentait que son corps se détendait sous son étreinte.

— Je suis désolée... Je... Je voudrais croire que ce n'est pas possible, qu'Ingrid ne ferait pas une chose pareille, surtout pas à Brigitte... Mais... j'ai entendu des choses que je n'étais pas censée entendre. Des bribes de conversation. Je ne cessais de me dire que ce n'était pas possible, que je m'étais trompée, que j'avais mal compris...

— Qu'avez-vous entendu ?

— Suffisamment, fut tout ce qu'elle répondit.

— Suffisamment pour savoir que c'est vrai ?

Elle hocha la tête.

— Qu'attendez-vous de moi ?

Il la relâcha. Elle se retourna.

— J'ai besoin de votre aide. J'ai besoin que vous passiez du côté des gentils.

Pendant que Tilda s'habillait, Storm évita de la regarder et lui révéla ce qu'elle devait savoir sur la suite des opérations. Ils s'accordèrent pour commencer par libérer William McRae avant d'aller affronter Ingrid Karlsson.

Huit minutes plus tard, ils se dirigeaient vers la porte de la cabine lorsqu'elle l'arrêta soudain.

— Attendez ! Vos vêtements.

— Eh bien, quoi ?

— Si on vous repère sur les images vidéo, on saura que vous ne faites pas partie du personnel. Je peux arranger ça.

Elle s'approcha de son placard et en sortit un pantalon blanc et une chemise bleue, l'uniforme du *Princesse guerrière.* Ils n'étaient pas à sa taille, coupés pour un homme plus imposant encore que Storm.

Un peu grand pour vous, non ? demanda Storm.

— C'est pour un ami qui les a laissés ici.

Storm les regarda et esquissa un sourire.

— Un bon ami, alors.

— Un ami de circonstance, plutôt. On se sent parfois seul au milieu de l'océan.

Elle lui lança les vêtements. Storm se réfugia dans la salle de bain, enleva ses vêtements noirs et adopta les couleurs de Karlsson. Il nageait un peu dans cette nouvelle tenue, dans le pantalon, surtout. Il serra la ceinture pour éviter qu'il ne lui tombe sur les genoux et se pencha pour retrousser l'ourlet.

— On a toujours besoin d'amis, vous savez, lui dit Tilda, de la pièce d'à côté. Surtout d'amis qui dansent et embrassent bien.

— Vous êtes déjà allée aux Seychelles ? demanda Storm.
— Non.
— Il faudra arranger ça.

Lorsqu'il retourna dans la chambre, il vit Tilda tenant par le canon le Sig Sauer qu'elle avait sorti du sac hermétique. Elle s'était retirée au fond du salon, près de la porte.

— Qu'est-ce que c'est que ça ? demanda-t-elle avec un dédain contenu.

Elle le tenait comme s'il s'agissait d'un déchet des plus écœurants.

— C'est un pistolet, ma chérie.
— Je vois, vous en avez vraiment besoin ?
— À moins que je puisse surprendre tout le monde sous la douche, oui.

Elle hochait la tête.

— Vous êtes avec moi, maintenant. Vous n'allez pas tirer à tort et à travers sur ce bateau. Ce sont de braves gens. Je leur dirai que vous êtes du côté des anges. Ils m'écouteront, surtout si vous n'êtes pas armé. Personne ne doit être blessé.

Storm marqua une pause pour réfléchir. Il avait imaginé qu'il serait obligé de prendre le bateau par la force, qu'il réussirait peut-être à convertir Tilda, mais que le reste des employés resteraient loyaux envers leur patronne. Conquérir le cœur et l'esprit des gens s'avérerait peut-être plus facile que les tuer. C'était plus humain, en tout cas !

— L'homme auquel appartient ce pantalon s'appelle Laird Nelsson. C'est le chef de la sécurité. Il fera ce que je lui demanderai. Sur ce bateau, tous les gens sont mes amis.

— Eh bien, il semble difficile de ne pas aimer un type qui s'appelle Laird. Mais Ingrid ? J'ai beaucoup de qualités surnaturelles, mais, malheureusement, je ne suis pas immunisé contre les balles. Ce gilet est fantastique, mais si on commence à me tirer dessus, j'aimerais bien pouvoir répliquer.

— Elle a horreur des armes. Je crois que, si elle pouvait annuler une invention, ce seraient les armes à feu. On a dû insister pour qu'elle autorise ses gardes du corps à en porter. Et il a même fallu l'intervention de pirates de la mer pour la convaincre.

— Je me sentirais quand même plus à l'aise avec une arme.

Pour seule réponse, Tilda ouvrit rapidement la porte et jeta le pistolet à bout de bras, comme un boomerang. À part que, contrairement à un boomerang, l'arme ne reviendrait pas. Storm la regarda passer par-dessus bord.

— Et moi, je me sens plus à l'aise sans.

— J'aurais préféré que vous ne vous en débarrassiez pas.

Elle traversa la pièce, se hissa sur la pointe des pieds et lui planta un baiser sur les lèvres.

— Ce qui est fait est fait. Allons-y !

Storm la suivit en soupirant. Ils firent le tour par bâbord en suivant une coursive couverte très glissante néanmoins, car la pluie s'était infiltrée partout. Il était difficile de garder l'équilibre, et, de temps à autre, ils devaient s'arrêter pour se retenir tandis que le *Princesse guerrière* encaissait une vague particulièrement haute.

Elle arriva devant une porte dotée d'une petite fenêtre. Elle l'ouvrit et ils descendirent un escalier étroit qui conduisait au pont inférieur. Tout en bas, elle ouvrit une autre porte qui menait dans un couloir.

Storm la suivait toujours. Contrairement au reste du bateau luxueusement décoré, cette zone était étrangement dépouillée. Les quartiers de l'équipage, pensa Storm.

Tilda arriva devant une autre porte et essaya la poignée. Elle était verrouillée. Elle frappa à plusieurs reprises pour qu'on puisse l'entendre malgré le bruit du vent.

— Laird, c'est moi !

En attendant une réponse, elle se tourna vers Storm.

— Vous parlez suédois ?

— Assez pour passer commande au restaurant, mais guère plus.

Finalement, la porte s'ouvrit. Les yeux de Storm se retrouvèrent au niveau des clavicules. Laird Nelsson était un type gigantesque qui dépassait Storm d'au moins une demi-tête. Il avait des yeux bleus, des cheveux blonds et un corps massif.

Tilda poussa Storm dans la pièce et se mit à parler rapidement en suédois, trop rapidement pour que Storm suive la conversation. Il saisit néanmoins quelques prénoms, Ingrid, Brigitte et son propre nom. En tenue de congé, Laird écoutait et hochait la tête. Storm avait l'impression que tout se passait bien. De temps en temps, Laird tournait les yeux vers lui, et il essayait de se montrer amical.

Lorsque Tilda eut terminé, Laird hocha la tête une dernière fois.

— Un instant, dit-il en anglais en fouillant dans sa table de nuit.

Il en sortit un Beretta qui paraissait minuscule dans ses grandes pattes d'ours. Il braqua l'arme vers Storm.

— Haut les mains ! Allez, plus vite que ça !

— Ingrid Karlsson est une visionnaire qu'un mercenaire comme toi sera toujours incapable de comprendre, cracha Tilda au visage de Storm. Tu ne vois donc pas ? Un jour, nous serons tous citoyens du monde. C'est Ingrid qui nous ouvre la voie.

— Et ceux qui ne veulent pas suivre le même chemin sont envoyés dans leur tombe, c'est bien ça ?

Sans prendre la peine de lui répondre, Tilda se tourna vers Laird.

— Il n'a plus de pistolet, je m'en suis assurée. Mais il a encore un couteau. J'ai vu un étui qui formait une bosse sur son mollet.

— Très bien. Bon, détachez ce couteau et posez-le sur le bureau, ordonna Laird. Lentement !

Storm s'exécuta. Du coin de l'œil, il voyait Tilda qui lui adressait un sourire féroce.

32

À bord du Princesse guerrière

Si Derrick Storm ne connaissait pas bien le Suédois, il comprenait le mot *mörda*. Un verbe. Qui signifie « tuer ».

Storm entendit ce mot au moins quatre fois pendant que Tilda et Laird discutaient de ce qu'ils allaient faire de leur nouveau prisonnier.

Finalement, pour une raison que Storm ne saisit pas vraiment, ils décidèrent d'attendre. Peut-être voulaient-ils laisser l'impératrice Ingrid Karlsson lever ou baisser le pouce pour décider de son sort. Peut-être Storm serait-il utilisé comme une monnaie d'échange quelconque.

À moins qu'ils ne préfèrent simplement attendre la fin de l'orage pour jeter son corps par-dessus bord sans se demander si le courant ne finirait pas par l'emporter sur la côte.

Toujours est-il que Storm fut bientôt conduit dans la seule pièce conçue pour garder des prisonniers. Elle se trouvait au bout du couloir de la cabine de Laird et des autres gardes, et c'était là que le Dr William McRae était retenu depuis un mois.

Storm avança dans le couloir, les mains en l'air, le Beretta pointé dans son dos. Tilda inséra la clé et ouvrit la porte.

— Entrez là-dedans, dit Laird.

Storm obéit. La porte se referma immédiatement derrière lui.

Allongé sur les couvertures se trouvait un homme de soixante-dix ans environ. Mince, il avait encore quelques cheveux blancs qui semblaient nécessiter une bonne coupe. Il lisait un roman du grand maître des thrillers médicaux à la mode, Michael Palmer.

L'homme laissa retomber la main le long de son corps et demanda :

— Qui êtes-vous ?

— Bonsoir, docteur McRae. Je m'appelle Derrick Storm. Je suis venu vous sauver.

— Oui, Alida m'a parlé de vous, dit-il, joyeux, avant d'observer Storm une seconde de plus. À vrai dire, à l'entendre, vous sembliez beaucoup plus efficace dans cette histoire de sauvetage !

— Je reconnais que ce n'est pas ma plus belle prouesse pour l'instant. Mais ce n'est qu'un revers temporaire. Je vous ferai sortir de là, d'une façon ou d'une autre.

— Monsieur Storm, je ne voudrais pas vous décourager, mais je ne suis pas sûr que ce soit possible.

— Ah bon ? Pourquoi ?

McRae posa son livre et se redressa.

— Parce que je suis là depuis un mois et que je n'ai réussi à sortir qu'une seule fois. Ce n'est pourtant pas faute d'avoir essayé. La seule fois où j'ai pu m'échapper, c'est parce qu'un gars avait négligé de fermer la porte correctement. J'en ai profité pour appeler Alida. Mais les autres gardes n'ont pas tardé à me retrouver. Il y a des caméras partout, y compris dans cette pièce. Je ne sais pas si vous avez remarqué, mais la porte que vous venez de franchir n'a pas de poignée à l'intérieur. Et ce n'est que l'un des détails qui rendent toute fuite impossible. Ça fait un mois que je cherche une solution et comme vous pouvez le remarquer, je suis toujours là.

Storm hocha la tête, pensif.

— Vous connaissez bien Enrico Fermi ?

— Bien sûr que oui. Pourquoi ?

— C'était l'un des plus grands physiciens de son temps. À tel point qu'on lui a attribué le prix Nobel en 1938. C'était un type très intelligent et, pourtant, quand il a participé au projet Manhattan, on ne cessait de lui répéter qu'il était impossible de fabriquer une bombe atomique parce que les neutrons obtenus après la fission de l'atome ne pourraient pas se diviser en d'autres atomes. Et, sans cela, aucune bombe ne pourrait exploser. Fermi n'a pas cessé d'aller d'échec en échec, mais chaque fois il s'approchait un peu plus de la solution. Jusqu'en 1942, où il fut le premier homme à contrôler une réaction nucléaire en chaîne. Comment ? Parce qu'il a toujours cru en lui-même et qu'il ne s'est pas laissé dissuader par les échecs. Ce que je veux dire, c'est qu'en y travaillant de tout cœur, rien n'est impossible.

— C'est un beau discours, monsieur Storm, mais…

— Et puis, j'ai des pains de C-4 entre les jambes.

— Pourquoi ne pas avoir commencé par là ?

— Parce que je voulais faire mon discours d'abord, pour vous impressionner avec mon immense connaissance de la physique.

McRae sourit.

— J'aurais dû savoir qu'Alida ne se trompait pas. La dernière fois qu'elle s'est trompée, c'était en 1978, et elle s'est juré qu'on ne l'y reprendrait pas.

— C'est une sacrée personnalité, confirma Storm. Bon, maintenant, sortons d'ici.

Storm commença à examiner la pièce, de manière clinique, lentement, allant de bas en haut, puis de haut en bas. Les murs et les plafonds en acier brossé étaient fixés aux poutrelles par des rivets. Il tapota ici et là. Cela semblait épais. Bien plus épais que des vulgaires parois de Placoplatre.

Il souleva un coin du tapis, ce qui révéla un sol métallique. Il se dirigea à la salle de bain, qu'il soumit à la même inspection. L'endroit était conçu comme une cellule hermétique.

— Vous avez dit qu'il y avait des caméras ici. Et dans la salle de bain ?

— Non, aucune.

— Parfait. Bien, vous devez avoir un laboratoire ou un atelier quelque part où vous assemblez les lasers. Où est-il ?

— Au bout du couloir, de l'autre côté.

— Il y a des caméras ?

— Pas que je sache. Il y a toujours un garde avec moi pour s'assurer que je ne sabote pas l'équipement et que je ne fasse pas des choses déplaisantes à leur goût.

— Parfait. Dans ce cas, je crois que vous allez avoir le mal de mer, docteur McRae.

— Non, non, je me sens parfaitement bien.

— Faites-moi confiance, vous êtes tout pâle.

— Je vous assure, j'ai un estomac de plomb, je n'ai jamais…

— On vous répond lorsque vous pressez ce bouton ? demanda Storm en se dirigeant vers l'interphone.

— Oui, presque tout de suite.

Storm appuya sur le bouton et attendit. Une voix retentit rapidement.

— Oui ?

— Le docteur McRae a le mal de mer. Il va être malade. Vous avez de la Dramamine à bord ?

— On arrive.

Storm se tourna dos à la caméra qu'il avait repérée dans l'angle.

— Quand ils arriveront, je veux vous voir malade. Malade comme un chien, une performance digne d'un Oscar ! Vous avez vu Kevin Costner dans *Waterworld* ? Vous avez intérêt à finir le nez dans les toilettes à faire des gargouillis épouvantables.

Cinq minutes plus tard, la porte s'ouvrit : deux gardes entrèrent. Laird, Beretta en main, et le sous-fifre que McRae surnommait « Delta ».

Les yeux fermés, McRae gémissait, allongé sur le lit.

— Il souffre beaucoup, dit Storm, faisant appel à tous ses talents pédagogiques. On en a encore pour combien de temps, avec la tempête ?

— Le pire est déjà passé, dit Laird. On va encore être secoués pendant quelques heures, mais la météo marine annonce que la houle tombera à moins de six mètres dès demain matin. Le bateau ne bougera plus beaucoup.

— Ummmm. Je ne tiendrai pas jusque-là, dit McRae avant de se précipiter à la salle de bain, où il commença à faire d'horribles bruits.

Laird et Delta parurent dégoûtés.

— Déposez les médicaments sur le lit. Je m'occuperai de lui, dit Storm. Je suis sûr que ça ira. Parfois, le mieux, c'est de se vider. Il a beaucoup mangé ?

— Il s'est resservi deux fois, dit Laird. Spaghettis et boulettes de viande.

— Beurk, ça ne va pas faire un beau spectacle. Bon, ça peut durer un moment. Je vous appellerai si on a besoin de quelque chose.

McRae choisit cet instant, un bref silence dans la conversation, pour simuler un terrible vomissement. Delta jeta la Dramamine sur le lit et battit en retraite, tout comme Laird.

Storm se précipita à la salle de bain, où McRae tirait la chasse d'eau pour évacuer le vomi qui n'avait jamais existé. Il attendit un instant et retourna dans la chambre pour aller chercher le médicament.

La porte était déjà fermée. Laird et Delta avaient disparu. Celui qui regarderait la vidéo, s'il y avait quelqu'un devant les écrans, croirait simplement que Storm avait oublié la Dramamine et retournait à la salle de bain pour lui donner les cachets.

Au lieu de cela, il ferma la porte de la salle de bain, s'appuya sur le lavabo et baissa son pantalon. Il détacha le C-4 qu'il observa un instant.

— Vous vous y connaissez en explosifs ? demanda-t-il à McRae qui avait terminé sa comédie et observait.

— Pas vraiment. Pourquoi ?

— Je me demandais simplement quelle quantité utiliser. Je ne connais pas vraiment l'épaisseur de ce plafond. Je voudrais être sûr d'en mettre assez pour le percer, mais j'ai besoin d'en garder un peu en réserve, pour plus tard.

— Je proposerai un PPCS.

— Un PPCS ?

— Ouais, un putain de pari de crétin de scientifique !

Storm haussa les épaules et coupa le pain de C-4 en deux. Il sortit quelques-uns des détonateurs pyrotechniques attachés à son autre cuisse ainsi que le détonateur sans fil. Il plaqua le pain de plastic au milieu de la ligne de rivets, s'imaginant qu'il devait y avoir une cavité de l'autre côté.

Il enfonça les détonateurs pyrotechniques dans le plastic et grimpa sur le lavabo. Il ouvrit la porte de la douche, identique à celle de la cabine de Tilda.

— Entrez là-dedans, c'est ce qu'on a de mieux comme protection.

— Tu parles d'une protection ! C'est presque aussi efficace que l'abri antiatomique de Fermi !

— Non, mais il paraît que Robert Oppenheimer a eu ses meilleures idées sous la douche. Alors, on tient sans doute quelque chose.

Storm ferma la porte derrière McRae.

— Vous êtes prêt ?

— Autant qu'on puisse l'être.

— N'oubliez pas de mettre vos protections d'oreilles high-tech, dit Storm en enfonçant ses doigts dans ses canaux auriculaires.

McRae fit de même.

Storm installa le détonateur sans fil sur un rebord qui servait à poser le savon.

— Trois, deux, un…, murmura Storm avant d'appuyer avec les petits doigts sur les deux boutons qui déclenchaient les détonateurs.

On entendit un souffle, suivi du bruit de métal heurtant

d'autres morceaux de métal. C'était bruyant, mais cela n'était en rien comparable au vacarme du vent qui soufflait toujours à plus de cent vingt kilomètres à l'heure.

Storm ouvrit la porte de la salle de bain et constata qu'un énorme trou déchirait le plafond.

— Succès total !

Il grimpa sur le lavabo, trouva un endroit où le métal avait été complètement arraché de la poutre sans laisser de bords acérés à éviter. Il se hissa dans le trou ménagé au-dessus du plafond. Il se fraya un chemin jusqu'à ce qu'il puisse se retenir à une poutrelle et tendre la main pour que McRae le rejoigne.

— Allez, venez, doc !

— Où va-t-on ?

— Dans votre laboratoire. D'après mes calculs, vous disposez d'environ vingt minutes pour nous fabriquer un laser.

— Un laser ? Pour quoi faire ?

— Sinon, j'en serai réduit à lutter contre les gardes au corps à corps, et je crois qu'ils préféreront me tirer dessus avant. Avec un laser, je pourrai tirer le premier.

— Mais…

— Ne me dites pas que c'est impossible. Rien n'était impossible pour Enrico Fermi, vous vous rappelez ?

— Non, ce n'est pas ça… Les lasers que j'ai fabriqués étaient très puissants, assez puissants pour se débarrasser des gardes. Mais très encombrants aussi ; il faudrait une baie pour les sortir de l'atelier. Ils ne sont pas vraiment portatifs.

— Ça ne fait rien. Je n'ai pas besoin d'un truc aussi puissant ni aussi létal. J'ai entendu parler de lasers qui aveuglaient les pilotes. Vous pourriez fabriquer quelque chose qui provoquerait une cécité temporaire ?

Soudain, McRae ressembla à un chef aux commandes d'une cuisine parfaitement équipée à qui on demande de préparer un sandwich.

— Naturellement !

Il grimpa sur le lavabo et accepta la main tendue de Storm.

— De quel côté ? demanda Storm.

McRae indiqua la gauche.

— Par là, ça devrait marcher.

Les deux hommes commencèrent à ramper au milieu des poutrelles dans l'espace réduit sous le plancher qui les surplombait. Lorsque McRae signala qu'ils devaient se trouver au-dessus de l'atelier, Storm se réjouit d'y voir un plafond normal. Pas de métal. Storm fit tomber l'un des panneaux, aida McRae à descendre et le suivit.

— Vous avez tout inventé, avec cette histoire de douche et d'Oppenheimer, n'est-ce pas ?

— Pas du tout.

Le problème, c'est qu'il avait tout inventé à propos de Fermi aussi, mais ce n'était pas le moment de faire des confidences.

Le résultat des vingt minutes d'acharnement de McRae n'arrivait pas à la cheville des gadgets de *Star Trek* !

Pas d'étui luisant, pas de poignée, pas de déclencheur. Pour le regard profane de Storm, cela ressemblait à une vague feuille métallique, avec quelques bidules électroniques et un morceau de verre cylindrique que McRae avait soudés ou scotchés en hâte. Cela avait la taille de deux grille-pain mis bout à bout.

Pour tester l'engin, McRae chaussa des lunettes noires et ordonna à Storm d'en faire de même.

Il tira une seule fois en appuyant brièvement sur l'extrémité en caoutchouc d'une pièce de métal qui entra en contact avec une autre. Une intense lumière bleue, moins impressionnante que celle que Storm avait vue dans le Maryland, mais aussi vive, surgit de l'appareil et se projeta sur le mur, derrière eux.

— Bon, le voilà, votre rayon laser.

— Superbe ! dit Storm sans exagérer.

— Il n'a qu'une puissance infime par rapport à ceux que j'ai fabriqués. Vous voyez, il n'y a qu'un seul cristal, et non toute une chaîne. Et il est beaucoup plus petit que les autres. Mais si vous voulez simplement aveugler vos adversaires, ça suffira. C'est par cette ouverture que sort le rayon, dit-il en indiquant une fente fermée par un verre à l'extrémité de l'objet. De la manière dont je l'ai réglé, il va s'élargir en se propageant. Ça le rend moins puissant, mais la cible est plus facile à viser. On peut le braquer sur le visage du garde et, s'il n'a pas de protection… C'est comme regarder le soleil un peu trop longtemps : il sera aveugle pendant vingt-quatre à quarante-huit heures.

— Fantastique !

— Faites attention quand même. C'est très fragile. Je n'ai pas eu le temps d'en faire une arme de combat. Et puis, ça ne va pas durer longtemps. Je n'ai pas beaucoup de batteries, dit McRae en montrant un sachet plastique dont sortaient quelques fils, et le laser va les vider rapidement.

— À quelle vitesse ?

— Si je devais faire un PPCS, je dirais vingt-cinq à trente secondes.

— Vous pouvez me donner une batterie de rechange ?

— Il ne s'agit pas d'une vulgaire voiture télécommandée de mioche ! J'ai peur de ne pas en avoir d'autres. Une fois qu'elles seront épuisées, ce sera terminé.

— Beau boulot de toute façon, dit Storm, fourrant les lunettes de sécurité dans sa poche. Bon, avant de sortir et d'affronter les gardes, il nous reste encore une tâche à accomplir.

— Quoi ?

— Le prométhium. Je suppose qu'il vous en reste.

McRae hocha la tête.

— Il faut s'en débarrasser. Je me suis arrangé pour qu'il n'y ait plus de nouvelle cargaison, mais je veux m'assurer qu'on ne puisse plus fabriquer de nouveau laser.

— Il est là, dit McRae en pointant un conteneur métallique qui ressemblait à un réfrigérateur.

— Comment vous conseilleriez de s'en débarrasser ?

— La chaleur, ça ferait l'affaire. Si vous le chauffez à haute température, dans les cinq cents degrés, cela en modifie la structure interne. Ça le transforme en une grosse masse, qu'il est impossible de changer en cristal pour la fabrication du laser.

— On a quelque chose ici qui pourrait générer une telle température ?

— Non.

— Alors ?

— Alors, on pourrait se contenter de le jeter dans l'évier et de faire couler de l'eau chaude, dit McRae en montrant un évier en aluminium. Le prométhium se présente sous forme de sel. Il se dissout facilement dans l'eau.

— Pourquoi ne pas avoir commencé par là ?

— Parce que je voulais vous en mettre plein la vue, comme vous avec vos connaissances en physique !

Storm sourit.

— C'est bien fait pour moi. Où va l'eau, ensuite ?

— On m'a dit qu'elle se déversait dans le réservoir de fond de cale. Mais, en ce moment, avec l'orage, je suis sûr que les pompes tournent à fond et que tout sera évacué dans la mer.

— Parfait. Ouvrez ce robinet.

À eux deux, il ne fallut que quelques minutes pour vider la réserve de prométhium. Pour la deuxième fois de la journée, Storm vit des millions de dollars d'un des éléments les plus rares de toute la planète partir à vau-l'eau.

Il était soulagé. Il était le seul à savoir où se trouvaient les dernières réserves de prométhium. Et ce que McRae lui avait confié à propos de la chaleur lui avait donné une idée pour que personne ne puisse plus jamais utiliser le contenu de cette cachette.

— Bon, on y va, dit Storm, une fois l'opération terminée avant de se diriger vers la porte.

— La poignée ne bougea pas.

— C'est toujours fermé de l'intérieur, dit McRae. Je suis sûr qu'avec un peu de C-4, les gonds céderaient facilement.

— Non, dit Storm. Je veux préserver l'effet de surprise jusqu'au dernier moment. Il est temps que le grand malade nous rejoue son numéro.

Ils repartirent par l'ouverture du plafond et redescendirent par la salle de bain de McRae.

Une fois la porte de la chambre franchie, Storm aida un McRae plié en deux à s'allonger sur le lit pour leurrer ceux qui pourraient visionner l'écran. Cela l'aida également à dissimuler le laser aux yeux de la caméra sans paraître trop suspect.

En gardant le corps en bouclier entre l'objectif et le laser, Storm s'approcha de l'interphone et appuya sur le bouton.

— Oui ?

— Excusez-moi, je suis désolé de vous ennuyer encore, mais le docteur McRae crache ses boyaux. Pour l'instant, il va un peu mieux, mais il aurait bien besoin d'un antiémétique pour que ça ne recommence pas.

— J'arrive.

Storm enfila ses lunettes noires.

— Fermez les yeux, dit-il à McRae.

La porte s'ouvrit. Un seul garde arriva, cette fois, celui que McRae surnommait Delta. Storm activa le laser, le braqua vers le visage de Delta et le laissa allumé pendant quatre secondes.

Delta gémit et s'effondra à genoux. Il était resté dans l'encadrement de la porte. Storm reposa le laser sur le lit, s'approcha de Delta et lui donna un coup de pied à la tête. Le garde tomba visage contre terre.

Storm lui tira les bras derrière le dos et les lui attacha avec des menottes en plastique. Il le fouilla : Delta n'était pas armé.

— Un de moins. Combien sont-ils, de toute façon ?

— Je n'en connais que cinq. Je les désigne par les lettres de l'alphabet grec. Celui-là, c'est Delta.

— Dans ce cas, il nous reste Alpha, Bêta, Gamma et Epsilon. Une belle petite famille. J'espère qu'ils s'amusent bien.

Storm reprit le laser sur le lit et retourna vers la porte, que le corps de Delta maintenait ouverte. Storm supposait que quelqu'un avait assisté à l'agression et ne tarderait pas à réagir. Il se plaça de manière à voir ce qui se passait dans le couloir en prenant soin de ne pas s'exposer.

Il attendit. Trente secondes. Soixante. Quatre-vingt-dix.

— Que se passe-t-il ? demanda McRae.

Storm ne répondit pas, car il n'en savait rien.

Finalement, la porte du fond du couloir qui donnait sur l'escalier s'entrouvrit. Epsilon pointa son nez, suivi de Bêta et Gamma. Ils marchaient à croupetons, deux d'entre eux du côté de la cellule, l'autre contre la paroi d'en face. Ils pointaient leur arme devant eux.

Storm positionna le laser au niveau des visages et se glissa de l'autre côté de la porte. Les hommes se mirent à tirer dès qu'ils aperçurent l'engin, mais Storm fit de même. Si leurs armes avaient besoin de précision, ce n'était pas le cas de la sienne. Il pressa sur le bouton pendant quinze secondes en balayant toute la largeur du couloir.

Les cris furent aussi bruyants que les coups de feu, tout comme leurs paroles, que même Storm qui ne parlait pas suédois perçut comme des jurons.

Ils continuèrent à tirer à l'aveugle. Les balles sifflèrent et percèrent les murs, jusqu'à ce que, un par un, ils tombent à court de munitions.

Storm jeta un furtif coup d'œil de l'autre côté de la porte. Au milieu du couloir, les hommes juraient toujours. Deux d'entre eux se frottaient les yeux avec leur main libre, tentative dérisoire de recouvrer la vue grâce à ce petit massage. Le troisième fouillait dans sa poche, peut-être pour y trouver un nouveau chargeur. Storm baissa son laser et se précipita vers eux d'un pas presque silencieux sur la moquette.

Tout en courant, il visualisa ses mouvements et les exécuta habilement une fois sur place. Il fit tomber Gamma d'un coup de coude à la tête. Bêta eut droit à un coup de pied au visage. Storm termina en enfonçant la partie la plus solide de son crâne contre la tempe fragile d'Epsilon. Il commença à menotter les hommes avec les bracelets souples.

— Finalement, vous n'êtes pas si mauvais dans cette opération de sauvetage, dit McRae.

— Quoi ? Ça ? J'ai tout appris en regardant Alida se débarrasser des aigrettes de pissenlits !

— Mais ce sont de vilains pissenlits.

— Oui, et ils profitent de vous. Venez.

— Et Alpha ?

— Vous parlez de Laird Nelsson ? Le chef de la sécurité ?

— Oui, l'armoire à glace.

— À mon avis, lui et la grande rousse que vous avez peut-être aperçue sont en train de discuter de la marche à suivre avec Ingrid Karlsson pour savoir quel est le meilleur moyen de se débarrasser de moi.

— Un instant ! Ingrid Karlsson ? C'est son bateau ? L'Ingrid Karlsson à laquelle je pense ?

— Sans le moindre doute.

McRae hocha la tête.

— J'ai lu son autobiographie, *Citoyens du monde*.

— Ne me dites pas que ça vous a plu, que vous vous conformez à ses objectifs et que vous allez vous retourner contre moi, car ça m'est déjà arrivé aujourd'hui.

— Non. C'est un tissu d'âneries. Je l'ai acheté chez un soldeur pour cinq dollars, dit McRae. Dès que je serai de retour, je me ferai rembourser.

Storm reprit le laser qui devait avoir de six à onze secondes de puissance restante, si on se fiait à l'exactitude du pari de McRae. Il passa devant Gamma, qui gémissait après avoir pris un coup de coude.

Storm lui assena un coup de pied sur la tête en passant. Ce n'était pas très fair-play, mais ce n'était pas un jeu. À la recherche de chargeurs de rechange, il fouilla les hommes. Il n'en trouva aucun, si bien qu'il ne prit pas la peine de les dépouiller de leurs armes. Il n'avait pas vraiment besoin de s'encombrer d'une arme vide.

Suivi par McRae, Storm monta les marches en braquant le laser vers la porte du haut. Si quelqu'un l'ouvrait, il recevrait un rayon bleu en pleine face.

Personne ne vint. En haut de l'escalier, Storm annonça :

— Les quartiers d'Ingrid se trouvent à l'avant du bateau. On passera par la droite et on avancera vers la proue. Restez derrière moi et faites bien attention de ne pas perdre l'équilibre. Ça remue salement, là-haut, et le pont est étroit. Il y a une rambarde, mais je n'ai pas besoin de vous expliquer qu'il y a peu de chances de vous sauver si vous tombez à l'eau. Si vous ne vous en sentez pas capable, restez ici, je viendrai vous rechercher.

Dès l'instant où Storm ouvrit la porte, le vent s'engouffra dans le passage et la repoussa, manquant l'arracher de ses gonds. Storm passa la tête à l'extérieur. Il n'y avait personne sur le pont.

Plié en deux pour résister à la violence des bourrasques, il commença à avancer. Chaque pas exigeait un gros effort. Il devait serrer le laser contre lui, comme un ballon de rugby pour qu'il ne lui échappe pas des mains.

Ses lunettes noires étaient recouvertes d'embruns et de gouttes de pluie. Il les poussa sur le bout de son nez pour regarder par-dessus la monture, mais dut plisser les yeux pour se protéger des projections d'eau.

Il sentait que McRae se débattait derrière lui, mais quand il se retourna, il vit que le scientifique avait battu en retraite et s'était réfugié dans l'escalier. Il avait sans doute eu raison : aucun intérêt à ce que le mari d'Alida ne se blesse.

Storm était arrivé à mi-chemin de l'endroit où il devrait tourner lorsqu'il aperçut l'imposante silhouette de Laird Nelsson. L'homme que McRae surnommait « Alpha » parut surpris. Il avait discuté avec Ingrid sans regarder les écrans de surveillance. Il ne s'était pas imaginé que les prisonniers avaient pu se libérer.

L'instant de surprise donna à Storm l'occasion de lever son laser pendant que Nelsson mettait la main sur son holster. Storm braqua le rayon vers les yeux de Nelsson qui sortait son arme. Lorsque Nelsson visa, Storm remonta ses lunettes noires et pressa sur le bouton du contact. Une intense lumière bleue jaillit de l'appareil et frappa Nelsson au visage. Storm garda le doigt sur le bouton pendant quatre secondes.

En trois secondes, il se produisit deux événements plus ou moins simultanés. D'abord, le rayon s'éteignit ; la batterie était à plat. McRae s'était trompé d'une seconde !

Ensuite, la balle tirée par Nelsson toucha Storm. Nelsson avait visé au centre de sa cible, et sa balle avait frappé juste. Elle s'était plantée dans le gilet de Storm, juste en dessous du sternum, lui coupant le souffle et le faisant tomber en arrière.

D'une certaine manière, c'était la meilleure chose qui pouvait arriver, car les trois autres balles de Nelsson se perdirent en hauteur. Storm entendait les cris de Nelsson pardessus le vacarme de la tempête. Il avait porté la main à ses yeux et se frottait le visage de toutes ses forces, comme s'il pouvait éliminer les effets du laser.

Lorsqu'il se rendit compte que c'était impossible, il leva de nouveau son arme et se mit à tirer en direction du pont, dans la zone où Storm était apparu.

Storm s'était débarrassé du laser, avait ôté ses lunettes et s'était plaqué au sol, le plus bas possible. Avec l'impression qu'un feu lui brûlait la poitrine, il respirait toujours difficilement. Il se mit à ramper lentement, afin de ne plus se trouver à l'endroit où Nelsson l'avait vu et essayait d'inspirer de grandes bouffées d'air.

Nelsson avançait vers lui, essentiellement parce que c'était dans cette direction que le poussait le vent. À sa façon de marcher, Storm comprenait que l'homme était aveuglé. Il n'en restait pas moins dangereux. Il braquait son arme en tous sens et tirait de temps en temps.

Soudain, il cessa de tirer. Il cherchait un autre chargeur dans la poche de son pantalon.

Storm profita de cet instant de répit pour se jeter sur lui. Il n'était guère enthousiaste à l'idée de s'attaquer physiquement à un homme qui pesait au moins trente-cinq kilos de plus que lui, mais cela lui laissait toujours de meilleures chances que quinze autres balles de huit grammes qui risquaient de causer beaucoup plus de dégâts.

Bien quc fort ralenti par la force du vent, Storm chargea droit devant lui. Au dernier instant, Nelsson sembla prendre conscience de l'attaque imminente. Il leva les bras pour se défendre, mais Storm lui fonça dans le ventre, le faisant tomber à la renverse. Le Beretta échappa des mains du Suédois.

Si Storm avait rêvé de pouvoir s'emparer de l'arme, ses espoirs furent déçus. Nelsson l'avait attrapée et n'était pas près de lâcher. Le chef de la sécurité d'Ingrid Karlsson avait anticipé la nature de la confrontation : un aveugle est en situation d'infériorité dans un combat au corps à corps s'il ne touche pas son adversaire. S'il réussit à garder le contact, la partie s'équilibre. Ce n'est pas pour rien que des lutteurs aveugles remportent des compétitions nationales.

Nelsson essaya de s'attaquer au visage ou plutôt à l'endroit où il pensait que se trouvait le visage de son adversaire. Les doigts essayaient de griffer et d'attraper tout ce qui était à leur portée. Storm asséna un coup de poing qui manquait énormément de puissance. Ils étaient trop proches l'un de l'autre. Pourtant, il n'avait aucun moyen de s'échapper. Il y avait peu d'hommes assez forts et assez percutants pour défier Storm, mais Nelsson était l'un d'eux.

De nouveau, Storm essaya de s'écarter. C'était un peu comme vouloir se libérer des tentacules d'une pieuvre enragée. Il devait se protéger le visage des attaques de Nelsson tout en mettant au point une misérable offensive. Il donna quelques coups de poing supplémentaires, guère plus efficaces que le premier.

Il était tellement absorbé par son incapacité à dominer Nelsson qu'il ne s'était pas préparé à ce qui allait suivre. En un mouvement rapide, Nelsson retourna Storm et lui serra les mains autour du cou. Le gigantesque Suédois pressa de toutes ses forces les doigts autour de sa gorge.

Ils se trouvaient tous deux de profil sur le pont étroit. Storm tendit les bras vers les yeux aveugles de Nelsson et le griffa. Nelsson semblait insensible. Il avait perdu le sens de la douleur. Soudain, Storm sentit qu'il perdait la bataille. Nelsson pesait de tout son poids sur son cou et coupait peu à peu le flot de sang qui alimentait le cerveau. L'obscurité commençait à l'envelopper et à brouiller sa vision. Storm manquait d'oxygène.

Rassemblant les dernières onces d'énergie qui lui restaient, Storm mit les pieds contre la poitrine de Nelsson et tendit brusquement les jambes. C'était un exercice classique d'haltérophilie ; malgré toute la puissance de son adversaire, la poussée de jambes de Storm était plus imposante que la force des bras de Nelsson.

L'armoire à glace fut propulsée vers le haut, vers la rambarde, un peu moins haute que la jambe tendue de Storm. À l'aveugle, Nelson chercha à se rattraper à quelque chose, un pied, la rambarde, peu importait. Mais, sans l'aide de la vue pour guider sa main, il ne saisit que du vent.

Il se retint brièvement au plat-bord, mais la force d'inertie l'entraîna de l'autre côté. Storm se redressa, se précipita vers la rambarde et regarda par-dessus bord. La dernière image qu'il eut de feu Laird Nelsson, dit Alpha, fut une touffe de cheveux blonds engloutie par la vague.

Après avoir balayé le pont d'un coup d'œil, Storm repéra le Beretta que le chef de la sécurité avait lâché. Il éjecta le chargeur et l'examina : vide, hélas !

Le seul avantage, c'était que Storm était le seul à le savoir. Il glissa le pistolet dans sa ceinture et se dirigea vers les quartiers d'Ingrid.

Il tourna au dernier angle et entra, soulagé de se retrouver enfin à l'abri des éléments. La poitrine douloureuse, il avait l'impression qu'on lui avait coincé la gorge dans un étau et qu'on avait serré les vis à fond.

Il marqua une pause pour se reprendre dans le salon sur lequel le prince Georges de Danemark et sa perruque bouffante montaient une garde silencieuse. Storm pensa à Brigitte et à son amour de la peinture.

— Alors, pas facile d'être marié à une reine, mon vieux ? demanda Storm.

Georges nc se confia pas sur le sujet, ce qui avait fait de lui un si bon mari, à l'époque.

— Ouais, c'est bien ce que je pensais, dit Storm en se dirigeant vers la double porte qui menait au sanctuaire d'Ingrid.

Elles s'ouvrirent sans difficulté.

Il n'y avait personne. Du moins, Storm ne vit personne. Il reconnaissait la pièce. Il se trouvait dans le bureau d'Ingrid, celui qu'avec des millions de personnes il avait vu sur une vidéo de You Tube, avec ses tapis d'époque, son bureau d'acajou et toutes les babioles hors de prix qui le décoraient.

À travers une autre porte double, il passa dans la pièce d'à côté, où Ingrid prononçait quelques phrases en suédois d'un ton grincheux. Il entendit le nom de Laird. Puis le sien, accompagné du mot *mörda*, cette fois encore.

Il devinait aisément la traduction : *Laird, c'est toi ? Tu as tué Derrick Storm ?*

— Je suis désolé, Laird n'est pas là pour l'instant, dit Storm. Il a décidé d'aller faire trempette. Apparemment, il n'est pas très bon nageur. Alors, je devrais peut-être dire qu'il a fait le grand plongeon.

Il n'y eut pas de réponse. Storm avança prudemment dans la pièce. Il sortit le Beretta, même si ce n'était plus qu'un accessoire de théâtre.

Tilda lui avait dit qu'Ingrid détestait les armes à feu, mais Tilda n'était pas toujours fiable. Storm s'attendait à ce qu'Ingrid, dans la pièce d'à côté, braque un canon sur lui.

Peut-être qu'il se trompait, mais Storm décida qu'il était moins dangereux de se tromper en estimant qu'Ingrid était armée que le contraire.

Il s'approcha de la double porte et guetta un mouvement. Rien. Il s'autorisa un rapide coup d'œil de l'autre côté. Il se trouvait bien dans la chambre d'Ingrid Karlsson, avec son grand lit à baldaquin. Elle était ornée d'antiques secrétaires, d'armoires, de miroirs baroques et d'une statue de marbre, ainsi que de milliers d'autres détails que Storm était incapable de recenser aussi rapidement.

Une seule chose manquait : Ingrid. Elle se cachait dans une armoire, la salle de bain, un meuble, planifiant sans doute une embuscade.

Storm pouvait se permettre de se montrer patient, jusqu'à un certain point. Il connaissait bien les équipes de Jones. Les raids au milieu de la nuit ou à l'aube étaient leur spécialité. Deux heures du matin. Trois heures…, leur moment de prédilection.

Minuit approchait. Dans quelques heures, les vents s'apaiseraient, et les hommes de Jones débarqueraient. Et ils feraient leur cinéma. Ou plutôt le cinéma de Jedediah Jones. À ce moment, les négociations commenceraient, et les seules personnes qui ne prendraient pas place à la table seraient les familles de tous ceux qu'Ingrid avait tués.

Storm chercha du regard ce qu'il pourrait utiliser pour provoquer une diversion ou une réaction. Il remarqua un vase. Un vase chinois de la fin de la dynastie Ming, sans doute, qui devait valoir une infinité de milliers de dollars. Il rebondit sur l'angle du baldaquin et le coin d'un bureau avant d'éclater en mille morceaux.

Toujours rien.

Storm réfléchissait à l'étape suivante, lorsque, venant du pont supérieur, il entendit un bruit régulier. Il était difficile d'en deviner la provenance, avec les hurlements du vent qui venaient de tous les angles du bateau, mais on aurait presque cru un roulement de tambour. Cela commença lentement, mais gagna vite de la vitesse.

Ce n'était pas un tambour, mais les rotors d'un hélicoptère.

Ingrid Karlsson disposait d'une échappatoire ! Et à présent, l'ancienne pilote de voltige aérienne essayait de s'enfuir par le seul moyen disponible en défiant la tempête.

Dans l'éclair de seconde où Storm comprit et réfléchit à ce qu'il fallait faire, le plan du navire s'imprima dans son esprit.

La plate-forme était située sur le pont supérieur, à l'arrière du bateau, à l'opposé de l'endroit où il se trouvait, sur le pont de proue. Le *Princesse guerrière* mesurait cent soixante-dix mètres de long. Il lui restait au moins cent vingt mètres à parcourir pour la rejoindre.

Néanmoins, il n'avait guère le choix. Si Ingrid s'échappait, elle disposait de toutes les ressources nécessaires pour disparaître. Elle ne serait jamais jugée.

Storm se rua hors des quartiers d'Ingrid et courut le long de la coursive où il avait failli se faire étouffer. Avec le vent dans le dos, il vola devant la porte de la cellule de McRae et des gardes, que les bourrasques maintenaient ouverte. Il n'y avait plus trace du savant.

Les rotors se faisaient plus bruyants. La seule chose qui jouait en sa faveur, c'était qu'il faudrait une bonne minute avant que les turbines soient capables de soulever l'appareil.

Les muscles des jambes en feu, il courait le plus vite possible. Il passa devant la cabine de Tilda… Il devrait la laisser aux bons soins de l'équipe de Jones, qui apprécierait sûrement le cadeau, et grimpa deux volées de marches d'un escalier extérieur. Il ne baissa pas les yeux vers les vagues qui commençaient à se calmer, mais formaient toujours des murs d'eau. Il se concentrait exclusivement sur son équilibre, sur ce terrain humide et glissant. S'il trébuchait, il perdrait le temps précieux qui lui permettrait de retenir l'appareil.

Au moment où il arrivait sur le bord de la plate-forme, Ingrid tira sur le manche, et l'appareil se souleva légèrement. Dans une ultime accélération, Storm courut sur les dix derniers mètres. L'hélicoptère décollait déjà. Il voyait le visage concentré d'Ingrid qui tirait toujours sur le manche. Elle l'avait vu arriver. Peu lui importait. À ce point, il ne cherchait plus à se montrer discret.

Storm fixa son regard sur le patin le plus proche de lui et calcula son élan.

Pour effectuer un dunk au basket, le joueur doit sauter à trois mètres pour atteindre le bord du panier et s'élever de vingt centimètres supplémentaires pour faire tomber le ballon à l'intérieur.

Lorsque Storm arriva au niveau de l'hélicoptère, le patin qu'il visait se trouvait à trois mètres trente de haut.

Par chance, Storm était capable de faire un dunk sans difficulté et avait encore de la marge. Il sauta, et les doigts tendus de la main droite attrapèrent la barre de métal lisse et s'y accrochèrent fermement.

L'hélicoptère vacilla un instant sous le poids de Storm, mais il avait assez de puissance pour supporter ces cent kilos supplémentaires. Au fur et à mesure qu'il gagnait de l'altitude, la force de la tempête l'éloignait rapidement du bateau.

Dire que la vie de Storm était suspendue à un fil n'était pas qu'une simple expression. Se retenant par une seule main, il se balançait au-dessus des eaux écumeuses du détroit de Gibraltar. Lorsqu'il avait encore sa combinaison de plongée, un compensateur de flottabilité et un grappin pour le hisser vers le bateau, il pouvait affronter la violence de la mer. Avec les simples vêtements empruntés à Laird Nelsson, il n'avait aucune chance de survivre jusqu'au matin.

Tandis que l'hélicoptère oscillait, Storm réussit à attraper le patin avec la main gauche. Il tenta de hisser son corps, mais ce n'était pas une partie de plaisir.

Que Karlsson adopte volontairement un pilotage erratique, un peu comme un taureau de rodéo qui tente de se débarrasser de son cavalier, ou que l'appareil soit ballotté par la tempête, l'effet était le même.

En temps ordinaire, Storm était capable d'effectuer vingt à trente tractions, mais, dans ces circonstances, une seule demandait une force herculéenne.

À la longue, il y parvint cependant. Ingrid avait enfin stabilisé l'hélicoptère qu'elle semblait mieux contrôler. Elle maîtrisait le manche maintenant qu'elle avait pris de l'altitude et se retrouvait face à des vents plus prévisibles par rapport aux rafales anarchiques qui soufflaient au niveau des vagues.

Storm s'attendait à ce qu'elle continue à prendre de l'altitude pour voler au-dessus de la tempête. Si l'altitude était l'amie d'Ingrid, c'était la pire ennemie de Storm. Les hélicoptères ont un plafond au-dessus duquel l'oxygène est trop rare pour que les rotors puissent maintenir l'altitude, mais ce plafond était très élevé, et Ingrid pouvait décider de l'atteindre.

En fait, elle fit la chose à laquelle il s'attendait le moins. Elle fit demi-tour, se plaça juste derrière la proue et se trouva donc face au bateau. Elle vola plus bas et plongea dans les turbulences qui risquaient de les tuer tous les deux. Storm ne comprenait pas où elle voulait en venir.

Elle se mit à dessiner des cercles autour du bateau, si bien qu'il commença à avoir une petite idée. Elle se dirigeait vers la superstructure du *Princesse guerrière*. Elle allait projeter Storm contre la coque. Peut-être contre une des parties les plus proéminentes, une grosse cheminée située aux trois quarts arrière, par exemple.

Storm avait les bras autour du patin, mais ses jambes tombaient toujours dans le vide. Il redoubla d'efforts pour les soulever pendant que l'hélicoptère plongeait vers le bateau. Il souleva une jambe, puis l'autre.

Il hasarda un regard en l'air et aperçut la porte de l'hélicoptère. Il visait la poignée. Sa seule planche de salut, peut-être ; cela dépendait de la précision d'Ingrid.

Il réussit à se hisser en position assise et se mit à califourchon sur le patin, une main contre le ventre de la carlingue. Il s'était un peu approché de la poignée qui restait néanmoins hors de portée.

L'hélicoptère se trouvait juste au-dessus de la proue et, avec le vent arrière, il s'approchait de la cheminée à une vitesse meurtrière. Il n'était plus temps de jouer la prudence. Il devait sauter, ce qui signifiait qu'il devait d'abord monter sur le patin.

Sans rien à quoi se retenir ! Il pouvait se pencher un peu vers l'intérieur de l'hélicoptère, mais devait surtout compter sur son propre équilibre. C'était un peu comme du surf urbain, mais à un niveau de difficulté qu'aucun gosse intrépide de Washington n'avait jamais rêvé de s'attaquer.

Agrippant le patin à deux mains, il posa les pieds derrière lui, puis les ramena sous lui avant de se redresser totalement. Il s'appuya sur le fuselage de l'hélicoptère, bien que cela ne lui fût pas d'un très grand secours. Si Ingrid choisissait ce moment pour virer à droite, Storm ferait un plongeon mortel sur le pont, en contrebas.

Mais si elle visait la cheminée, elle continuerait tout droit. Il ne restait plus que quelques mètres.

À la toute dernière seconde, Storm sauta vers la poignée. Il sentit le métal rond et s'aida des deux mains pour soulever son corps juste au moment où Ingrid heurta la cheminée.

Le crissement du métal contre le métal emplit l'air, puis le patin fut arraché. Pris dans une folle spirale, l'hélicoptère pivota de quatre cent quatre-vingts degrés et faillit échapper à tout contrôle. Storm ne se retenait plus qu'à la poignée de la porte. Mais elle n'était plus stable : la porte de l'hélicoptère s'était ouverte. La tête de Storm, ses bras tendus et ses épaules étaient projetés contre le côté de l'hélicoptère. Storm réagit de la seule manière possible : il s'agrippa encore plus fort pour absorber l'impact, un peu comme un receveur sur le point de se faire assommer par une balle puissante et qui parvient malgré tout à ne pas la lâcher.

De nouveau, Ingrid prenait de l'altitude. La porte commença à se refermer. Storm ignora les conséquences de ce qui semblait être une contusion mineure et décrocha sa main droite. Il l'utilisa pour attraper ce qui lui tomberait sous la main à l'intérieur de l'hélicoptère avant que la porte ne se referme.

Il tomba sur une sorte de filet. Il s'en saisit. Sa main droite maintenait la porte ouverte. Il resta ainsi pendant quelques secondes, à moitié à l'intérieur, à moitié à l'extérieur, jusqu'à ce que, à sa grande terreur, les gonds commencent à céder. Ils n'étaient pas conçus pour résister au poids d'un homme adulte qui se balançait comme un orang-outang dans la jungle.

Tandis qu'ils cédaient un par un, Storm tenta follement de se réfugier à l'intérieur de l'hélicoptère. Il s'accrocha au pied du siège passager à l'arrière et plaça ses jambes à l'intérieur de l'appareil.

La porte qui battait toujours finit par se détacher pour de bon. Storm ne se donna pas la peine de suivre sa chute. Haletant, il se réjouissait de se retrouver sur le sol ferme de l'hélicoptère.

Cela ne dura pas longtemps. Il venait tout juste de se mettre à quatre pattes quand Ingrid, qui avait activé le pilote automatique, quitta les commandes.

Un horrible rictus lui enlaidissait le visage. Elle tenait un poignard dans la main gauche. La lame incurvée de trente centimètres de long semblait aussi cruelle que létale.

Dans toutes les techniques de combat traditionnelles, on estime qu'il est difficile de tuer avec un couteau. Il faut avoir la capacité de dominer son adversaire et, même ainsi, ce n'est pas facile. Les victimes de crime à l'arme blanche ont souvent des dizaines de blessures, dont aucune n'est fatale, mais elles succombent à la suite des hémorragies.

Hélas, cette sagesse n'a plus cours lorsqu'on fait face à une Suédoise enragée, taillée comme une amazone, dans un hélicoptère ballotté par les vents.

Ingrid n'hésita pas un instant avant de porter la première attaque. Elle visa à la tête et manqua sa cible parce que Storm esquiva le coup à la dernière nanoseconde.

Il sauta sur ses pieds et prit aussitôt une position accroupie, les deux mains devant lui. Ingrid n'était pas une idiote.

Oui, le poignard lui donnait un avantage, mais Storm gardait celui de la taille, de la force et de la vitesse. Elle devait rester hors de sa portée.

Storm esquissa une feinte à droite, pour voir si Ingrid se laissait prendre au piège et se précipitait vers lui au risque de perdre l'équilibre, mais elle ne bougea pas.

Il tenta de lui arracher le couteau ; elle fit un pas en arrière et contre-attaqua en lui donnant un coup dans le ventre que Storm évita de justesse.

Elle leva le poignard et fit un grand mouvement vers le bas. Storm essaya de reculer, mais se heurta à la paroi de l'hélicoptère. Il leva le bras pour se protéger. La lame d'Ingrid lui fit une grande entaille au bras. Elle frappa à nouveau. Une nouvelle blessure, près du coude cette fois.

Storm s'appuya sur sa jambe gauche et donna un coup de pied avec la droite, touchant Ingrid au plexus solaire et la propulsant à l'autre bout du petit appareil, le côté le plus proche de la porte. À trois mètres l'un de l'autre, ils s'observèrent pendant un instant.

— Jones et moi, on a conclu un marché, dit Ingrid dans un souffle rageur.

— Je n'en doute pas. Mais ça ne marche pas avec moi.

— Tu n'es qu'un imbécile ! Tu ne vois pas qu'en essayant de me barrer la route, tu te mets en travers de l'histoire ? Les nations et les frontières qu'elles dessinent, c'est du passé. Les gouvernements du monde ne sont que des entraves à une vie meilleure, pour toute l'humanité.

— Alors, pourquoi ne pas laisser l'humanité choisir sa voie ?

— Parce que la plupart des gens sont trop bêtes pour savoir ce qui est bon pour eux. Ils ont besoin d'un chef qui leur montre le chemin. Ce chef, c'est moi.

— Vous êtes folle.

— Quoi ? Parce que tu crois que ton président des États-Unis peut faire de la planète un monde meilleur, comme je le veux, moi ? Tu crois que ton vice-président ou ton secrétaire d'État en sont capables ? J'y pensais, justement, lorsque j'ai donné l'ordre d'abattre *Air Force One*, même si cet incident n'avait vraiment rien de tragique. Un avion avec les personnages les plus puissants à bord, et pas un qui soit capable de faire progresser le monde autant que moi ! C'est vraiment dommage que cela n'ait été qu'un leurre. Vous, les Américains, vous auriez fini par comprendre que je vous rendais un grand service.

— Vous ne comprenez pas que votre approche est totalement fallacieuse ? Les révolutions ne se produisent pas parce que quelqu'un croit à quelque chose. Ça, c'est la manière de créer des dictateurs. Et les révolutions se produisent parce que des millions de personnes croient à la même chose. Vous ne pouvez pas imposer votre propre vision de l'avenir à tous.

— Franchement, vous êtes tous bouchés ! Votre perception est trouble.

— Non, je vois parfaitement bien. Et je vous vois aller tout droit en prison.

— Ça n'arrivera jamais, dit-elle en chargeant Storm sitôt cette affirmation prononcée.

Il l'esquiva habilement. Pour seul résultat, ils changèrent de place. Storm sentait les bouffées d'air frais qui s'engouffraient par la porte ouverte de la carlingue, derrière lui.

De nouveau, il s'accroupit, se préparant à la prochaine attaque qui ne tarda pas. Cette fois, Storm ne lâcha pas le terrain. Lorsqu'elle s'approcha de lui, il attrapa la lame de la main gauche et poussa un grognement de douleur, car elle lui trancha la paume. Néanmoins, il en avait tiré avantage : il avait attrapé le poignet gauche d'Ingrid de la main droite.

Il lui suffisait à présent d'utiliser sa force d'inertie contre elle. Tel un toréador expérimenté, il détourna son corps de profil au tout dernier moment.

Soudain, plus rien ne séparait Ingrid de l'extérieur, en dehors de l'air tropical humide. Elle voltigea dans l'espace derrière Storm et entama une chute vertigineuse vers les vagues, à des dizaines de mètres plus bas.

Elle ne fut sauvée que parce que Storm ne lui avait pas lâché le poignet. Au moment où elle entama sa chute, il s'allongea sur le ventre, écarta les jambes pour pouvoir se raccrocher au sol de l'hélicoptère et ne pas se laisser entraîner dans le vide avec elle.

Pendant quelques secondes, Ingrid resta suspendue au-dessus des vagues, gigotant vainement les jambes. De ce côté, le patin de l'hélicoptère avait été arraché par la collision avec la cheminée. Elle ne trouverait rien sous ses pieds. Bientôt, elle cessa de lutter et resta suspendue, à la merci de Storm.

Elle tenait toujours le poignard dans sa main droite, et, en l'agrippant ainsi, Storm exposait l'intérieur de son poignet droit. L'artère ulnaire et l'artère radiale, celles que les candidats au suicide essaient de se trancher, étaient toutes gonflées.

Plus ou moins au même instant, Storm et Ingrid comprirent ce qui allait se passer.

— Non, ne faites pas ça ! hurla Storm.

Ingrid le regardait, les yeux pleins de haine.

— Ingrid, vous n'avez aucune chance de survivre à la chute ou au plongeon. Moi, j'en mourrai peut-être, rien n'est moins sûr, mais je n'ai aucun doute sur ce qui va vous arriver. Vous êtes finie.

Elle fit la moue, découvrant ses dents. À cet instant, le vacarme se fit particulièrement intense. La pluie battante. Les bourrasques furieuses. Le grondement des rotors. Storm devina tout de même aisément les mots qui sortirent de la bouche d'Ingrid.

— C'est dans mes gènes.

La lame approcha du poignet de Storm.

— Non !

Il bloqua le poignard avec le dos de sa main gauche. La pointe de la lame s'enfonça un instant avant de tomber sur un os. Surprise par cette résistance, Ingrid lâcha prise. L'arme disparut rapidement dans les flots déchaînés.

Lentement, Storm commença à remonter Ingrid. Il saignait et aurait besoin de quelques points de suture, mais rien de dramatique.

Le seul drame, c'était l'ambition perverse d'Ingrid. Storm la hissa à l'intérieur de l'hélicoptère. Elle se débattit un moment. Malgré sa grande forme, c'était une femme d'une bonne cinquantaine, avec une force et une énergie limitées. Storm la maîtrisa facilement.

À califourchon au-dessus d'elle, il lui lia les mains avec ses menottes de plastique, puis les pieds. Elle cria et jura, mais finit par se calmer. Storm repéra une corde et l'attacha au siège du passager pour éviter qu'elle ne se jette soudain par la porte.

Il trouva la trousse de secours de l'hélicoptère et pansa ses blessures pour arrêter l'hémorragie.

Puis il s'installa à la place du pilote et commença à faire route vers La Haye.

Le juge suprême de la cour de justice internationale ne serait que trop heureux d'accueillir cette hôte.

ÉPILOGUE

Baltimore, Maryland

Le seul grand match de base-ball auquel Derrick Storm eût jamais assisté s'était déroulé dans le vieux Memorial Stadium, au fin fond d'une banlieue populaire de la ville, bien loin des quartiers bourgeois des environs du port.

Si jamais Storm perdait l'esprit à cause de la maladie d'Alzheimer ou une autre déficience due au grand âge, il était certain que ce serait le dernier souvenir à s'effacer : un enfant de sept ans, qui longeait la balustrade du stade et tenait fermement la main de son papa, face au grand terrain qui s'étalait devant lui, immense tapis d'un émeraude parfait.

Ce nouveau match des Orioles, auquel Storm se rendit deux semaines plus tard, arriverait juste derrière. Cette fois, il ne tenait pas la main de Carl Storm, mais il passa le bras autour de la taille du vieil homme pendant qu'ils descendaient vers leur siège.

À ce moment, Carl savait tout ce qu'il avait voulu savoir et plus encore sur les dernières aventures de son fils.

— Ça fait plaisir de se retrouver ici avec toi, dit Derrick. Désolé pour le retard.

— Dépêche-toi, je n'ai pas envie de manquer le coup d'envoi.

Les deux dernières semaines avaient été mouvementées : un flux ininterrompu d'enquêtes, d'investigations, de rencontres avec juges et avocats qui voulaient tout savoir « depuis le début ».

Storm avait fini par confier Ingrid Karlsson aux mains de la Cour internationale de justice, où, avec son assistante, Tilda, et une douzaine de personnes qui travaillaient sous ses ordres sur deux continents, elle devrait répondre à plus d'un millier de chefs d'accusation. Parmi les conspirateurs se trouvait Nico Serrano, le directeur d'Autoridad del Canal de Panama, qui allait être extradé pour répondre de ses actes.

William McRae avait été retrouvé sain et sauf par les agents de la CIA au cours d'une « opération de libération d'otages » (grâce à Jones qui n'avait pas ménagé ses efforts pour déguiser cette intervention). Avant de retrouver sa chère Alida, McRae vendit avec joie le plan de son laser au gouvernement américain. Sans prométhium pour l'alimenter, ce n'était qu'un bout de papier. Néanmoins, il avait bien l'intention d'agrandir son jardin et de subvenir aux besoins de ses petits-enfants qui entamaient des études universitaires.

Le jour de la libération de McRae, les autorités d'Hercules arrêtèrent un homme au visage partiellement couvert d'une tache de vin, accusé de nombreux délits : entrée par effraction dans une propriété privée, possession illégale d'armes à feu, atteinte à la vie privée… après qu'on eut découvert dans son appareil photo de nombreux clichés d'une vieille dame en train de jardiner.

Storm avait reçu pas moins de quatre gâteaux à la crème de banane d'une boulangerie locale de La Haye. Tous contenaient un mot de remerciement d'Alida, de plus en plus long, jusqu'à ce que Storm trouve enfin le temps de la remercier et de demander grâce !

Storm était rentré juste à temps pour voir la photo de Katie Comely à la une du *Washington Post* et de dizaines de journaux et magazines, où on y relatait sa découverte de l'une des antiquités égyptiennes les plus marquantes des vingt dernières années. Sa momie était celle de Narmer, le pharaon qui avait réuni la Haute et la Basse-Égypte. Elle hésitait encore entre les postes qu'on lui proposait à Princeton, Harvard et Dartmouth (bien que Dartmouth semblât avoir sa préférence).

Alors qu'ils étaient toujours sur les marches, le téléphone de Storm retentit. Reconnaissant le numéro du Pentagone, il répondit :

— Allô ?

Il écouta un instant.

— Donc, tout est terminé ? Parfait. Merci de m'avoir tenu informé. Je vous en suis très obligé.

— Qui était-ce ? demanda Carl.

— L'ex-lieutenant Marlowe. À présent, c'est le général Marlowe, le numéro trois de l'armée de l'air. Il m'appelait pour me dire que ses services avaient commis une terrible erreur. Ils ont lâché une bombe à charge pénétrante non loin de Louxor, en Égypte. Tu ne le sais peut-être pas, mais ces *bunker busters* produisent une chaleur invraisemblable lorsqu'ils explosent. Des milliers de degrés. Heureusement que la bombe a explosé en plein milieu du désert du Sahara. Cela n'aura aucune incidence sur les populations.

— C'est une bonne chose, dit Carl en souriant.

Ils arrivèrent au rang B.

— Tu préfères t'asseoir près de l'allée ? demanda Carl.

— Non, non, reste là, dit Derrick Storm. Le siège 2B m'a plutôt porté chance, jusqu'à maintenant.

❋

Série Nikki Heat

Vague de chaleur

Dans la fournaise new-yorkaise, les esprits s'échauffent, les passions se déchaînent et une série de meurtres entraîne la police dans le monde opaque de l'immobilier, des paris, de l'argent douteux.

Mise à nu

La plus célèbre des chroniqueuses mondaines est retrouvée morte à son domicile. Assassinée. Nikki Heat est chargée de cette enquête qui s'annonce délicate... D'autant que Heat et Rook ne sont pas encore remis de leur rupture...

Froid d'enfer

Un prêtre est retrouvé assassiné dans un club fétichiste. Pour Nikki Heat, c'est l'affaire la plus dangereuse de sa carrière. Elle se retrouve aux prises avec un baron de la drogue, un agent véreux de la CIA, et un mystérieux escadron de la mort…

Cœur de glace

Le cadavre d'une femme battue à mort est retrouvé dans une valise, au milieu des rues de Manhattan. Pour Nikki Heat, c'est une évidence : ce meurtre a des liens avec l'assassinat de sa propre mère, dix ans plus tôt.

Mort brûlante

Décidée à venger le meurtre de sa mère, Nikki Heat est à la recherche de l'homme qui, autrefois, a ordonné son assassinat. Dans cette enquête, elle est bien sûr épaulée par le célèbre et toujours aussi charmeur Jameson Rook. Bientôt, ils découvrent que la mère de Nikki a été assassinée afin de dissimuler un complot terroriste.

Tempête à l'horizon, Tempête et orage, Tempête de sang

Lorsque Derrick Storm a quitté la CIA, il n'a pas simplement pris sa retraite, il a dû carrément simuler sa mort. Mais aujourd'hui, Derrick Storm est de retour à l'Agence, car son ancien patron lui demande une faveur. L'ancien agent secret doit enquêter sur l'enlèvement du fils d'un sénateur de Washington. Rapidement, la politique internationale s'en mêle…

Avis de tempête

Les plus grands banquiers de la finance internationale sont torturés avant d'être assassinés. Le tueur, surpris fugitivement par une caméra de surveillance, arbore un bandeau sur l'œil et ressemble à un parfait psychopathe. Derrick Storm ne tarde pas à réaliser que son vieil ennemi, Gregor Volkov, est de retour.